Einaudi. Stile libero Big

Dello stesso autore nel catalogo Einaudi

Branchie
Io non ho paura

Niccolò Ammaniti
Che la festa cominci

Einaudi

© 2009 Giulio Einaudi editore s.p.a., Torino

www.einaudi.it

Questo libro è stato stampato su carta ecosostenibile Cyclus Offset, prodotta
dalla cartiera danese Dalum Papir A/S con fibre riciclate e sbiancate senza uso di cloro.
Per maggiori informazioni: www.greenpeace.it/scrittori

La mappa di Villa Ada è stata disegnata da Matteo Bellisario

ISBN 978-88-06-19101-6

Che la festa cominci

Ad Anatole
che mi ha tirato fuori da una scatola

Parte prima
Genesi

A un tavolo della pizzeria *Jerry 2* di Oriolo Romano erano riunite le Belve di Abaddon.

Il loro leader, Saverio Moneta detto Mantos, era preoccupato.

La situazione era grave. Se non riusciva a riprendere in mano il comando della setta, quello rischiava di essere l'ultimo raduno delle Belve.

L'emorragia era cominciata da un po'. Per primo se ne era andato Paolino Scialdone detto Il Falciatore. Senza dire una parola li aveva mollati ed era entrato nei Figli dell'Apocalisse, un gruppo satanista di Pavia. Poche settimane dopo, Antonello Agnese detto Molten si era comprato una Harley Davidson di seconda mano e si era unito agli Hell's Angels di Subiaco. E per finire Pietro Fauci detto Nosferatu, braccio destro di Mantos e storico fondatore delle Belve, si era sposato e aveva aperto un negozio di termoidraulica all'Abetone.

Erano rimasti in quattro.

Bisognava fare un discorso molto serio, rimetterli in riga e reclutare nuovi adepti.

– Mantos, tu che prendi? – gli domandò Silvietta, la vestale del gruppo. Una roscetta secca secca con due occhi a palla che sporgevano sotto le sopracciglia sottili, poste troppo in alto sulla fronte. Su una narice e al centro del labbro aveva un anello argentato.

Saverio diede un'occhiata distratta al menu. – Non
so… Una marinara? No, meglio di no, l'aglio mi rimane
sullo stomaco… Le pappardelle, dài.

– Le fanno ignoranti, ma so' bone! – approvò Roberto Morsillo detto Murder, un ciccione alto quasi due metri, coi capelli lunghi e tinti di nero e gli occhiali da vista
unti di grasso. Addosso aveva una maglietta slabbrata degli Slayer. Originario di Sutri, studiava Legge a Roma e
lavorava al Bricocenter di Vetralla.

Saverio squadrò i suoi discepoli. Nonostante avessero
superato la trentina si vestivano ancora come una manica
di metallari sfigati. E dire che non faceva altro che racco-
mandarsi: «Dovete sembrare normali, via 'sti piercing, 'sti
tatuaggi, 'ste borchie…» Ma non c'era verso.

Questo passa il convento, pensò rassegnato.

Mantos alzò lo sguardo, la sua immagine si rifletteva
nella specchiera della Birra Moretti appesa dietro il bancone della pizzeria. Smilzo, un metro e settantadue, occhiali da vista con la montatura in metallo, capelli scuri
pettinati con la riga a sinistra. Indossava una camicia az-
zurra mezze maniche abbottonata fino al collo, pantaloni
di velluto a coste blu e un paio di mocassini college.

Un tipo normale. Come tutti i grandi paladini del Male: Ted Bundy, Andrej Čikatilo, Jeffrey Dahmer, il canni-
bale di Milwaukee. Gente che potevi incontrare per strada e non gli avresti dato una lira. Invece erano i figli pre-
diletti del Demonio.

*Che avrebbe fatto Charlie Manson al mio posto se avesse
avuto dei discepoli cosí sfigati?*

– Maestro, ti dovremmo parlare… Avremmo pensato
una cosa sulla setta… – lo spiazzò Edoardo Sambreddero
detto Zombie, il quarto del gruppo, un tipo allampanato
che non poteva ingerire aglio, cioccolata e bevande gassa-

te. Soffriva di esofagia congenita. Aiutava il padre a montare gli impianti elettrici a Manziana. – Tecnicamente noi, come setta, non esistiamo.

Saverio aveva intuito dove voleva andare a parare l'adepto, ma fece finta di non capire. – Che vuoi dire?

– Da quant'è che abbiamo fatto il giuramento di sangue? Saverio sollevò le spalle. – Saranno un paio d'anni.

– Su internet, per esempio, non si parla mai di noi. Dei Figli dell'Apocalisse tantissimo, – sussurrò Silvietta con una vocina cosí bassa che nessuno la sentí.

Zombie puntò il grissino contro il suo capo. – In tutto questo tempo che abbiamo combinato?

– Delle cose che avevi promesso, che abbiamo fatto? – si uní Murder. – Sacrifici umani non se ne sono visti e avevi detto che ne avremmo fatti un casino. E i riti di iniziazione con le vergini? E le orge sataniche?

– Intanto il sacrificio umano l'abbiamo fatto, eccome se lo abbiamo fatto, – precisò Saverio irritato. – Non sarà riuscito, ma l'abbiamo fatto. E pure l'orgia.

A novembre di un anno prima Murder aveva conosciuto sul treno per Roma Silvia Butti, una studentessa fuori sede della facoltà di Psicologia. I due avevano parecchio in comune: l'amore per la Lazio, i film dell'orrore, gli Slayer e gli Iron Maiden, insomma il buon vecchio heavy metal degli anni Ottanta. Avevano cominciato a chattare su msn e a vedersi a via del Corso il sabato pomeriggio.

Fu Saverio ad avere l'idea di sacrificare Silvia Butti a Satana nel bosco di Sutri.

C'era solo un problema. La vittima doveva essere vergine.

Murder aveva dato la sua parola. – Ci ho fatto di tutto, ma quando ho provato a scoparmela, non c'è stato verso.

Zombie aveva cominciato a ridere. – Non ti ha sfiorato l'idea che forse non ci vuole scopare con un ciccione come te?

– Imbecille, ha fatto una scelta personale di castità.
Quella è vergine al cento per cento. E poi, scusatemi, se
per caso non lo fosse, che succede?

Saverio, maestro e teorico del gruppo, era preoccupato. – Be', è abbastanza grave. Il sacrificio sarebbe inutile,
o peggio potrebbe addirittura rivoltarcisi contro. Le potenze infernali, non soddisfatte, ci potrebbero attaccare e
distruggere.

Dopo ore di discussioni e ricerche su internet, le Belve avevano concluso che l'illibatezza della vittima non era
un problema sostanziale. A quel punto avevano studiato un
piano.

Murder aveva invitato Silvia Butti per una pizzata a
Oriolo Romano. Lí, a lume di candela, le aveva offerto
supplí, filetti di baccalà e una birra gigante in cui aveva
sciolto tre pasticche di Roipnol. Alla fine della cena la studentessa si reggeva in piedi a malapena e farfugliava cose
senza senso. Murder l'aveva caricata di peso in macchina
e con la scusa di andare a vedere l'alba sul lago di Bracciano l'aveva portata nel bosco di Sutri. Lí le Belve di Abaddon, con dei blocchi di tufo, avevano innalzato un'ara sacrificale. La ragazza, semicosciente, era stata spogliata e
stesa sull'altare. Saverio aveva invocato il Maligno, aveva
mozzato la testa a una gallina e spruzzato il sangue sul corpo nudo della studentessa e poi se l'erano fatta tutti. A
quel punto avevano scavato una buca e l'avevano seppellita viva. Il rito era stato consumato e la setta aveva intrapreso il suo viaggio negli oscuri territori del Male.

Il problema si era presentato tre giorni dopo. Le Belve
erano appena uscite dal cinema Flamingo dove avevano vi-

sto *Non aprite quella porta. L'inizio* e si erano trovate davanti Silvia. La ragazza, seduta su una panchina dei giardinetti, si mangiava una piadina. Non ricordava molto della serata, ma aveva la sensazione di essersi divertita. Aveva raccontato che quando si era risvegliata sotto terra aveva scavato fino alla superficie.

Saverio l'aveva arruolata come sacerdotessa ufficiale della setta. Qualche settimana dopo si era fidanzata con Murder.

– Sí, è vero, l'orgia l'avete fatta, – ridacchiò imbarazzata Silvietta. – Me l'avete raccontata cento volte.

– Sí, ma non eri vergine. E quindi tecnicamente la messa non è riuscita... – fece Zombie.

– Ma come potevate pensare che ero vergine? Il mio primo rapporto...

Saverio la interruppe. – Comunque era un rito satanico...

Zombie tagliò corto. – Ok, lasciamo perdere il sacrificio, poi che altro abbiamo fatto?

– Abbiamo sgozzato diverse pecore, mi pare. O no?

– E poi?

Mantos senza volerlo alzò la voce. – E poi! E poi! Poi ci so' le scritte sul viadotto di Anguillara Sabazia!

– Capirai. Lo sai che Paolino con quelli di Pavia hanno sventrato una suora?

L'unica cosa che riuscí a fare il leader delle Belve di Abaddon fu scolarsi un bicchiere d'acqua.

– Mantos? Hai capito? – Murder mise la mano accanto alla bocca. – Hanno sventrato una suora di cinquantotto anni.

Saverio sollevò le spalle. – La solita cazzata. Paolo ci vuole fare rosicare, si è pentito di averci lasciato –. Ma aveva la sensazione che non fosse una cazzata.

– Il telegiornale lo guardi o no? – continuò impietoso Murder. – Ti ricordi di quella suora originaria di Caianello che hanno trovato decapitata vicino Pavia?

– Embè?

– Sono stati i Figli dell'Apocalisse. Se la sono caricata a una fermata dell'autobus e poi Kurtz l'ha decapitata con un'ascia bipenne.

Saverio detestava Kurtz, il leader dei Figli dell'Apocalisse di Pavia. Sempre il primo della classe. Sempre quello che faceva le cose piú esagerate. Bravo Kurtz! Complimenti! Sei il migliore!

Saverio si passò la mano sul viso. – Vabbe' ragazzi... Dovete pure considerare che 'sto periodo è stato molto duro per me. La nascita dei gemelli. 'Sto maledetto mutuo per la casa nuova.

– A proposito, come stanno i piccoli? – domandò Silvietta.

– Sono dei tubi. Mangiano e cagano. E la notte non ci fanno chiudere occhio. Si sono presi anche la rosolia. Aggiungete pure che il padre di Serena si è operato al bacino e tutto il mobilificio sta sulle mie spalle. Ditemi voi come faccio a organizzare qualcosa per la setta?

– Senti, hai qualche occasione in negozio? Vorrei comprarmi un divano letto tre posti, il mio me l'ha distrutto il gatto, – chiese Zombie.

Il capo delle Belve non ascoltava, pensava a Kurtz Minetti. Alto un cazzo e un barattolo. Pasticcere di professione. Aveva già dato fuoco a un rappresentante della Folletto e ora aveva decapitato una suora.

– Comunque siete degli ingrati, – e li indicò uno a uno. – Io mi sono fatto un culo cosí per questa setta. Se non c'ero io che vi introducevo nel culto degli Inferi voi a quest'ora stavate ancora a leggere *Harry Potter*.

– Sí, Saverio, capisci pure noi però. Noi ci crediamo nel gruppo, ma cosí non si può andare avanti –. Murder nervoso addentò un grissino. – Lasciamo perdere e rimaniamo amici.

Il capo delle Belve, esasperato, sbatté le mani sul tavolo. – Facciamo cosí. Datemi una settimana. Una settimana non si nega a nessuno.

– Che ci devi fare? – chiese Silvietta mordicchiandosi l'anello sul labbro.

– Sto studiando un'azione esagerata. Una missione molto pericolosa… – Prese una pausa. – Però poi non potete tirarvi indietro. Perché a parlare sono tutti buoni. Ma quando arriva il rischio… – Fece una vocina lamentosa. – Non posso, scusami… Ho problemi di famiglia, mia madre sta poco bene… Devo lavorare –. E guardò in maniera particolare Zombie, che abbassò colpevole la testa sul piatto. – No. Si rischia tutti il culo nello stesso modo.

– Ma non ci puoi anticipare qualcosa? – domandò timidamente Murder.

– No! Vi posso solo dire che è un'azione che ci farà balzare di colpo in testa alla top list delle sette sataniche d'Italia.

Silvietta gli afferrò un polso. – Mantos, dài ti prego, dicci qualcosa. Sono troppo curiosa…

– No! Ho detto di no! Dovete aspettare. Se fra una settimana non vi porto un progetto serio, allora grazie, ci diamo una bella stretta di mano e sciogliamo la setta. Va bene? – Si mise in piedi. Gli occhi neri gli erano diventati rossi, riflettevano le fiamme del forno delle pizze. – Ora discepoli onoratemi!

Gli adepti abbassarono il capo. Il leader sollevò gli occhi al soffitto e allargò le braccia.

– Chi è il vostro padre carismatico?

– Tu! – dissero in coro le Belve.

– Chi ha scritto le Tavole del Male?

– Tu!

– Chi vi ha insegnato la Liturgia delle Tenebre?

– Tu!

– Chi ha ordinato le pappardelle alla lepre? – fece il cameriere con una sfilza di piatti fumanti sulle braccia.

– Io! – Saverio allungò una mano.

– Non toccare che scottano.

Il leader delle Belve di Abaddon si sedette e in silenzio cominciò a mangiare.

2.

A una cinquantina di chilometri dalla pizzeria *Jerry 2*, a Roma, la capitale d'Italia, una vespetta tre marce arrancava sulla salita di Monte Mario. In sella c'era il noto scrittore Fabrizio Ciba. Lo scooter si fermò al semaforo e al verde imboccò via della Camilluccia. Dopo due chilometri frenò di fronte a un cancello di ferro spalancato. Accanto era appesa una targa in ottone con su scritto: «Villa Malaparte».

Ciba mise la prima e stava per affrontare la lunga salita ricoperta di ghiaia che portava alla dimora quando gli si parò davanti un primate strizzato dentro un completo di flanella grigia. – Scusi! Scusi lei! Dove va? Ha l'invito?

Lo scrittore si tolse il casco a forma di scodella e cominciò a cercare nelle tasche della giacca stropicciata. – No... non credo di averlo... Devo essermelo dimenticato.

L'uomo si piazzò a gambe larghe. – E allora non può entrare.

– Sono stato invitato a…

Il buttafuori cacciò un foglio e inforcò dei piccoli occhiali da vista con la montatura rossa. – Come ha detto che si chiama?

– Non l'ho detto. Ciba. Fabrizio Ciba.

Il tipo cominciò a scorrere con l'indice l'elenco degli invitati facendo segno di no con la testa.

Non mi ha riconosciuto. Fabrizio non si seccò piú di tanto. Era ovvio che il primate non praticava la letteratura ma, porca la puttana, la televisione non la guardava? Ciba conduceva una trasmissione chiamata *Delitto & Castigo* tutti i mercoledí sera su Rai Tre proprio per casi come questo.

– Mi dispiace. Il suo nome non risulta nella lista.

Lo scrittore era lí per presentare il nuovo romanzo, *Una vita nel mondo*, del premio Nobel per la letteratura Sarwar Sawhney pubblicato dalla Martinelli, la sua stessa casa editrice. All'età di settantatre anni e con due libri alti come il manuale di Diritto privato alle spalle, Sawhney aveva ricevuto il premio dell'accademia svedese. Ciba avrebbe diviso gli onori di casa con Gino Tremagli, titolare della cattedra di Letteratura anglo-americana alla Sapienza di Roma, ma il vecchio trombone era stato chiamato solo per dare un'impronta di ufficialità all'evento. Toccava a Fabrizio sviscerare gli arcani segreti racchiusi in quel romanzone e darli in pasto al pubblico romano, notoriamente assetato di cultura.

Ciba cominciava a scocciarsi sul serio. – Ascoltami. Se lasci perdere quella lista e guardi l'invito, il cartoncino bianco di forma rettangolare che sfortunatamente io non ho, troverai il mio nome, essendo io il presentatore della serata. Se vuoi me ne vado. Ma quando mi chiederanno perché non sono venuto, dirò che… Com'è che ti chiami?

Fortunatamente si materializzò una hostess con un caschetto biondo e un tailleur blu. Appena vide sulla vespa d'epoca, con quel ciuffo ribelle e quegli occhioni verdi, il suo autore preferito, per poco non finí a terra. – Fallo passare! Fallo passare! – strillò con una vocina acuta. – Non vedi chi è? È Fabrizio Ciba! – Poi sulle gambe irrigidite dall'emozione raggiunse lo scrittore. – Mi dispiace tantissimo. Oddio che figuraccia terribile! Sono mortificatissima! Mi ero assentata un attimo e lei è arrivato cosí... Mi dispiace, come mi dispiace... Sono...

Fabrizio elargí un sorrisetto soddisfatto alla ragazza.

La hostess guardò l'orologio. – È tardissimo. La staranno aspettando tutti. Vada, vada, la prego –. Diede uno spintone al buttafuori e mentre Fabrizio passava urlò: – Dopo, mi firmerebbe il libro?

Ciba lasciò la vespa nel parcheggio e si incamminò verso la villa con il passo leggero del mezzofondista.

Un fotografo, mimetizzato nelle siepi di alloro, sbucò sul viale alberato e gli corse incontro. – Fabrizio! Fabrizio, ti ricordi di me? – Cominciò a seguirlo. – Abbiamo mangiato insieme a Milano in quell'osteria... *La compagnia dei naviganti*... Ti ho invitato nel mio dammuso a Pantelleria e tu hai detto che forse saresti venuto...

Lo scrittore sollevò un sopracciglio e squadrò quella specie di fricchettone spelacchiato coperto di macchine fotografiche. – Certo mi ricordo... – Non aveva idea di chi diavolo fosse. – Solo che è tardi, scusami. Un'altra volta. Mi aspettano...

Il fotografo insisteva: – Senti Fabrizio, mentre mi lavavo i denti ho avuto un'idea molto forte: vorrei farti un paio di scatti in una discarica abusiva...

Sul portone di Villa Malaparte l'editor Leopoldo Malagò e la responsabile delle relazioni pubbliche della Martinelli, Maria Letizia Calligari, gli facevano segno di affrettarsi.

Il fotografo arrancava con quei quindici chili di attrezzatura appesa al collo, ma non mollava. – È una cosa insolita... forte... la monnezza, i topi, i gabbiani... Capisci? Il «Venerdí di Repubblica»...

– Un'altra volta, scusami –. E si gettò tra i due.

Il fotografo, esausto, si piegò premendosi la milza. – Ti posso chiamare nei prossimi giorni?

Lo scrittore non si diede pena di rispondergli.

– Fabrizio, sei il solito... L'indiano è arrivato un'ora fa. Quel rompiballe di Tremagli voleva cominciare senza di te –. Malagò lo spingeva verso il salone mentre la Calligari gli infilava la camicia nei pantaloni borbottando: – Guarda come sei vestito! Sembri uno straccione. La sala è piena. C'è pure il sindaco. Tirati su la zip.

Fabrizio Ciba aveva quarantun anni, ma era per tutti il giovane scrittore. Quell'aggettivo, regolarmente ripetuto dalla stampa e dagli altri mezzi di comunicazione, aveva un effetto taumaturgico sul suo fisico. Fabrizio non dimostrava piú di trentacinque anni. Era magro e tonico senza fare palestra. Si ubriacava ogni sera, ma la pancia gli era rimasta piatta come una tavola.

Tutto il contrario del suo editor, Leopoldo Malagò detto Leo. Malagò aveva trentacinque anni e ne dimostrava, a essere gentili, dieci di piú. Aveva perso i capelli in tenera età ma una lanugine sottile gli era rimasta attaccata al cranio. La colonna vertebrale gli si era torta seguendo la conformazione di una sedia di Philippe Starck, su cui passava dieci ore al giorno. Le guance gli si erano afflosciate e coprivano come un pietoso sipario il triplo mento. La barba che si era astutamente fatto crescere non era cosí folta da nascondere quella regione montuosa. Aveva il ventre dilatato come se glielo avessero gonfiato con un compressore. La Martinelli non badava a spese per quanto riguardava il nutrimento dei suoi editor. Grazie a una speciale carta di credito, potevano sfondarsi nei migliori e piú costosi ristoranti, invitando scrittori, imbrattacarte, poeti e giornalisti ad abboffate di lavoro. Il risultato di questa politica era che gli editor della Martinelli erano una banda di buongustai obesi, con costellazioni di molecole di colesterolo che gli navigavano indisturbate nelle vene. Insomma Leo, nonostante gli occhialetti di tartaruga e la barba, che lo facevano assomigliare a un sefardita newyorchese, e i morbidi completi color verde palude, per le sue conquiste amorose doveva contare sul suo potere, sulla sua spregiudicatezza e sulla sua ottusa insistenza. Questo non valeva per le donne della Martinelli. Arrivavano alla casa editrice come scialbe segretarie e negli anni della militanza miglioravano costantemente grazie a enormi investimenti sulla loro persona. A cinquant'anni, soprattutto se avevano ruoli di rappresentanza, erano diventate delle algide strafighe senza età. Maria Letizia Calligari ne era un esempio emblematico. Nessuno sapeva quanti anni avesse. Chi diceva che ne avesse sessanta portati bene, chi trentotto portati male. Non aveva mai documenti d'identità con sé. Le malelingue bisbigliavano che non guidava per non avere la patente nella borsa. Prima del trattato di Schengen andava alla fiera di Francoforte da sola, per non mostrare il passaporto. Ma un errore, una volta, lo aveva commesso. Una sera, al Salone di Torino, si era lasciata sfuggire di aver conosciuto Cesare Pavese.

– Mi raccomando, Fabrizio, non aggredire subito il povero Tremagli, – lo pregò Maria Letizia.

– Vai, forza. Spacca il culo ai passeri –. Malagò spinse Fabrizio verso il salone delle conferenze.

Quando entrava nell'arena, Ciba aveva un trucco per caricarsi. Pensava a Muhammad Ali, il grande pugile, a quando urlava e avanzava verso il ring incitandosi: «Lo distruggo! A quello lí non gli do neanche il tempo di vedermi che è già steso al tappeto». Fece due saltelli sul posto. Si sgranchí il collo. Si scompigliò i capelli. E carico come una pila entrò nella grande sala affrescata.

3.

Il leader delle Belve di Abaddon era al volante della sua Ford Mondeo nel traffico che avanzava verso Capranica. Su quel tratto di strada i centri commerciali rimanevano aperti fino a tardi e c'erano sempre rallentamenti. In genere stare in fila a Saverio non dava fastidio, era l'unico momento della giornata in cui poteva pensare ai fatti suoi in santa pace. Solo che adesso era in ritardissimo. Serena lo aspettava per cena. E doveva pure passare in farmacia a prendere gli antipiretici per i gemelli.

Ripensava al raduno. Peggio di cosí non sarebbe potuto andare e, come sempre, si era messo nei casini da solo. Perché aveva detto alle Belve che se non portava un progetto entro una settimana scioglieva la setta? Non aveva uno straccio di idea e per pianificare un'azione satanica, si sa, ci vuole tempo. Nell'ultimo periodo aveva cercato di farsi venire in testa una missione, ma nulla. Al mobilificio, il mese degli affaroni era stato un massacro. Dalla mattina alla sera chiuso là dentro con il vecchio che ti stava sopra appena cercavi di respirare un po'.

Un'ideuzza in realtà gli era venuta: profanare il cimitero di Oriolo Romano. Sulla carta era una bella azione. Se fatta nel modo giusto, poteva uscire fuori una cosa veramente carina. Ma riflettendoci meglio aveva deciso di abbandonarla. Intanto di fronte al cimitero era un viavai

di macchine che non finiva piú, quindi si doveva entrare
a tarda notte. Il muro di cinta era alto piú di tre metri e
cosparso di cocci di bottiglia. Fuori dai cancelli si davano
appuntamento bande di adolescenti e qualche volta si ag-
giungeva pure un camioncino che vendeva la porchetta.
All'interno del camposanto ci viveva il custode, un ex carabiniere fuori di testa. Bisognava essere silenziosi ma a
scoperchiare lapidi, tirare fuori le casse, prendere le ossa
e impilarle un po' di rumore, inevitabilmente, si fa. Saverio aveva anche pensato di crocifiggere l'ex carabiniere a
testa in giú sul mausoleo dei Mastrodomenico, la famiglia
di sua moglie.

Troppi casini.

Il cellulare cominciò a squillare. Sul display apparve: SE-
RENA.

Saverio Moneta aveva sparato la solita balla: la partita
del torneo di Dungeons & Dragons. Era oramai da tempo
che per nascondere le sue attività sataniste le raccontava
di essere un campione di giochi di ruolo. La storia non
avrebbe retto ancora a lungo. Serena era sospettosa, continuava a fargli un mucchio di domande, voleva sapere con
chi giocava, se aveva vinto… Per farla stare piú tranquilla, una volta, aveva organizzato a casa una finta partita
con le Belve. Ma quando sua moglie aveva visto Zombie,
Murder e Silvietta, invece di tranquillizzarsi era diventata
ancora piú sospettosa.

Fece un respiro e rispose al telefonino. – Amore, lo so,
sono in ritardo, ma sto arrivando. C'è un traffico tremen-
do. Ci deve essere stato un incidente.

Serena gli rispose con la solita delicatezza. – Ahò, ma
che ti sei bevuto il cervello?

Saverio sprofondò nel sedile della Mondeo. – Perché?
Che ho fatto?

– Qua c'è uno della DHL con un pacco enorme. Vuole trecentocinquanta euro. Dice che è per te. Ma che, devo pagare?

Oddio è arrivata la Durlindana.

Aveva comprato su eBay la fedele riproduzione della spada di Orlando, il paladino di Carlo Magno. La leggenda vuole che fosse appartenuta prima di lui addirittura a Ettore di Troia. Ma quel cerebroleso di Mariano, il portiere della sua palazzina, avrebbe dovuto intercettarla. Serena non doveva sapere nulla dello spadone.

– Sí, sí, paga, paga te, che appena torno ti ridò i soldi, – disse Saverio con finta tranquillità.

– Ma sei scemo? Trecentocinquanta euro! Ma che ti sei comprato? – Poi Serena si rivolse al fattorino della DHL: – Mi dice per cortesia che cosa contiene 'sto scatolo?

Mentre uno spruzzo di acidi peptici gli urticava le pareti dello stomaco, il gran maestro delle Belve di Abaddon si chiese per quale cazzo di ragione avesse scelto una vita cosí mortificante. Lui era un satanista. Un uomo attratto dall'ignoto, dal lato oscuro delle cose. Ma in quel momento di oscuro e ignoto nella sua vita non c'era nulla, tranne la ragione che lo aveva spinto fra le braccia di quella arpia.

– Allora che c'è in questo scatolo? – domandò Serena all'uomo della DHL.

Sentí in lontananza la voce del fattorino. – Signo', è tardi. C'è scritto sulla bolla d'accompagnamento.

Saverio intanto sbatteva la nuca contro il reggitesta e mormorava: – Che casino... Che casino...

– Qui dice che viene da *The Art of War* di Caserta... Una spada?

Saverio alzò gli occhi al cielo e fece uno sforzo per non cominciare a ululare.

– Ma che ci fai con una spada?

Mantos scosse la testa. La pupilla destra fu impressionata da un enorme cartello al lato della strada.

LA CASA DELL'ARGENTO. LISTE DI NOZZE.
REGALI IN ARGENTO UNICI ED ESCLUSIVI.

– È un regalo, Serena. È una sorpresa. Lo vuoi capire? –
La voce gli era salita di un paio di ottave.

– Ma per chi? A me pari matto.

– E per chi? E per chi può essere? Indovina un po'?

– E che ne so...

– Per tuo padre!

Ci fu un istante di silenzio. – Mio padre? E che ci fa
co' 'sto spadone?

– E che ci deve fare? Lo mette sopra al caminetto, no?

– Sul caminetto? In montagna, dici? Nella baita di Roccaraso?

– Brava.

La voce di Serena si addolcí all'istante. – Ma dài... Non
mi aspettavo da te un pensiero cosí dolce. Cucciolo, alle
volte sai stupirmi.

– Mo' ti saluto però che non si può parlare con il cellulare in macchina.

– Va bene. Però vieni subito.

Saverio chiuse la conversazione e gettò il telefono nella vaschetta portaoggetti.

4.

Nella sala delle conferenze di Villa Malaparte c'era gente ovunque. Molti erano in piedi lungo i corridoi laterali.

Alcuni studenti universitari erano seduti a terra a gambe incrociate di fronte al tavolo dei conferenzieri. Altri si erano appollaiati sui cornicioni delle finestre. Strano che non ci fosse nessuno appeso ai lampadari di Murano.

Appena il primo fotografo avvistò lo scrittore i flash cominciarono a sparare. Trecento teste si girarono e ci fu un istante di silenzio. Poi, lentamente, montò un mormorio.

Ciba camminava con addosso seicento occhi che lo osservavano. Si voltò un attimo indietro, abbassò il capo, si toccò il lobo dell'orecchio e mise su uno sguardo impaurito cercando di apparire leggermente goffo e imbarazzato. Tipo alieno teletrasportato dalle grotte venusiane. Il messaggio corporale che inviava era semplice: Io sono il piú grande scrittore esistente sulla terra, eppure capita anche a me di arrivare in ritardo perché, nonostante tutto, sono una persona normale, proprio come voi. Appariva esattamente come voleva apparire. Giovane, tormentato, con la testa fra le nuvole. Con la giacca di tweed lisa sui gomiti e tenuta in piega dentro un barattolo di marmellata, con i pantaloni sformati e di due taglie piú grandi (se li faceva fare in un kibbutz vicino al Mar Morto), con il gilet comprato in un charity shop di Portobello, con le vecchie Church's che gli erano state regalate il giorno della laurea, con il naso appena troppo grande per il suo viso e con quel cespo di capelli ribelli che gli cadevano sugli occhi verdi. Una star. Un attore inglese che aveva il dono di scrivere come un dio.

Mentre avanzava verso il tavolo Fabrizio esaminò la composizione della platea. Valutò un dieci per cento di autorità, un quindici di giornalisti e fotografi, un buon quaranta di studenti, anzi studentesse cariche di ormoni, e un trentacinque di babbione in odore di menopausa. Poi calcolò la percentuale del suo libro e di quello dell'indiano tenuti sul petto da queste brave persone. Facile. Il suo era color carta da zucchero con il titolo di un bel rosso sangue, quello dell'indiano, bianco con le scritte in nero. Piú dell'ottanta per cento era azzurrino! Riuscí a farsi spazio tra gli ultimi grappoli di folla. Chi gli stringeva la mano, chi gli dava una pacca fraterna come se fosse di ritorno dall'*Isola dei famosi*.

Finalmente giunse al tavolo dei presentatori. Lo scrittore indiano era seduto al centro. Assomigliava a una testuggine a cui hanno sfilato il guscio, e infilato una tunica bianca e un paio di occhiali da vista con la montatura nera. Aveva un volto placido e due occhietti liquidi e distanti. Un tappeto di capelli neri tirati indietro con la brillantina lo aiutava a non assomigliare a una mummia egizia. Quando vide Fabrizio, l'indiano piegò leggermente la testa e poggiò le palme delle mani una sull'altra in segno di saluto. Ma a magnetizzare l'attenzione di Ciba fu la creatura femminile seduta accanto a Sawhney. Una trentina d'anni. Sangue misto. Mezza indiana e mezza caucasica. Poteva essere una modella, eppure quegli occhialini posati sul nasino all'insú le davano un'aria da maestrina. Una bacchetta cinese teneva disordinatamente insieme i lunghi capelli. Ciocche scomposte, color catrame, le cadevano sul collo magro. Una bocca piccola e carnosa, pigramente aperta, risaltava come una prugna matura sul mento appuntito. Indossava una camicetta di lino bianco, aperta quel tanto che basta per mettere in luce un décolleté né troppo piccolo né troppo abbondante.

Una terza, calcolò Fabrizio.

Le braccia color bronzo finivano con dei polsi sottili coperti di pesanti bracciali di rame. Le dita finivano invece con delle unghie laccate di nero. Fabrizio, sedendosi al suo posto, sbirciò sotto il tavolo per vedere se anche là era messa bene. Gambe eleganti spuntavano da una gonna scura. I piedi magri erano fasciati da sandali greci e anche le unghie dei piedi erano coperte dallo stesso smalto nero delle mani. Chi era quella dea calata dall'Olimpo?

Tremagli, seduto sulla sinistra, sollevò uno sguardo severo dai suoi fogli. – Bene, il signor Ciba si è degnato di arrivare... – Fissò con ostentazione l'orologio che teneva al polso. – Credo, sempre che lei sia d'accordo, che potremmo iniziare.

– D'accordo.

A Fabrizio Ciba lo stimato professor Tremagli, senza usare mezzi termini, stava parecchio sui coglioni. Non lo aveva mai aggredito con le sue velenose recensioni ma non lo aveva nemmeno mai elogiato. Semplicemente, per il professor Tremagli l'opera di Ciba non esisteva. Quando parlava dell'attuale, increscioso, stato della letteratura italiana, cominciava a lodare una serie di scrittorucoli che conosceva solo lui e che se vendevano millecinquecento copie era festa in famiglia. Mai un accenno, mai un commento su Fabrizio. Finalmente, un giorno, sul «Corriere della Sera», alla domanda diretta: «Professore, come spiega il fenomeno Ciba?» aveva risposto: «Se di fenomeno dobbiamo parlare, è fenomeno passeggero, una di quelle tempeste tanto temute dai meteorologi che passano senza arrecare danni». E aveva precisato: «Comunque non l'ho letto con attenzione».

Fabrizio aveva cominciato a schiumare come un cane idrofobo e si era gettato sul computer a scrivere una risposta infuocata da pubblicare in prima di «Repubblica». Ma quando la rabbia era sbollita aveva cancellato il file.

La prima regola di ogni vero scrittore è: mai e poi mai, nemmeno in punto di morte, nemmeno sotto tortura, ri-

spondere alle offese. Tutti aspettano che tu cada nella trappola della risposta. No, bisogna essere intangibili come un
gas nobile e distanti come Alpha Centauri.

Ma gli era venuta voglia di aspettare il vecchio sotto
casa e strappargli quel suo cazzo di bastone e percuoterglielo sulla zucca come fosse un tamburo africano. Che piacere, e avrebbe rinsaldato la sua fama di scrittore maledetto, di uno che alle offese letterarie risponde con le mani,
come gli uomini veri e non come gli intellettuali del cazzo
con acide rispostine in seconda di cultura. Solo che quello aveva settant'anni e ci stirava le zampe in mezzo a viale Somalia.

Tremagli con tono da ipnotizzatore cominciò una lezione sulla letteratura indiana che partiva dai primi testi
in sanscrito del 2000 a.C. trovati nelle tombe rupestri di
Jaipur. Fabrizio considerò che per arrivare al 2000 d.C.
ci avrebbe messo come minimo un'ora. Le prime a cadere anestetizzate sarebbero state le vecchie babbione, poi
le autorità, poi tutti gli altri, compreso Fabrizio e lo scrittore indiano.

Ciba poggiò un gomito sul tavolo e la fronte sul palmo,
cercando di fare tre operazioni contemporaneamente:
    1) controllare chi erano le autorità presenti;
    2) capire chi era la dea che gli sedeva accanto;
    3) riflettere su cosa dire.

La prima operazione la svolse rapidamente. In seconda fila c'era la Martinelli al gran completo: Federico Gianni, l'amministratore delegato, Achille Pennacchini, il direttore generale, Giacomo Modica, il direttore delle vendite, e una schiera di editor tra cui Leo Malagò. Poi tutto
il gineceo dell'ufficio stampa. Se aveva schiodato il culo
da Genova pure Gianni, voleva dire che al libro dell'in

diano ci tenevano. Chissà, forse speravano di venderne qualche copia.

In prima fila riconobbe l'assessore alla cultura, un regista televisivo, un paio di attori, una sfilza di giornalisti e altre facce viste mille volte ma non sapeva dove e quando.

Sul tavolo c'erano i cartellini con i nomi dei partecipanti. La dea si chiamava Alice Tyler. Mormorava nell'orecchio di Sarwar Sawhney la traduzione del discorso di Tremagli. Il vecchio, ad occhi chiusi, faceva sí con la testa con la regolarità di una pendola. Fabrizio aprí il romanzo dell'indiano e scoprí che la traduzione era di Alice Tyler. Quindi non era solo la traduttrice della serata. Incominciò seriamente a pensare di aver trovato la donna della sua vita. Bella come Naomi Campbell e intelligente come Margherita Hack.

Da qualche tempo Fabrizio Ciba aveva preso in considerazione la possibilità di costruire una relazione stabile con una donna. Questo, forse, poteva aiutarlo a concentrarsi sul nuovo romanzo, fermo al secondo capitolo da tre anni.

Alice Tyler Alice Tyler? Dove aveva sentito quel nome?

Per poco non cadde dalla sedia. Era la stessa Alice Tyler che aveva tradotto Roddy Elton, Irvin Parker, John Quinn e tutta la genia degli scrittori scozzesi.

Li avrà conosciuti tutti! Sarà andata a cena con Parker che poi se la sarà scopata in uno squat londinese, tra cicche spente sulla moquette, siringhe usate e lattine di birra vuote.

Un dubbio atroce. *Ma avrà letto i miei libri?* Doveva saperlo ora, subito, immediatamente. Era un bisogno fisiologico. *Se non ha letto i miei libri e non mi ha visto in televisione, potrebbe pensare che io sia uno qualsiasi, scambiarmi per uno di quei mediocri scrittori che campano di presenta-*

zioni ed eventi culturali. Tutto ciò era insostenibile per il suo ego. Qualsiasi rapporto paritario, dove lui non era la star, gli provocava sgradevoli effetti secondari: secchezza delle fauci, vertigini, vomito e diarrea. Per corteggiarla avrebbe dovuto contare solo sulla sua avvenenza, sulla sua tagliente ironia, sulla sua imprevedibile intelligenza e non sulle sue opere. E meno male che non prendeva in considerazione l'ipotesi che Alice Tyler le avesse lette e le avesse trovate brutte.

E arrivò all'ultimo punto, quello piú spinoso: di cosa avrebbe parlato dopo lo sproloquio del vecchio trombone? Nelle settimane passate, un paio di volte, Ciba aveva provato a leggere il tomone indiano ma dopo una decina di pagine aveva acceso la televisione e si era guardato i campionati di atletica. La buona volontà ce l'aveva messa, ma era un libro di una noia mortale, da lessare le palle. Aveva chiamato un suo amico... un suo fan, uno scrittore di Catanzaro, uno di quegli esseri insulsi e servili che gli ronzavano intorno cercando, come scarafaggi, di nutrirsi delle briciole della sua amicizia. Questo qui però, al contrario di altri, era dotato di un certo spirito analitico, di una, per certi versi, frizzante capacità creativa. Uno che forse, in un futuro indefinito, avrebbe fatto pubblicare dalla Martinelli. Ma per ora a questo amico di Catanzaro affidava compiti secondari, quali scrivergli l'articolo per il settimanale femminile, tradurre un testo dall'inglese, fare ricerche in biblioteca e, come in questo caso, leggersi il bestione e comporgli un bel riassuntino critico che lui poi, in un quarto d'ora, avrebbe fatto suo.

Ciba tirò fuori dalla giacca, cercando di non dare troppo nell'occhio, le tre paginette scritte dall'amico.

Fabrizio, in pubblico, non leggeva mai. Parlava a braccio, si faceva ispirare dal momento. Era famoso per questo talento, per la magica sensazione di spontaneità che regalava ai suoi ascoltatori. La sua mente era una fucina aperta ventiquattro ore su ventiquattro. Non c'era filtro, non c'era deposito, e quando partiva con i suoi monologhi affascinava tutti: dal pescatore di Mazara del Vallo al maestro di sci di Cortina d'Ampezzo.

Ma quella sera l'attendeva un'amara sorpresa. Lesse le prime tre righe del riassunto e impallidí. Parlava di una saga familiare di musicisti. Tutti costretti, per un imperscrutabile destino, a suonare il sitar per generazioni e generazioni.

Agguantò il libro dell'indiano. Il titolo era *La congiura delle vergini*. E allora perché nel riassunto si parlava di *Una vita nel mondo*?

Un terribile sospetto. L'amico di Catanzaro si era sbagliato! Quel testa di cazzo aveva toppato libro.

Divorò disperato la quarta di copertina. Non si parlava per niente di suonatori di sitar, ma di una famiglia di donne nelle isole Andamane.

In quel momento Tremagli terminò il monologo.

5.

Lo faceva disperare che la Durlindana pagata trecentocinquanta euro sarebbe finita sul caminetto del suocero. Saverio Moneta aveva comprato quello spadone pensando di trucidarci il custode del cimitero di Oriolo o comunque di usarlo come arma sacrificale per i riti di sangue della setta.

Le macchine avanzavano a passo d'uomo. Una fila di palme, bruciate dall'inverno, erano ricoperte di luminarie

colorate che brillavano sui cofani delle Mercedes e Jaguar
ferme nei parcheggi delle concessionarie.

Ci deve essere stato davvero un incidente.

Saverio accese la radio e cominciò a cercare il canale
del traffico. Una parte del cervello lavorava incessantemente alla ricerca di un'altra azione da proporre a Murder
e agli altri.

*E se ad esempio ammazzassimo padre Tonino, il prete di
Capranica?*

Il cellulare ricominciò a suonare. *Ti prego… Serena…
Ancora?* Ma sul display dell'apparecchio appariva: NUME-
RO SCONOSCIUTO. Doveva essere il vecchio bastardo che si
nascondeva per cercare di fotterlo.

Egisto Mastrodomenico, il padre di Serena, aveva settantasette anni eppure smanettava con i telefonini e i
computer come un ragazzetto di sedici. Nel suo ufficio al-
l'ultimo piano del Mobilificio dei Mastri d'Ascia Tirolesi aveva una batteria di computer collegati a telecamere
da fare invidia a un casinò di Las Vegas. Il rendimento
dei quindici venditori era monitorato tutto il giorno,
neanche fossero dentro un reality. E Saverio, che era a
capo del reparto Mobili Tirolesi, aveva quattro obbiettivi puntati su di lui.

No, stasera non ce la faccio a sentirlo. Alzò il volume del-
l'autoradio cercando di ammutolire il telefono.

Mantos odiava il suocero con tale intensità che gli era
venuta la colite spastica. Il vecchio Mastrodomenico trovava ogni occasione per umiliarlo, per farlo sentire un povero inetto, uno scroccone che continuava a lavorare nel
mobilificio soltanto perché era sposato con sua figlia. Lo
offendeva non solo davanti ai colleghi, ma anche con i
clienti. Una volta, durante le offerte di primavera, gli aveva dato del cretino urlandolo nel microfono acceso. L'u-

nica consolazione era sapere che prima o poi il bastardo schiattava. Allora tutto sarebbe cambiato. Serena era figlia unica e lui sarebbe diventato il direttore del mobilificio. Anche se da un po' gli era venuto il dubbio che il vecchio non potesse morire. Gli era successo di tutto. Gli avevano tolto la milza. Gli avevano asportato una cisti sebacea da un orecchio e per poco non era rimasto sordo. Aveva un occhio devastato dalla cataratta. All'età di settantaquattro anni si era schiantato con la sua Mercedes a duecento all'ora contro un Tir fermo a una pompa dell'Agip. Era stato in coma tre settimane e si era risvegliato piú incazzato di prima. Poi gli avevano diagnosticato un cancro all'intestino, ma siccome era anziano il tumore non riusciva a espandersi. E come se non bastasse durante il battesimo dei gemelli era cascato dalle scale della chiesa e si era rotto il bacino. Ora viveva su una sedia a rotelle e toccava a Saverio portarlo al lavoro la mattina e riportarlo a casa la sera.

Il telefonino continuava a suonare e a pulsare nella vaschetta accanto al cambio.

– Fottiti! – gli ringhiò, ma il maledetto senso di colpa inscritto nei cromosomi gli impose di rispondere. – Papà?

– Mantos.

Non era la voce del vecchio. E non poteva conoscere la sua identità satanica.

– Chi è?

– Kurtz Minetti.

Al nome del sommo sacerdote dei Figli dell'Apocalisse Saverio Moneta chiuse gli occhi e li riaprí, con la mano sinistra strinse il volante e con la destra il telefonino, ma l'apparecchio gli sgusciò come una saponetta bagnata finendogli tra le gambe. Per riprenderlo tolse il piede dalla frizione e il motore cominciò a singhiozzare e si spense.

Dietro, i clacson suonavano e Saverio urlava a Kurtz: – Un momento... Sto al volante. Un momento che accosto.

Un motociclista su uno scooterone a tre ruote gli bussò sul finestrino. – Ma lo sai che sei una testa di cazzo?

Finalmente Saverio raccolse il cellulare, fece ripartire la macchina e riuscí ad accostare.

Che voleva da lui Kurtz Minetti?

6.

Appena Tremagli concluse il suo intervento la platea cominciò a tirarsi su dalle poltrone dove si era rannicchiata, a sgranchirsi le gambe addormentate, a darsi pacche di solidarietà avendo superato una prova cosí impegnativa. Per un istante Fabrizio Ciba sperò che fosse finita là, che il professore avesse esaurito tutto il tempo a disposizione per l'incontro.

Tremagli guardò Sawhney sicuro che facesse commenti ma l'indiano sorrise e, ancora una volta, abbassò il capo in segno di saluto. A quel punto la palla avvelenata passò a Fabrizio. – Credo che tocchi a lei.

– Grazie –. Il giovane scrittore si massaggiò il collo. – Parlerò poco –. Poi si rivolse al pubblico. – Vi vedo leggermente provati. E so che di là c'è un ottimo buffet –. Si maledisse nel momento stesso in cui quelle parole gli uscirono di bocca. Aveva pubblicamente offeso Tremagli, però vide negli occhi della platea uno scintillio d'approvazione che confermava le sue parole.

Cercò un attacco, una stronzata qualunque con cui partire. – Ahhh... – Si schiarí la voce. Bussò sul microfono. Si versò un bicchiere d'acqua e si bagnò le labbra. Nulla. La sua mente era uno schermo nero. Uno scrigno svuotato. Un universo freddo e senza stelle. Un barattolo di caviale senza il caviale. Quella gente era arrivata lí da ogni parte della città, sfidando il traffico, non trovando parcheggio, prendendosi una mezza giornata di libertà perché c'era lui. E lui non aveva una minchia da dire. Guardò il suo pubblico. Il pubblico che pendeva dalle sue labbra. Il pubblico che si domandava che cosa aspettasse a cominciare.

La guerra del fuoco.

Una fugace visione di un vecchio film francese, visto chissà quando, come lo spirito divino gli calò sulla mente e gli eccitò la corteccia che rilasciò sciami di neurotrasmettittori che piovvero su recettori pronti ad accoglierli risvegliando altre cellule del sistema nervoso centrale.

– Scusatemi. Mi ero perso in un'immagine affascinante –. Si gettò i capelli indietro, regolò meglio l'altezza del microfono. – È l'alba. Un'alba sporca e lontana di ottocentomila anni fa. Fa freddo ma non c'è vento. Un canyon. Vegetazione bassa. Sassi. Sabbia. Tre piccoli esseri pelosi, alti un metro e mezzo, coperti di pelli di gazzella sono al centro di un fiume. La corrente è impetuosa, non è un fiumiciattolo qualsiasi ma un fiume con tutti i crismi. Uno di quei corsi d'acqua dove, tanti anni dopo, passeranno famiglie americane bardate con giubbotti gonfiabili a bordo di gommoni colorati –. Fabrizio fece una pausa tecnica.

– L'acqua è grigia ed è bassa e gelata. Gli arriverà alle ginocchia, ma la corrente è maledettamente forte. E loro devono attraversare il fiume e avanzano poggiando con attenzione un piede alla volta. Uno dei tre, il piú grosso, che con quelle trecce di capelli e fango assomiglia un po' ai rasta giamaicani, stringe tra le mani una specie di cesta, una roba fatta di ramoscelli intrecciati. Al centro della cesta traballa una piccola fiammella, una minuscola fiammella preda dei venti, una fiammella che rischia di spegnersi, piccina, che va alimentata continuamente con fascine e pale di cactus secche che gli altri due stringono tra le braccia. Di notte, fanno i turni per tenerla accesa, rannicchiati dentro una caverna umida. Dormono con un occhio solo, attenti che il fuoco non si spenga. Per trovare la legna devono affrontare le bestie. Enormi, paurose. Tigri dai denti a sciabola, mammut pelosi, mostruosi armadilli con code appuntite. I nostri piccoli antenati non sono a capo della catena alimentare. Non la guardano dall'alto in basso. Stanno in una buona posizione nella hit-parade, ma sopra di loro ci sono un paio di esseri con un caratterino per niente amichevole. Possiedono denti affilati come rasoi, hanno veleni capaci di inchiodare un rinoceronte in trenta secondi. È un mondo di spine, aculei, pungiglioni, di piante colorate e tossiche, di minuscoli rettili che spruzzano liquidi simili al Cif Ammoniacal... – Ciba si tastò la mascella e lanciò un'occhiata ispirata verso le volte affrescate della sala.

Il pubblico non era piú lí, era nella preistoria. In attesa che lui proseguisse.

Fabrizio si chiese perché cazzo li avesse portati nella preistoria, e dove stava andando a parare. Ma non importava, doveva proseguire. – I tre sono al centro di questo fiume. Il piú grosso, il portatore del fuoco, è in testa alla fila. Con le braccia rigide come pezzi di marmo, tiene davanti a sé il debole falò. Sente i muscoli urlare di dolore ma avanza trattenendo il respiro. Una cosa non può fare, cadere. Se cade non avranno piú il calore che gli permette di non morire di freddo in quelle notti senza fine, di arrostire le carni coriacee dei facoceri, di tenere lontane le fiere dall'accampamento –. Sbirciò l'indiano. Seguiva? Sembrava di sí. Alice gli traduceva e lui sorrideva, tenen-

do la testa un po' sollevata, come fanno a volte i ciechi.
– Qual è il problema, vi starete chiedendo? Che ci vuole
ad accendere un fuoco? Vi ricordate il libro di storia delle medie? Quelle illustrazioni in cui si vede il famoso uomo primitivo, con barba e perizoma, che sfrega due sassi
accanto a un bel falò preparato da uno scout diligente?
Dove stanno queste maledette pietre focaie? Ne avete mai
trovata una durante una passeggiata in montagna? Io no.
Vi volete fumare una sigaretta durante un trekking, siete
senza fiato ma una bella marlborina ci vuole proprio, non
avete l'accendino e allora che fate? Chiaro! Prendete da
terra due pietre e tac, una scintilla. No, amici miei! Non
funziona cosí. E i nostri antenati, sfortunaccia loro, vivono
solo cento anni prima di quel genio, un genio senza nome,
un genio a cui nessuno ha pensato di dedicare un monu-
mento, un genio al livello di Leonardo da Vinci e Einstein,
che scoprirà che certe pietre, ricche di zolfo, sfregate tra
loro producono scintille. Questi tre, per avere il fuoco, devono aspettare che un fulmine cada dal cielo e bruci una
foresta. Un avvenimento che accade ogni tanto, ma non
cosí frequentemente. «Scusa, dovrei arrostire questo bron-
tosauro, non ho fuoco, caro, vai a cercare un incendio»,
dice mamma ominide, e il figlio parte. Lo rivedrà dopo tre
anni –. Risate del pubblico. Addirittura partono un paio
di brevi applausi. – Ora capite perché questi tre devono
tenere acceso quel fuoco. Il famoso fuoco sacro... – Ciba
prese fiato ed elargí un gran sorriso al suo pubblico. – Perché vi sto raccontando tutto questo, non lo so... – Risate.
– Anzi, forse lo so... E credo che anche voi lo abbiate capito. Sarwar Sawhney, questo eccezionale scrittore, è uno
di quegli esseri che si sono presi la difficile, terribile responsabilità di tenere acceso il fuoco e consegnarcelo quando il cielo si fa buio e il freddo ci penetra l'anima. La cul-

tura è un fuoco che non si può spegnere e riaccendere con un fiammifero. Va preservata, mantenuta alta, alimentata. E tutti gli scrittori, e tra questi mi ci metto anch'io, hanno il dovere di non dimenticarsi mai di quel fuoco –. Ciba si alzò dalla sedia. – Vorrei che vi alzaste tutti. Ve lo chiedo per favore. In piedi un attimo. Qui con noi c'è un grande scrittore che va onorato per quello che fa.

Tutti si alzarono in un gran frastuono di sedie ad applaudire fragorosamente il vecchio indiano, che cominciò a ciondolare la testa piuttosto imbarazzato. – Bravo! Bene! Bravo! Grazie di esistere! – urlava qualcuno che probabilmente sentiva il nome di Sawhney per la prima volta e che certo non si sarebbe comprato il suo libro. Anche Tremagli, a malincuore, dovette alzarsi e applaudire a quella pagliacciata. Una ragazza in seconda fila tirò fuori un accendino. Fu subito imitata da tutti. Fiammelle si accesero ovunque. Qualcuno spense i grandi lampadari e la lunga stanza fu lugubramente illuminata da cento fuocherelli. Sembrava di stare a un concerto di Baglioni.

– Perché no –. Ciba tirò fuori l'accendino anche lui. Vide l'amministratore delegato, il direttore generale e il gruppo intero della Martinelli imitarlo.

Lo scrittore era soddisfatto.

7.

– Mantos, ti devo fare una proposta. Ti aspetto domani a Pavia per un pranzo di lavoro. Ti ho fatto prenotare un aereo per Milano.

Saverio Moneta era sul bordo della provinciale per Capranica e non poteva credere che il famoso Kurtz Minetti, il sommo sacerdote dei Figli dell'Apocalisse, quello che aveva decapitato una suora con un'ascia bipenne, stesse parlando con lui. Si passò una mano sulla fronte in fiamme. – Domani?

– Sí. Ti faccio venire a prendere a Linate da uno dei miei seguaci –. Kurtz aveva una voce rassicurante e senza accento.

– Ma domani che giorno è?

– Sabato.

– Sabato… Fammi pensare –. Era impossibile. L'indomani cominciava la settimana delle camerette e se chiedeva al vecchio un altro giorno libero quello lo avrebbe cosparso di cherosene e gli avrebbe dato fuoco nel parcheggio del mobilificio.

Si fece coraggio. – No, domani non posso. Mi dispiace, ma non posso proprio –. *Sarò il primo ad aver osato dire no a un invito del piú grande esponente del satanismo italiano. Questo ora mi sbatte il telefono in faccia.*

Ma Kurtz gli domandò: – E quando saresti libero?

– Ecco, in questi giorni, in verità, sono parecchio occupato…

– Ho capito –. Kurtz, piú che scocciato, sembrava spiazzato.

Mantos ci provò: – Non potremmo parlarne al telefono? Mi hai beccato in un periodo difficile.

Kurtz prese un respiro con il naso. – Non mi piace parlare per telefono. Non è sicuro. Ti posso solo accennare qualcosa. Come tu saprai i Figli dell'Apocalisse sono la prima setta satanica in Italia e la terza in ordine di grandezza in Europa. Il nostro sito internet registra cinquantamila contatti al giorno e abbiamo un calendario ricchissimo di iniziative. Organizziamo orge, raid, messe nere ed escursioni ai luoghi satanici, come la pineta di Castel Fusano e le grotte di Al Amsdin in Giordania. Abbiamo anche un

cineforum dove proiettiamo i bellissimi del cinema demo-
niaco. E abbiamo in cantiere un semestrale illustrato chiamato «Famiglia satanica» –. La voce gli era cambiata, era
diventata piú accattivante. Quel discorso doveva averlo
fatto già parecchie volte. – I nostri seguaci sono sparsi a
macchia di leopardo per tutta la penisola. Continuiamo ad
avere la sede storica a Pavia ma oramai, vista la situazione, abbiamo deciso di espanderci e di fare un passo in
avanti. E qui mi subentri tu, Mantos.

Saverio si slacciò il bottone del colletto. – Io? Come io?

– Sí tu. So che stai avendo problemi gestionali con le
tue Belve di Abaddon. È una problematica comune a tutte le piccole sette. Il Falciatore mi ha detto che hai avuto diversi abbandoni nell'ultima stagione e siete rimasti
in tre.

– Be'… Per la verità se conti pure me, siamo quattro.

– Inoltre non avete ancora fatto nulla di rilevante, tranne, mi segnalano sul forum, delle scritte inneggianti al Demonio sul viadotto di Anguillara Sabazia.

– Ah, le avete notate? – fece Saverio con un certo orgoglio.

– Allo stato dei fatti la situazione della vostra setta è
decisamente malmessa. E come tu mi insegni con la crisi
che c'è in giro non avete molte chance di resistere un altro anno. Scusa se sono franco, ma siete una realtà insignificante nel duro panorama del satanismo italiano.

Saverio slacciò la cintura di sicurezza. – Ci stiamo dando da fare. Abbiamo in programma di cercare nuovi adepti e compiere azioni che ci possano far notare nel mondo
del satanismo. Siamo pochi, ma parecchio affiatati.

Kurtz intanto andava avanti per conto suo. – Quello
che ti propongo è di sciogliere le Belve e di entrare nella covata maledetta dei Figli dell'Apocalisse. Quello che

ti offro è di diventare il nostro referente per l'Italia centrale.

– In che senso?

– Tu sarai il direttore della succursale del Centro Italia e Sardegna dei Figli dell'Apocalisse.

– Io? – Il cuore di Saverio si gonfiò d'orgoglio. – Perché io?

– Il Falciatore mi ha parlato bene di te. Mi ha detto che hai carisma, voglia di fare, e sei un fervente fedele di Satana. E come tu mi insegni per essere il capo di una setta satanica bisogna amare le forze del Male piú di se stessi.

– Veramente ha detto cosí? – Saverio non se lo aspettava. Era sicuro che Paolo lo odiasse. – D'accordo. Ci sto.

– Ottimo. Organizzeremo un'orgia a Terracina in tuo onore. Lí abbiamo diverse novizie dell'Agro Pontino...

Mantos si rilassò sul poggiatesta. – Murder, Zombie e Silvietta saranno felici di questa proposta.

– Aspetta. L'offerta vale per te. I tuoi adepti dovranno riempire il modulo d'adesione che si scarica dal nostro sito e spedircelo. Valuteremo caso per caso se accettarli.

– Ho capito.

La voce di Kurtz era tornata piatta. – Come tu mi insegni i favoritismi sono la morte di ogni impresa.

– Chiaro.

– Dovresti venire su a Pavia per un breve stage in cui ti diamo delle nozioni base sulla liturgia da noi adottata.

Saverio guardò fuori dal finestrino. Le automobili erano ancora incolonnate. Oltre la strada, su un terrapieno coperto di cartelloni pubblicitari, schizzò il regionale verso Roma. Sembrava un serpente luminoso. Davanti a un punto Sma si affollava la gente con i carrelli. La luna, oltre i tetti, assomigliava a un pompelmo maturo e la stella del Nord, quella che conduce i marinai... Era quella la stella del Nord?

Non mi sento molto bene.

Colpa delle pappardelle al sugo di lepre, gli erano rima-
ste sullo stomaco. Sentiva una pressione fastidiosa sotto
la bocca dell'esofago. Spalancò le mascelle come se dovesse sbadigliare ma produsse una specie di rantolo che tappò
con una mano.

Kurtz continuava a spiegare: – ... Nel primo periodo
potresti dividerti le responsabilità con Il Falciatore...

Fa troppo caldo qua dentro... Stava perdendo il filo del
discorso, spinse il tasto del finestrino.

– ... Su questo punto sei carente, ma quelle te le do io,
non preoccuparti e poi...

Un refolo d'aria che sapeva di patatine fritte e kebab
del chiosco davanti al centro commerciale entrò nell'abitacolo. L'odore rancido gli diede la nausea. Inarcò la schiena e represse un rutto.

– ... Organizzeremo una serie di messe sataniche in zona Castelli Romani, chiaramente sotto il tuo diretto controllo, e poi ci vorrebbe...

Provò a concentrarsi sul monologo di Kurtz, ma aveva
la sensazione di avere ingoiato un chilo di trippa avariata.
Si slacciò il bottone dei pantaloni e sentí che il ventre si
dilatava.

– ... Enotrebor, il nostro referente per l'Italia del Sud,
sta facendo delle cose notevoli in Basilicata e Molise...

Un'Alka-Seltzer, una Coca-Cola...

– Mantos? Mantos ci sei?

– Cosa?

– Mi senti?

– Sí... Certo...

– Allora ti andrebbe bene un incontro la prossima settimana per buttare giú uno schema di lavoro?

Saverio Moneta avrebbe voluto dirgli di sí, che era un

onore, che era felice di fare il rappresentante del Centro Italia e Sardegna, eppure... Eppure non gli andava. Gli tornò in mente quando suo padre gli aveva regalato un Malaguti 50. Saverio aveva desiderato per tutti gli anni delle superiori un motorino e suo padre gli aveva promesso che se avesse preso sessanta alla maturità glielo avrebbe regalato. L'ultimo anno Saverio ci aveva dato dentro di brutto e alla fine ce l'aveva fatta. Sessanta. E suo padre era tornato dal lavoro e gli aveva mostrato il suo vecchio e puzzolente Malaguti. «Eccolo. È tuo. Le promesse si mantengono».

Saverio si aspettava un motorino nuovo. «Ma come? Mi dai il tuo?»

«Soldi per un altro non ce ne sono. Questo non ti va bene? Che ha che non va?»

«Niente... Ma come ci andrai in fabbrica?»

Il padre aveva sollevato le spalle. «Con i mezzi. Che problema c'è?»

«Ma ti dovrai svegliare un'ora prima».

«Le promesse sono promesse».

Ma sua madre non si era risparmiata: «Certo con che coraggio lasci tuo padre a piedi?»

Nei mesi successivi Saverio aveva provato a usare il Malaguti, ma ogni volta che ci montava sopra gli appariva l'immagine di suo padre che alle cinque di mattina usciva dalla loro palazzina, intabarrato nel cappotto. Gli saliva su un'ansia terribile e alla fine lo aveva lasciato in cortile e qualcuno se lo era rubato. Cosí si erano trovati a piedi sia lui che il padre.

Non c'entrava niente con tutto questo eppure qualcosa di buono con le Belve lo aveva fatto. E un po' lo doveva anche a quella banda di sfigati che lo seguivano. Non poteva mollarli.

Kurtz lo voleva fottere. Come lo aveva fottuto suo pa-

dre con il motorino. E il vecchio, quando gli aveva detto
che gli avrebbe dato un ruolo di responsabilità nell'azien-
da. Come lo aveva fottuto Serena dicendo che sarebbe stata la sua geisha e che due gemelli, alla fine, è la stessa cosa che averne uno.

Per quello era diventato un satanista. Perché tutti lo
ingannavano.

*Che razza di regalo è un regalo che ogni volta che lo usi
tuo padre è costretto a prendere l'autobus?*

Saverio Moneta li odiava tutti. Tutti quanti. L'umanità
intera che tirava avanti nell'inganno e nel sopruso dei simili. Nell'odio si era nutrito, si era rifocillato, si era protetto.
L'odio gli aveva dato la forza di resistere. E alla fine Saverio ne aveva fatto la sua religione. E di Satana il suo Dio.

E Kurtz era come tutti gli altri. *Come cazzo si permette
a dire che le Belve di Abaddon sono una realtà insignificante?*

– No, – disse.

– No cosa?

– No. Non sono interessato. Grazie, ma rimango a capo delle Belve di Abaddon.

Kurtz era sorpreso. – Sei sicuro di quello che dici? Ri-
flettici bene. Io non ti farò altre offerte.

– Non mi importa. Le Belve di Abaddon saranno pure
una realtà insignificante come hai detto te. Ma anche un
tumore è solo una cellula all'inizio, poi cresce, si riprodu-
ce e ti stronca. Le Belve saranno una realtà con cui tutti
dovranno fare i conti. Aspetta e vedrai.

Kurtz scoppiò a ridere. – Sei patetico. Siete finiti.

Saverio si allacciò la cintura di sicurezza. – Può essere,
ma come tu mi insegni, non è detto. Non è detto proprio
per niente. E poi piuttosto che essere il tuo rappresentante mi faccio prete –. Chiuse la conversazione.

I resti del tramonto si erano dissolti e le tenebre erano

calate sulla terra. Il leader delle Belve di Abaddon mise la freccia e ripartí sgommando sulla provinciale.

8.

Il vecchio scrittore indiano se ne stava seduto in un angolo della sala con un bicchiere d'acqua tra le mani.

Era arrivato in aereo da Los Angeles quella mattina, dopo due sfibranti settimane di presentazioni negli Stati Uniti, e ora voleva solo tornarsene in albergo e allungarsi sul letto. Avrebbe cercato di dormire, non ci sarebbe riuscito, e alla fine si sarebbe preso un sonnifero. Il sonno naturale aveva abbandonato il suo corpo da tempo. Pensò alla moglie Margaret, a Londra. Avrebbe voluto chiamarla. Dirle che gli mancava. Che sarebbe tornato presto. Guardò dall'altra parte della sala.

Lo scrittore che aveva parlato del fuoco era contornato da un capannello di lettori che volevano il suo nome autografato sulla loro copia. E per ognuno il giovane aveva una parola, un gesto, un sorriso.

Invidiò la sua giovinezza, la sua disinvolta volontà di piacere.

A lui non importava piú niente di tutto questo. Di cosa gli importava? *Di dormire*. Di farsi sei ore di sonno senza sogni. Anche il giro del mondo che lo avevano obbligato a fare dopo il Nobel non aveva alcun senso. Era un pupazzo, sbattuto da una parte all'altra del globo per essere mostrato al pubblico, affidato alla cura di persone che non conosceva, di cui si sarebbe dimenticato appena ripartito. Il libro lo aveva scritto. Un libro che gli era costato dieci anni di vita. Non era sufficiente questo? Non bastava?

Durante la presentazione non era riuscito ad andare oltre i ringraziamenti. Non come lo scrittore italiano. Aveva letto il suo libro in aereo. Un romanzo piccolo e scor-
revole. Lo aveva letto per scrupolo, perché non amava essere presentato da scrittori di cui non conosceva l'opera.
E gli era piaciuto. Avrebbe voluto dirglielo. E non era gentile rimanersene da una parte.

Appena il vecchio si sollevò dalla sedia tre giornalisti
che lo aspettavano al varco gli furono addosso. Sawhney
spiegò di essere stanco. Il giorno dopo sarebbe stato felice di rispondere alle loro domande. Ma lo disse cosí piano, cosí dolcemente che non riuscí ad allontanare i fasti-
diosi mosconi. Per fortuna arrivò una signora, una della
sua casa editrice italiana, che li scacciò.

– Ora che dobbiamo fare? – domandò alla donna.

– C'è il cocktail. Poi, tra circa un'oretta, andremo a
mangiare in un ristorante caratteristico, a Trastevere, famoso per le specialità romane. Le piace la pasta alla car-
bonara?

Sawhney le mise una mano sul braccio. – Mi farebbe
piacere parlare con lo scrittore... – Oddio, come si chiamava? La testa non gli funzionava piú.

La donna gli venne in aiuto. – Ciba! Fabrizio Ciba.
Certamente. Rimanga qua. Glielo chiamo subito –. E si
gettò tacchettando nel capannello.

– Guardate che non dovete chiederlo a me l'autografo,
ma a Sawhney. È lui che ha vinto il Nobel, non io –. Fabrizio Ciba cercava di arginare il mare di libri che lo stavano sommergendo. Gli si era indolenzito il polso da quante firme aveva fatto. – Qual è il suo nome? Paternò An-
tonia? Come? Aspetti un attimo... Ah, le è piaciuto Erri,
il padre di Penelope? Le ricorda suo nonno? Anche a me.

Una cicciona tutta accaldata si fece largo sgomitando e gli piazzò davanti un'altra copia della *Fossa dei leoni*. - Sono venuta da Frosinone apposta per lei. Non ho mai letto i suoi libri. Ma dicono che sono troppo belli. L'ho comprato alla stazione. Lei è tanto bravo… e bello. La guardo sempre alla televisione. Mia figlia è innamorata di lei… E pure io… un po'.

Sulla faccia di Ciba era stampato un sorriso gentile. - Be' forse dovrebbe leggerli, potrebbero non piacerle.

- Ma che dice, scherza?

Un altro libro. Un'altra firma.

- Come si chiama?

- Aldo. Può scrivere a Massimiliano e Mariapia. I miei figli, hanno sei e otto anni, lo leggeranno quando saranno piú gra…

Li detestava. Erano una massa di ignoranti. Un branco di pecore. Del loro apprezzamento non se ne faceva nulla. Sarebbero accorsi con lo stesso entusiasmo per le memorie familiari del direttore del Tg2, per le confidenze amorose della piú insulsa valletta televisiva. Volevano solo avere la propria piccola conversazione con la star, il proprio autografo, il proprio momento con l'idolo. Se avessero potuto gli avrebbero strappato un pezzo del vestito, una ciocca di capelli, un dente, e se lo sarebbero portato a casa come una reliquia.

Non ce la faceva piú a essere gentile. A sorridere come uno scemo. A cercare di essere modesto e accondiscendente. Di solito riusciva a mascherare benissimo il fastidio fisico che provava per il contatto umano indiscriminato. Era un maestro della finzione. Quando era il momento, si lanciava nel fango convinto che gli piacesse. Da quei bagni di folla usciva stravolto ma purificato.

Però quella sera un atroce sospetto gli stava avvelenando la vittoria. Il sospetto di non avere il comportamento giusto, il contegno di un vero scrittore. Di uno scrittore serio come Sarwar Sawhney. Durante la presentazione il vecchio non aveva spiccicato parola. Se ne era stato lí come un asceta tibetano, con quei suoi occhi d'ebano saggi e distanti, mentre lui faceva il giullare con le stronzate sul fuoco e la cultura. E come al solito gli si affacciò nella mente la domanda su cui poggiava la sua intera carriera. *Quanto del mio successo lo devo ai libri e quanto alla televisione?*

Come sempre, preferí non darsi una risposta ma farsi un paio di scotch. Prima però doveva scrollarsi di dosso quello sciame di mosche. Quando vide la povera Maria Letizia farsi spazio a gomitate non poté che gioire.

– Sawhney ti vuole parlare... Appena hai finito potresti andare da lui?

– Subito! Vado subito! – le rispose. E come se fosse stato convocato dal Padreterno in persona si alzò e a tutti i fan che non avevano ancora ricevuto il certificato di partecipazione disse: – Sawhney mi deve parlare. Per favore, fatemi andare.

Al tavolo degli aperitivi si scolò due whisky uno dietro l'altro e si sentí meglio. Ora, con l'alcol in corpo, poteva affrontare il premio Nobel.

Leo Malagò si avvicinò scodinzolando felice come un cane che ha ricevuto un crostino al cinghiale. – Grande! Hai steso tutti con quella storiella del fuoco. Io mi chiedo come ti vengono certe idee. Ora però Fabrizio, per favore, non ti ubriacare. Dobbiamo andare a cena –. Lo prese a braccetto. – Sono andato a controllare al banco dei libri. Sai quanti ne hai venduti stasera?

– Quanti? – Non poté fare a meno di rispondere. Era un riflesso condizionato.

– Novantadue! E sai quanti ne ha venduti Sawhney? Nove! Non sai quanto è incazzato Angiò –. Massimo Angiò era l'editor della narrativa straniera. – Ci godo troppo a vederlo incazzato! E domani sei su tutti i giornali. A proposito, ma che pezzo di figa è la traduttrice? – Il viso di Malagò si rilassò. Gli occhi gli si fecero improvvisamente buoni. – Pensa scoparsela…

Fabrizio invece aveva perso qualsiasi interesse per la ragazza. Il suo umore stava scendendo come un termometro durante un'improvvisa gelata. Che voleva l'indiano da lui? Rimproverarlo per le stronzate che aveva sparato? Si fece forza. – Scusami un attimo.

Lo vide in un angolo. Sedeva di fronte alla finestra e guardava le fronde degli alberi graffiare il cielo giallognolo di Roma. I capelli neri brillavano alla luce dei lampadari.

Gli si avvicinò con cautela. – Mi scusi…

Il vecchio indiano si girò, lo vide, sorrise mettendo in mostra una dentatura troppo perfetta per essere vera. – La prego, prenda una sedia.

Fabrizio si sentiva come un bambino chiamato dal preside per fargli una ramanzina.

– Come va? – chiese Fabrizio con il suo inglese scolastico sedendoglisi di fronte.

– Bene, grazie –. Poi l'indiano ci ripensò. – In verità, sono un po' stanco. Non riesco a dormire. Soffro d'insonnia.

– Io no, fortunatamente –. Fabrizio si rese conto che non aveva niente da dirgli.

– Ho letto il suo libro. Un po' in fretta, in aereo, me ne scuso…

A Fabrizio uscí fuori uno strozzato: – E? – Stava per ascoltare il giudizio del premio Nobel per la letteratura. Dello scrittore piú importante al mondo. Quello che aveva avuto la miglior rassegna stampa degli ultimi dieci anni. Una parte del suo cervello si domandò se lo volesse veramente sentire.

Gli ha fatto schifo sicuro.

– Mi è piaciuto. Molto.

Fabrizio Ciba avvertí un senso di benessere pervadergli il corpo. Una sensazione simile a quella che provano i tossici quando si iniettano eroina di buona qualità. Una specie di calore benefico che gli fece formicolare la nuca, gli scivolò lungo la mandibola, gli serrò le palpebre, si insinuò tra gengive e denti, scese giú per la trachea, si irradiò bollente e piacevole come Vicks VapoRub dallo sterno alla schiena attraverso le costole e gli saltellò da una vertebra all'altra fino al bacino. Lo sfintere ebbe un palpito e contemporaneamente gli si rizzarono i peli delle braccia. Era come fare una doccia calda senza bagnarsi. Meglio. Un massaggio senza essere palpato. Durante questa reazione fisiologica che durò all'incirca cinque secondi Fabrizio fu cieco e sordo e quando finalmente tornò alla realtà Sawhney stava parlando.

– ... luoghi, fatti e persone sono all'oscuro della forza che li cancella. Non crede?

– Sí, certamente, – rispose. Non aveva sentito nulla.
– Grazie. Sono felice.

– Lei sa come interessare il lettore, come muovere le corde migliori della sua sensibilità. Mi piacerebbe leggere qualcosa di piú lungo.

– *La fossa dei leoni* è il libro piú lungo che ho scritto. Da poco... – in realtà erano quasi cinque anni, – ... ho scritto un altro romanzo, *Il sogno di Nestore*, ma anche quello è abbastanza breve.

– Come mai non si avventura oltre? Ha certamente i mezzi espressivi per farlo. Non abbia timore. Si lasci andare senza paura. Se posso darle un consiglio, non si freni, si faccia afferrare dalla narrazione.

Fabrizio si trattenne dall'abbracciare quel caro adorabile vecchietto. Quanto era vero e giusto quello che stava dicendo. Sapeva di essere in grado di scrivere IL GRANDE ROMANZO. Anzi, IL GRANDE ROMANZO ITALIANO, tipo *I promessi sposi* per intenderci, quello che per i critici mancava alla nostra letteratura contemporanea. Dopo diversi tentativi, da qualche tempo stava lavorando alla saga di una famiglia sarda, dal milleseicento a oggi. Un progetto ambizioso ma che aveva decisamente piú forza del *Gattopardo* o dei *Viceré*.

Stava per dirglielo, ma un po' di pudore lo trattenne. Si sentí in dovere di rispondere ai complimenti. Cominciò a creare: – Vorrei comunque dirle che il suo libro mi ha letteralmente entusiasmato. È un romanzo straordinariamente organico e la trama è cosí intensa... Come fa? Qual è il suo segreto? C'è un'energia drammatica che mi ha lasciato scosso per settimane. Il lettore non solo è chiamato a valutare la consapevolezza e l'innocenza di queste potenti figure femminili ma attraverso le loro vicende, come dire... Sí, il lettore è obbligato a trasferire il suo sguardo dalle pagine del libro alla propria realtà.

– Grazie, – disse l'indiano. – Che bello farsi i complimenti a vicenda.

I due scrittori scoppiarono a ridere.

9.

Il leader delle Belve di Abaddon era seduto al tavolo del tinello e si stava finendo un piatto di lasagne che galleggiavano in un lago di besciamella riscaldata. Aveva la nausea, ma doveva fingere di non aver cenato.

Serena seduta con le gambe poggiate sulla lavapiatti si

stava smaltando le unghie. Come sempre non l'aveva aspettato per mangiare. La televisione sul piano di formica della cucina trasmetteva *Chi vuol essere milionario?*, il programma preferito di Saverio dopo *Misteri* in onda su Rai Tre. Ma la mente del leader delle Belve era distante. Continuava a ripensare alla telefonata con Kurtz Minetti.

Che grande che sono. Si pulí la bocca con il tovagliolo. *Come gli ho detto? No. Non sono interessato*. Quale satanista in circolazione aveva il fegato di rifiutare l'invito a diventare il referente per l'Italia centrale dei Figli dell'Apocalisse? Gli venne voglia di telefonare a Murder e raccontargli come aveva mandato a cagare Kurtz, ma Serena poteva sentirlo e poi non volèva fargli sapere cosa pensava quella merda di Kurtz delle Belve di Abaddon, ci sarebbe rimasto male.

Era sorpreso da come gli era uscito potente e senza esitazioni quel no. Non poté fare a meno di pronunciarlo di nuovo: – No!

– No cosa? – gli domandò Serena senza alzare lo sguardo dalle unghie delle mani che si stava spennellando con lo smalto rosso.

– Niente, niente. Stavo pensando… – Saverio ebbe l'impulso di raccontare tutto a sua moglie, ma si trattenne. Se quella scopriva che era il capo di una setta satanica, come minimo chiedeva il divorzio.

Però quel no poteva essere l'inizio di una svolta esistenziale. Era un no che inevitabilmente avrebbe messo in moto una valanga di no che era tempo di pronunciare. No ai weekend di lavoro. No al lavoro di badante. No a portare sempre lui la pattumiera fuori.

– C'è il resto del tacchino di ieri. Scaldatelo nel microonde –. Serena si era alzata in piedi e sventolava le mani.

– No –. Gli venne naturale rispondere.

Serena sbadigliò. – Io me ne vado a letto. Quando hai finito sparecchia, porta giú la pattumiera e chiudi le luci.

Saverio la osservò. Aveva dei pantaloncini di jeans elasticizzati ricoperti di strass, gli stivali da cowboy di vernice bianca e una maglietta nera con sopra una enorme V di Valentino.

Nemmeno le ragazzine davanti ai centri commerciali si conciano cosí.

Serena Mastrodomenico aveva quarantatre anni e tutto il sole che aveva preso in vita sua l'aveva disidratata come un pomodoro essiccato. Era magrissima, nonostante avesse partorito un paio di gemelli nemmeno un anno prima. Da lontano faceva la sua bella figura, con quel fisico snello, le tette a palloncino e quel colorito caffè e latte. Ma se ti avvicinavi e la osservavi bene, scoprivi che il derma era lasso e coriaceo come quello di un rinoceronte e un groviglio di sottili rughe le attraversava il collo, i contorni della bocca e il décolleté. Gli occhi verdi, brillanti e vivi si poggiavano sugli zigomi lucidi e tondi come due mele annurche.

Spesso indossava scarpe aperte che mettevano in mostra le caviglie affusolate e i piedini graziosi. Portava abitini leggeri da cui spuntavano i pizzi del reggiseno di un paio di taglie piú piccolo e i due emisferi sintetici. Si copriva di gioielli etnici neanche fosse una principessa berbera il giorno dell'incoronazione.

Nei lunghi anni di matrimonio Saverio aveva notato che la sua signora riscuoteva parecchio successo con gli uomini, soprattutto quelli giovani. Ogni volta che andava al magazzino del mobilificio gli spedizionieri, un branco di arrapati, lo mettevano in mezzo. Non avevano rispetto nemmeno della figlia del padrone.

«Che spettacolo deve essere tua moglie a letto. Altro

che le ragazzine, quella ha un'esperienza. Ti apre come un divano letto», «Dài facci un video porno», «Save', ma come fai a soddisfarla? Quella, secondo me, ha bisogno di una squadra di maschioni...» «È il classico tipo che fa la raffinata ma in realtà è una porca esagerata...» E altre volgarità che è meglio non riferire.

Se quei deficienti avessero saputo la verità. Serena detestava il sesso. Diceva che era burino. Aborriva ogni forma di nudità, trovava repellenti i fluidi corporei e tutto quello che aveva a che fare con i rapporti fisici (tranne i massaggi, praticati però esclusivamente da donne).

Eppure qualcosa a Saverio Moneta non tornava. Se il sesso le faceva cosí schifo perché usciva acchittata come una playmate? E perché tra tutti i posti del parcheggio lasciava il Suv proprio davanti al magazzino?

Saverio si alzò da tavola e cominciò a sparecchiare. Non aveva voglia di andare a letto, era troppo contento. Per fortuna i gemelli dormivano. Era il momento giusto per concentrarsi sull'idea che avrebbe scosso le Belve di Abaddon e il resto del mondo. Prese un bloc-notes e una penna, afferrò il telecomando per spegnere, quando sentí Gerry Scotti dire: – Incredibile! Il nostro simpatico Francesco di Sabaudia è arrivato zitto zitto alla domanda da un milione di euro...

Il concorrente era un ometto nervoso con un ghigno stirato sulla bocca. Sembrava fosse seduto su un porcospino. Gerry, invece, aveva l'espressione soddisfatta di un soriano che si è pappato una scatoletta di tonno. Ci mancava poco che cominciasse a farsi le unghie sulla poltrona. – Allora caro Francesco sei pronto?

L'ometto deglutí e si aggiustò il collo della giacca. – Abbastanza...

Gerry allargò il toracione e si rivolse al pubblico, divertito. – Abbastanza? Avete sentito? – Poi, improvvisamente serio, parlò ai telespettatori. – Chi di voi al suo posto non sarebbe nervoso? Mettetevi nei suoi panni. Un milione di euro può cambiarti la vita –. Tornò a parlare a Francesco. – Avevi detto che il tuo sogno era pagare il mutuo della casa. E adesso? Se dovessi vincere, oltre al mutuo, che faresti?

– Be' comprerei una macchina a mia madre e poi... – Il concorrente stava soffocando. Boccheggiò e riuscí a rispondere. – Vorrei fare una donazione all'istituto San Bartolomeo di Gallarate.

Gerry lo squadrò dall'alto. – E di che si occupa, se mi permetti?

– Di aiutare i senza tetto.

– Be', complimenti –. Il presentatore incitò il pubblico a battere le mani e il pubblico gli restituí un fragoroso applauso. – Sei un filantropo. Non è che poi ti vediamo sfrecciare su una Ferrari? No. Si capisce che sei un brav'uomo.

Saverio scosse la testa. Se avesse vinto lui quella somma, ci avrebbe comprato un castello medievale nelle Marche e ne avrebbe fatto la base operativa delle Belve.

– Ma ora veniamo alla domanda. Pronto? – Gerry si strinse il nodo della cravatta, si schiarí la voce e, mentre sullo schermo apparivano la domanda e le quattro risposte, recitò:

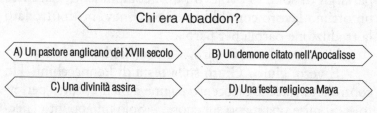

Chi era Abaddon?

A) Un pastore anglicano del XVIII secolo   B) Un demone citato nell'Apocalisse

C) Una divinità assira   D) Una festa religiosa Maya

Saverio Moneta per poco non cadde dalla sedia.

10.

Dopo l'iniezione rivitalizzante all'ego, l'umore di Fabrizio Ciba era a livelli stratosferici. Aveva scritto un romanzo importante e ne avrebbe scritto uno ancora piú importante. Non c'era piú alcun motivo di interrogarsi sulle ragioni del suo successo. E quindi, quando vide Alice Tyler parlare con il direttore delle vendite della Martinelli, decise che era arrivato il momento di intervenire. Si finí il whisky, si scompigliò i capelli e disse allo scrittore indiano: – Scusi un attimo, vado a salutare una persona –. E partí all'attacco.

– Eccomi qua, salve, sono Fabrizio Ciba –. Si intromise tra i due, poi a Modica: – E siccome siete delle sanguisughe e non mi pagate mai una lira per le vostre presentazioni, posso fare tutto quello che mi pare e quindi mi prendo la traduttrice piú brava e affascinante del mondo e la porto a bere una coppa di Champagne.

Il direttore delle vendite era un tipo grassoccio e di un pallore sclerotico e l'unica cosa che riuscí a fare fu gonfiarsi come un pesce palla.

– Non ti dispiace vero, Modica? – Fabrizio afferrò la traduttrice per un polso e la trascinò con sé verso il tavolo dei rinfreschi. – È l'unico sistema per liberarsi di lui, parlargli di soldi. Ti volevo fare i complimenti, hai fatto un ottimo lavoro con il libro di Sawhney, ho controllato la traduzione parola per parola…

– Non prendermi in giro, – ridacchiò lei divertita.

– È vero, giuro! Giuro sulla testa di Pennacchini! Ho controllato tutte le ottocento pagine e niente, tutto perfetto –. Si mise una mano sul cuore. – Solo un appunto… ecco, a pagina seicentoquindici hai tradotto *creel* come cesto per la pesca e non come nassa… – Fabrizio provava a guardarla in faccia, ma non poteva staccarle gli occhi dalle tette. E quella camicetta striminzita non lo aiutava. – Scusa ma le traduttrici non dovrebbero essere racchie e vestite male?

Pattinava sul ghiaccio. Era tornato ad essere Ciba il conquistatore, quello delle migliori occasioni. – Allora, quando ci sposiamo? Io scrivo i libri e tu li traduci, anzi il contrario, tu scrivi i libri e io li traduco. Chi ci ammazza? – Le versò una coppa di Champagne. Lui invece si versò un altro whisky. – Sí, dovremmo proprio farlo…

– Cosa?

– Sposarci, no? – Fu costretto a ripetere. Ebbe la vaga sensazione che la ragazza non rispondesse esattamente alle sue avance. Non era la classica italiana buzzicona e forse avrebbe dovuto usare una strategia piú soft. – Ho un'idea. Perché non scappiamo? Ho la mia vespa qui fuori. Pensa che bello, qui tutti che si annoiano da morire, che parlano di letteratura e noi invece che giriamo per Roma e ci divertiamo come pazzi. Che ne dici?

La guardò con gli occhi di un bambino che ha appena domandato un pezzo di torta alla mamma.

– Ma tu sei sempre cosí? – Alice si passò una mano nei capelli e schiuse le labbra sui denti bianchissimi.

Fabrizio fece le fusa. – Cosí come?

– Be' cosí… – Lei rimase un istante in silenzio, cercando la parola, poi sospirò: – Scemo!

Scemo? Come scemo? – È la parte infantile del genio, – buttò lí.

– No, non possiamo andarcene. Non ti ricordi? Abbiamo la cena. E Sawhney…

– La cena, me n'ero dimenticato. Giusto, – mentí. Aveva esagerato chiedendole di scappare e ora cercava di arginare il rifiuto.

Lei lo afferrò per un polso. – Vieni con me.

Quando passò accanto al tavolo, Ciba prese al volo una bottiglia di whisky.

Dove lo stava portando?

Poi vide la porta del giardino.

11.

Era evidente che Satana aveva usato Gerry Scotti per comunicare con lui. Com'era possibile che tra tutte le infinite domande che esistono nell'universo gli autori del programma avessero scelto proprio una su Abaddon? Era un segno. Di cosa, Saverio non aveva la piú pallida idea. Ma era senza dubbio un segno del Male.

Il tipo di Sabaudia aveva toppato. Aveva risposto che Abaddon era un pastore anglicano del diciottesimo secolo e se ne era tornato a casa a pagarsi il mutuo.

Ben ti sta. Cosí impari a non sapere chi è Abaddon, il distruttore.

Saverio prese da un cassetto una confezione di Alka-Seltzer, sciolse una compressa in un bicchiere e ripensò alla giornata trascorsa. Le ultime dodici ore avevano qualcosa di prodigioso. Tutto era cominciato con la sua decisione improvvisa di fare il grande salto con le Belve. Poi il rifiuto a Kurtz Minetti. Ora pure il domandone. Doveva cercare altri segni della presenza del Maligno nella sua vita.

Che giorno era? Il 28 aprile. A cosa corrispondeva il 28 aprile nel calendario satanico?

Andò in soggiorno a prendere la borsa del portatile. La camera era arredata con la collezione etnica Zanzibar. Mobili squadrati fatti di un legno nero e oleoso intarsiato con losanghe di pelle di zebra. Emanavano un curioso odore speziato che alla lunga faceva venire mal di testa. Lo schermo al plasma Pioneer era disposto sotto un enorme mosaico che Serena aveva composto con gusci di vongole, cozze e pietre colorate raccolte all'Argentario. Avrebbe dovuto raffigurare una sirena seduta su uno scoglio che suonava i lunghi capelli come fossero corde di un'arpa.

Saverio si collegò a internet e cercò su Google: calendario satanista. Scoprí che il 28 aprile non corrispondeva a nulla. Però il 30 aprile era la Notte di Valpurga. Quando c'è il grande raduno delle streghe in cima al monte Brocken.

Si alzò perplesso. Per come erano andate le cose era sicuro che il 28 aprile era un giorno satanico.

Anche se in verità il 28 non è lontano dal 30, la Notte di Valpurga.

Si avvicinò allo scatolone accanto alla porta d'ingresso. Tagliò il nastro adesivo e lo scoperchiò. Poi come un antico paladino si inginocchiò sul tesoro, infilò le mani tra i trucioli di polistirolo ed estrasse la Durlindana. La sollevò tenendola con entrambe la mani. La lama in acciaio temperato, l'elsa in ferro forgiato e l'impugnatura ricoperta di pelle. Era stato a lungo indeciso se comprare una katana giapponese, ma aveva fatto bene a scegliere un'arma che apparteneva alla nostra tradizione culturale. Era bella da togliere il fiato.

Uscí sul terrazzino, la mise davanti al disco della luna e come Orlando a Roncisvalle cominciò a rotearla. Avrebbe volentieri sfidato Kurtz Minetti in duello. Nella sua sede di Pavia.

Io con la Durlindana e lui con l'ascia bipenne.

S'immaginò di schivare un colpo e di girarsi e con un

fendente preciso decapitare il sommo sacerdote. Poi avrebbe solo detto: «Venite a me! Sarete Belve». E tutti i Figli dell'Apocalisse si sarebbero inchinati al suo cospetto. Quella sí sarebbe stata una bella azione. Solo che Kurtz Minetti, nonostante fosse alto un cazzo e un barattolo, era un discepolo di Sante Lucci, un maestro shaolin triestino.

Saverio con una piroetta distrusse lo stendino per i panni. Il pensiero che quel gioiello sarebbe finito sul caminetto del suocero a Roccaraso lo faceva stare male.

Il telefono cominciò a suonare. Lo squillo si azzittí. Serena aveva risposto. Poco dopo la sentí urlare: – Saverio è per te. Tuo cugino. Digli che la prossima volta che chiama a quest'ora gli faccio ingoiare i denti.

Il leader delle Belve tornò in soggiorno e rimise la spada nella scatola, prese il cordless e rispose sbrigativo: – Antonio? Dimmi.

– Ahò, cugino. Come stai?

– Non c'è male. È successo qualcosa?

– No, niente. Anzi sí. Ho bisogno del tuo aiuto.

Ci si metteva pure questo. Ma a nessuno sfiorava l'idea che anche Saverio Moneta aveva un po' di cavoli suoi da risolvere? – No guarda... Sono incasinatissimo... Mi dispiace.

– Aspetta. Tu non devi fare niente. Lo so che sei impegnato. Però ogni tanto ti ho visto bazzicare dei ragazzetti...

Mi ha visto insieme alle Belve. Devo stare piú attento.

– Sono nella merda, quattro polacchi mi hanno dato buca all'ultimo momento. Sto cercando un rimpiazzo. Devono portare casse di vino, mettere i tavoli nel giardino, sparecchiare. Cose cosí. Uomini di fatica ma bravi però. Anche senza grande esperienza, basta che abbiano voglia di lavorare e che righino dritto.

Antonio Zauli era il capocameriere di *Food for Fun*, una società di catering della capitale che, grazie alla supervisione di Zóltan Patrovič, l'imprevedibile chef bulgaro proprietario del famosissimo ristorante *Le regioni*, era diventata la numero uno a Roma nell'organizzazione di banchetti e buffet.

Saverio non ascoltava. *E se decapitassi padre Tonino con un colpo di Durlindana? Ha pure il Parkinson, gli faccio un favore. Domani, dopo il pediatra, porto la spada dall'arrotino... no, cosí copio un po' Kurtz Minetti.*

– Saverio? Ci sei?

– Sí... Scusa... Non si può fare, – buttò lí.

– Non si può fare, un cazzo. Tu non mi hai neanche ascoltato. Tu non hai capito. Io sono disperato. Mi gioco il culo con questa festa. Sono sei mesi che ci sto lavorando, Save' –. Abbassò la voce. – Giurami che non lo dici a nessuno.

– Cosa?

– Tu giuralo.

Saverio guardò in alto e si accorse di quanto fosse orrendo il lampadario etnico. – Te lo giuro.

Antonio con un tono da cospiratore sussurrò: – A 'sta festa ci vengono tutti. Dimmi un vip. Uno qualsiasi. Dài. Il primo che ti viene in testa.

Saverio ci pensò un attimo. – Il papa.

– Si vabbe'! Un vip, ho detto. Cantanti, attori, calciatori...

Saverio sbuffò. – Ma che ne so io? Ma che vuoi da me? Che ti devo dire? Paco Jiménez de la Frontera?

– Il centroavanti della Roma. Bingo!

Ecco, se al mondo esisteva una parola che Saverio Moneta odiava era «bingo». Lui, come tutti i satanisti seri, detestava la cultura di massa, lo slang, Halloween e l'americanizzazione della lingua. Fosse stato per lui, avrebbero dovuto tutti parlare ancora il latino.

– Dimmene un altro?

Saverio non resse. – Non lo so! E non me ne frega niente! Ho tante cose da pensare, io.

Antonio tirò su un tono offeso. – Ma che hai? Sai che sei strano? Io offro a te e ai tuoi amici l'opportunità di guadagnare, di partecipare alla festa piú esclusiva degli ultimi anni, di stare vicino ai personaggi piú famosi e te mi mandi affanculo?

Saverio aveva voglia di strappare la carotide di suo cugino e farsi un bagno nel suo plasma ma si sedette sul divano e cercò di tranquillizzarlo. – No Anto' scusami, veramente, non ce l'ho con te. È che sono stanco. Sai, i gemelli, mio suocero, è un periodo tosto...

– Sí ti capisco. Però se ti viene in testa qualcuno fammi uno squillo. Per domattina devo rimediare quattro ragazzi. Pensaci, dài. Digli che la paga è ottima e durante la festa c'è pure il concerto di Larita e i fuochi d'artificio.

Il leader delle Belve drizzò le antenne. – Che hai detto? Larita? Larita la cantante? Quella che ha fatto *Live in Saint Peter* e *Unplugged in Lourdes*? Quella della canzone *King Karol*?

Elsa Martelli, in arte Larita, era stata per qualche anno la cantante dei Lord of Flies, un gruppo death metal di Chieti Scalo. Le loro canzoni erano inni al Maligno ed erano molto apprezzate dalla comunità satanica italiana. Poi improvvisamente Larita aveva lasciato il gruppo e si era convertita alla religione cristiana, facendosi battezzare dal papa, e aveva intrapreso la carriera solistica come cantante pop. I suoi dischi erano un miscuglio insulso di new age, amori adolescenziali e buoni sentimenti, e per questo ottenevano un enorme successo in tutto il mondo. Ma era detestata da tutti i satanisti.

– Sí. Mi pare di sí. Larita... quella che canta *L'amore intorno* –. Antonio non era un esperto di musica pop.

Saverio si accorse che l'aria aveva un buon odore, di terra e di erba delle aiuole appena tagliata. La luna era scomparsa ed era tutto buio. Le finestre vibravano e il ficus si agitava scosso da un refolo di vento improvviso. Cominciò a piovere. Gocce grosse e pesanti macchiarono le mattonelle del terrazzino e un fulmine, come una crepa, squarciò le tenebre e per un istante il cielo fu riportato a giorno con un'esplosione che fece tremare la terra, urlare gli antifurti e abbaiare i cani.

Saverio Moneta, seduto sul divano, vide un'armata di nuvoloni neri e contorti che avanzavano verso Oriolo Romano. Uno, piú grande di tutti, proprio di fronte a lui si piegò e si allungò da un lato trasformandosi in una specie di volto. Occhi neri e una bocca spalancata. Immediatamente dopo tornarono le tenebre.

– Madonna del Carmine! – gli uscí senza volere. Corse a chiudere la vetrata, la pioggia stava bagnando tutto il parquet. – D'accordo! – ansimò nella cornetta.

– D'accordo, cosa?

– Ho i tre –. Poi si batté la mano sul petto. – E il quarto sono io.

12.

Fabrizio Ciba e Alice Tyler erano seduti composti su una panchina di marmo di fronte a una fontana ovale. A destra un boschetto di bambú illuminato da un faro alogeno. A sinistra un cespuglio di ortensie. Tra loro c'erano venti centimetri. Era buio e faceva freddo. Le luci della villa alle loro spalle si riflettevano sulla superficie dell'acqua e sulle splendide gambe di Alice.

Fabrizio Ciba prese un sorso di alcol dalla bottiglia e la passò alla ragazza, che ci si attaccò. Doveva darsi da fare rapidamente. In quel gelo rischiavano una paresi. Che fare? Saltarle addosso subito? *Non lo so... Sai come sono 'ste intellettuali anglosassoni.*

Il dominatore delle classifiche, il terzo uomo piú sexy d'Italia secondo il settimanale femminile «Yes» (dopo un pilota di motociclette e un attore di sit-com mesciato) non poteva assolutamente accettare un rifiuto. L'avrebbe costretto, probabilmente, ad anni di psicoanalisi.

Il silenzio cominciava a diventare inquietante. Sparò lí: – Hai tradotto pure i libri di Irvin Parker, vero? – Mentre lo diceva si rese conto che era la cosa peggiore da dire per un approccio rapido.

– Sí. Tutti tranne il primo.

– Ah... Lo hai conosciuto?

– Chi?

– Parker.

– Sí.

– E com'è?

– Simpatico.

– Veramente?

– Molto.

No! Non funzionava. E per di piú la sentiva distratta. I venti centimetri che li separavano sembravano venti metri. Era meglio rientrare e lasciare perdere. – Senti for...

Alice lo guardò. – Ti devo dire una cosa –. Le brillavano gli occhi. – Una cosa un po' imbarazzante... – Prese fiato come se dovesse liberarsi di un segreto. – Quando ho finito di leggere *La fossa dei leoni* mi sono commossa... Sono stata male, pensa che quella sera dovevo uscire ma sono rimasta a casa, ero troppo scossa. E il giorno dopo l'ho riletto di nuovo e l'ho trovato ancora piú bello. Non so che dire, è stata un'esperienza unica... Ho trovato tante analogie con la mia vita.

Ciba era attraversato da ondate di piacere, da cavalloni di endorfine che scendevano dal capo verso il basso, turbinandogli nelle vene come petrolio in un oleodotto. Solo che questa volta, al contrario che con Sawhney, il piacere gli si incanalò nell'uretere, nell'epididimo, nelle arterie femorali e gli esplose all'interno dell'organo riproduttore, che si riempí di sangue provocandogli una feroce erezione. Fabrizio l'afferrò per i polsi e le infilò la lingua in bocca. E lei, che stava per confessare di avergli scritto una lunga lettera, se la ritrovò tra le tonsille. Emise una serie di vocali: – Ei iaío! – che significavano: «Sei impazzito!» Per istinto cercò di liberarsi dalla gastroscopia, ma non riuscendoci si diede per spacciata e gli mise una mano tra i capelli e premette piú forte le labbra sulle labbra e cominciò a mulinellare la lingua piccola e carnosa.

Fabrizio, sentendola vinta, le cinse la schiena con le braccia e premette il petto contro quello di lei sentendone la soda consistenza. Lei sollevò una delle due meravigliose gambe. Lui le spinse contro l'erezione. Lei allora sollevò l'altra meravigliosa gamba. E lui le mise una mano tra le cosce.

Federico Gianni, l'amministratore delegato della Martinelli, e il suo fido scudiero Achille Pennacchini erano appoggiati alla balaustra del grande terrazzo che dominava il giardino e Roma.

Gianni era uno spilungone tutto azzimato nei suoi svolazzanti completi di Caraceni. Da giovane aveva giocato a pallacanestro fino ad arrivare in serie A2 ma a venticinque anni aveva abbandonato lo sport per prendere in mano la gestione di un'industria di scarpe da ginnastica. Poi, attraverso chissà quali strade e contatti, era giunto all'editoria, prima in una piccola casa editrice milanese e infine approdando alla Martinelli. Di letteratura non capiva un accidente. Trattava i libri come scarpe e andava fiero del suo modo di pensare.

Tutto il contrario di Pennacchini, che Gianni aveva tirato fuori dall'Università di Urbino, dove insegnava Letteratura comparata, e messo a dirigere la casa editrice. Era un accademico, un uomo di lettere e tutto in lui lo dimostrava: gli occhiali tondi di tartaruga davanti a due occhi blu rovinati dai libri, la giacchetta a scacchi ciancicata, la camicia di cotone grosso con i bottoni sul colletto, le cravatte di lana e i pantaloni di cotone a righe. Parlava poco. Sempre a bassa voce. E tentennava. Non si riusciva mai a capire quello che pensava davvero.

– E anche questa è fatta –. Gianni si stiracchiò. – Mi sembra che sia andata bene.

– Molto bene, – fece eco Pennacchini.

Roma sembrava un'enorme coperta sporca tempestata di luci.

– È grande questa città, – rifletté Gianni di fronte a quello spettacolo.

– Molto grande. Va dai Castelli fino a Fiumicino. È veramente immensa.

– Quanto sarà di diametro?

– Mah, non lo so... Almeno un'ottantina di chilometri... – buttò là Pennacchini.

Gianni diede un'occhiata all'orologio. – Tra quanto andiamo al ristorante?

– Tra una ventina di minuti al massimo.

– Il buffet faceva schifo. Ho mangiato due tramezzini al salmone tutti secchi. Ho fame –. Fece una pausa. – E devo pure pisciare.

Pennacchini all'ultima affermazione del suo capo dondolò la testa in avanti e indietro come un piccione.

– Io, quasi quasi, la faccio nel giardino. All'aria aperta. Non c'è niente di meglio che pisciare davanti a 'sto spettacolo. Guarda laggiú, sembra che ci sia un temporale –. Gianni si sporse dalla terrazza e guardò nella vegetazione scura. – Mi controlli che nessuno mi veda? Anzi se qualcuno viene da questa parte fermalo.

– E che gli dico? – mormorò incerto il direttore.

– A chi?

– A chi dovesse venire da questa parte.

Gianni ci pensò un attimo sopra. – E che ne so... Intrattienilo, bloccalo.

L'amministratore delegato scese gli scalini che portavano nel giardino abbassandosi la lampo dei pantaloni. Pennacchini si piazzò, come una guardia svizzera, all'inizio delle scale.

13.

Larita.
Era lei la prescelta. Avrebbero sacrificato la cantante di Chieti Scalo al Signore del Male. Durante la festa Mantos l'avrebbe decapitata con la Durlindana.

– Altro che suore... Kurtz ti faccio vedere io, – sghignazzò Saverio prendendo a saltare per il soggiorno.

Cosa sarebbe successo a livello planetario quando si fosse saputo che la cantante che aveva venduto dieci milioni di copie tra Europa e America Latina e aveva cantato per il papa il giorno di Natale era stata decapitata dalle Belve di Abaddon? La notizia sarebbe apparsa sulle prime pagine dei giornali di tutto il mondo. Al livello di John Lennon e di Janis Joplin...

Saverio ebbe un dubbio. Ma Janis Joplin era stata assassinata?

Ma chi se ne frega. Quello che gli fregava in quel momento era che con una mossa del genere sarebbe stato ricordato per sempre. A lui sarebbero stati dedicati siti internet, forum e blog. La sua faccia sarebbe stata stampata sulle magliette di migliaia di ragazzini. E gruppi di satanisti per generazioni e generazioni si sarebbero ispirati alla figura di Mantos e sarebbero rimasti affascinati dalla sua personalità carismatica e psicotica, al pari di Charles Manson.

Saverio afferrò l'iPod di Serena dalla credenza accanto alla porta di casa. Era certo che sua moglie avesse qualcosa della cantante tra gli mp3. E infatti c'era. Spinse play. L'artista cominciò a cantare con la sua voce melodiosa e ricca di ottave la storia d'amore tra due adolescenti.

Che schifo!

Quella schifosa aveva unito le cose che odiava di piú sulla terra: l'amore e i ragazzini.

Dall'armadietto dei liquori tirò fuori una bottiglia di Jägermeister e ci si attaccò.

Era amarissimo.

14.

Sulla panchina di marmo non si stava comodi. Fabrizio Ciba e Alice Tyler erano aggrovigliati uno con l'altra mentre sbuffi di maestrale cominciavano a scuotere il boschetto di bambú. Lo scrittore aveva una mano poggiata sul muretto di calcestruzzo e l'altra su una tetta della traduttrice. La traduttrice invece ne aveva una incastrata dietro la schiena e l'altra infilata dentro i pantaloni dello scrittore. La cintura le bloccava, come un laccio emostatico, l'afflusso di sangue alla mano e quindi l'unica cosa che poteva fare con le dita intorpidite era stringergli l'uccello. Fabrizio le ansimava in un orecchio cercando di liberarle la tetta dalla costrizione del reggiseno ma non riuscendoci decise che le avrebbe esplorato le parti intime.

Non si accorsero dell'amministratore delegato che a una decina di metri stava pisciando fino a quando non lo sentirono sospirare. – Ahh!! Ci voleva proprio. Che liberazione!

I due si immobilizzarono come sogliole e se avessero potuto, come la *Solea solea*, avrebbero cambiato colore mimetizzandosi con l'ambiente circostante. Fabrizio le sussurrò in un orecchio: – Zitta, c'è qualcuno… Zitta, ti prego. Non respirare –. Si pietrificarono, come due calchi pompeiani. Tutti e due con le mani sui genitali dell'altro.

Un'altra voce. Piú lontana. – È stato bravo Ciba stasera. *Ma quanti sono?*

La voce piú vicina rispose: – Sí, bisogna dire che in queste cose il nostro Ciba è il migliore di tutti!

– È Gianni! L'amministratore delegato! – spiegò ad Alice lo scrittore, con un filo di voce.

– Dio mio, dio mio, dio mio, – invocò lei. – E se ci vedono?

– Zitta. Non parlare –. Fabrizio sollevò la testa. La sagoma di Gianni si allungava dietro il cespuglio di ortensie. Ciba si riabbassò. – Sta pisciando! Non ci può vedere. Adesso se ne va.

Ma l'amministratore delegato, che soffriva di prostata, rimase a scrollarsi l'affare aspettando scariche successive.

– Non male la storia del fuoco! Una cazzata, ma efficace, niente da dire. Dobbiamo chiamarlo piú spesso a fare queste cose, è magnetico.

Fabrizio sorrise soddisfatto e guardò Alice, che sbuffò divertita. Cosa poteva volere di piú? Pomiciava con una specie di modella meticcia e intellettuale, e contemporaneamente riceveva le lodi sperticate dal re della sua casa editrice.

Le toccò il clitoride. Lei rabbrividí e gli alitò nell'orecchio. – Piano… pianooo… Se no mi metto a urlareeehhh…

Il cazzo gli si era trasformato in un blocchetto di cemento armato.

– Ma parlando di cose serie… A che punto è Ciba col nuovo romanzo?

– Non riesco a capire… Per quel poco che ho letto… – Pennacchini rimase senza parole. Spesso gli succedeva di bloccarsi, come se gli avessero tolto la corrente.

– Cosa, Pennacchini? Che hai letto?

– Mi pare, ecco, assai sfocato… Piú… Come dire… Dei tentativi maldestri che una vera e propria narrazione…

Fabrizio, che intanto si dava da fare a slacciare la cinta, si bloccò.

– Una cagata, ho capito. Come l'ultimo, là… *Il sogno di Nestore*. Non sono per niente soddisfatto… E va pure cosí cosí. Da uno che aveva venduto un milione e mezzo di copie mi aspettavo, francamente, qualcosa di piú. Con tutta la pubblicità che gli abbiamo comprato. Hai visto le rese semestrali? Se non ci fosse *La fossa dei leoni*…

Alice con un colpo da maestra gli liberò finalmente l'erezione e cominciò a masturbarlo.

– … Bisogna che discutiamo del contratto per il prossimo libro. La sua agente è fuori di testa. Ha chiesto una cifra assurda. Prima di firmare ci dobbiamo pensare bene.

Non possiamo essere strozzati da uno che vende in fondo come Adele Raffo, che becca esattamente la metà di lui.

Ciba credette di svenire. Quel figlio di puttana lo stava paragonando a una suora obesa che scriveva ricette di cucina! E che cos'era questa storia di ridiscutere il contratto? Ed era pure un gran falsone. Gli aveva detto che *Il sogno di Nestore* era un libro necessario, il romanzo della sua maturità.

Alice, intanto, tutta presa, non ascoltava, continuava a massaggiarglielo con un preciso movimento antiorario del polso ma, con sua enorme sorpresa, l'operazione non dava i suoi frutti, anzi. Le si stava letteralmente avvizzendo in mano. Lo guardò imbarazzata. Lo scrittore era atterrito. – Che succede? Sta venendo qua?

– Per favore... Un attimo. Stai zitta un attimo.

Alice sentí una nota stonata nella voce di Fabrizio, mollò la flaccida appendice e si mise in ascolto.

– ... Tanto non scappa! Dove va? Nessuna casa editrice è disposta a dargli quanto gli diamo noi. Ma neanche la metà. Chi si crede di essere? Grisham? E tra l'altro ho saputo che la sua trasmissione non è stata ancora confermata per l'anno prossimo. Se la chiudono, Ciba cola a picco. Dobbiamo fargli abbassare la cresta. Anzi, la prossima settimana, Achille, voglio fare una riunione con Modica e Malagò e cosí vediamo come agire... Quello un altro libro mica lo scrive. È bollito –. Un istante di silenzio. – Ahh!! Ho finito. Era dall'aereo che la tenevo –. Poi rumore di passi sulla ghiaia.

Ciba rimase sospeso a mezz'aria, incapace di reagire, poi ricadde giú, nel fango del pianeta terra, o meglio, sulla donna nella cui vagina teneva immerso il dito medio. Una donna, tra l'altro, appena conosciuta. E che lavorava nel suo stesso campo. Un'estranea. Una potenziale spia.

Si sollevò con la faccia congestionata e due occhi da psicopatico.

Lei si coprí il seno con la camicetta e fece una smorfia indefinibile.

Compassione! Prova compassione per me!, comprese Fabrizio. Estrasse il dito e se lo pulí sulla giacca. Che diavolo stava facendo? Era impazzito? Si era buttato come un adolescente infoiato addosso a una sconosciuta mentre la sua casa editrice complottava contro di lui.

Devo rispondere a questo affronto.

C'era solo una persona al mondo che poteva aiutarlo. La sua agente. Margherita Levin Gritti.

– Scusami, ma devo andare! – fece distrattamente rinfilandosi il mollusco nei pantaloni e allontanandosi di corsa.

Lei rimase lí senza sapere che pensare, poi cominciò a riabbottonarsi la camicetta.

15.

Il leader delle Belve di Abaddon aveva finalmente trovato l'idea. Doveva immediatamente riunirsi ai suoi adepti e renderli edotti della situazione. Non importava che fossero le dieci passate. Tanto quelli erano a casa di Silvietta a vedersi un film.

A luci spente andò nello sgabuzzino delle scope. Ben nascoste dietro scatole di detersivi e di scarpe, stipate in una busta della GS, c'erano le uniformi delle Belve. Le aveva disegnate lui stesso e fatte cucire da un sarto cinese di Capranica. Erano semplici tuniche di cotone nero (al contrario di quelle sgargiantissime dei Figli dell'Apocalisse, oro e viola) con il cappuccio a punta. Come scarpe, dopo diversi dubbi, aveva scelto delle espadrillas nere.

Saverio tornò in salotto e cercando di non far rumore prese dallo scatolone la Durlindana, dalla credenza le chiavi della macchina. Afferrò l'ombrello e la bottiglia di Jägermeister e stava per abbassare la maniglia della porta di casa quando il lampadario si accese, inondando di luce la collezione Zanzibar.

Serena in camicetta da notte era sulla porta del soggiorno. – Dove vai?

Saverio s'ingobbí, abbassò la testa e cercò di nascondere la spada dietro la schiena senza riuscirci. – Esco un attimo...

– Dove?

– Vado al mobilificio a vedere una cosa...

Serena era perplessa. – Con la spada?

– Sí... – Doveva immediatamente inventarsi una stronzata. – Vedi... C'è un mobile... C'è un mobile da salotto che potrebbe contenerla perfettamente e volevo controllare se ci entrava. Vado e torno. Ci metto un attimo. Tu vai a dormire.

– E in quella busta che c'è?

Saverio si guardò intorno. – Quale busta?

– Quella che hai in mano.

– Ah... Questa –. Saverio sollevò le spalle. – No, niente... Ho dei vestiti che devo ridare a Edoardo. Sono per una festa in maschera.

– Lo sai quanti anni hai, Saverio?

– Che domande fai?

– Mi hai stancato. Profondamente stancato.

Quando Serena diceva che si era stancata, profondamente stancata, con quel tono esaurito, Saverio sapeva che entro pochi minuti si cominciava a litigare. E litigare con Serena non conveniva mai. Era capace di annientarti, di trasformarsi in qualcosa di cosí terribile che non si può nemmeno descrivere. La strategia migliore era stare zitti e abbozzare. Se iniziava a urlare i gemelli si sarebbero svegliati e avrebbero attaccato a frignare, e a quel punto gli toccava rimanere a casa.

Lasciala parlare. Superiore.

– E non hai stancato solo me. Lo sai che dice papà? Dice che di tutti i reparti del mobilificio il tuo è l'unico in perdita.

Saverio, nonostante quello che si era appena ripromesso, non resse. – E certo! I mobili tirolesi fanno cagare a tutti. Non li vuole nessuno! Per quello tuo padre me lo ha affidato. Lo sai benissimo. Cosí mi può...

Serena lo interruppe, stranamente senza alzare la voce. Sembrava cosí scoraggiata che non aveva nemmeno la forza di urlare. – Ah! I mobili tirolesi fanno cagare? Ti è noto che mio padre ha venduto per piú di vent'anni solo ed esclusivamente mobili tirolesi? Ricordati che è stato lui il primo che li ha introdotti nel Lazio. Sai dopo in quanti lo hanno copiato? Gli arredi rustici e tutto il resto è venuto grazie a quei mobili che a te fanno tanto cagare –. Incrociò le braccia. – Tu non hai rispetto... Non hai rispetto per mio padre e nemmeno per me. Io sono veramente stanca di coprirti, di sentire ogni giorno papà che insulta mio marito. Mi mortifico –. Scosse la testa amareggiata. – Aspetta... Aspetta... come ti ha chiamato l'ultima volta? Sí, ecco... Uno scarafaggio senza palle. Lo sai dove ti avrebbe mandato a quest'ora se non ci fossi io?

Saverio strinse il manico della Durlindana come volesse spezzarla. Avrebbe potuto ucciderlo, quel vecchio bastardo. Sarebbe stato cosí facile. Un colpo secco di spada tra la terza e la quarta vertebra cervicale.

– Come dargli torto? – Serena lo indicò. – Guardati, esci di nascosto con i vestiti di carnevale, la spada e vai dai tuoi amichetti a giocare… Non hai tredici anni. E io non sono tua madre.

Saverio, a testa bassa, cominciò a piantare la punta della Durlindana nel parquet.

– Cosí non può andare avanti. Ho perso ogni rispetto per te. Io ho bisogno di un uomo. Ti sei mai chiesto perché non voglio fare l'amore con te? – Si girò e se ne tornò in camera. La sentí dire: – Esci. Corri. Non vorrai fare aspettare i tuoi amichetti? E butta la pattumiera.

Saverio rimase per circa un minuto fermo sulla porta di casa. Fuori il temporale non accennava a placarsi. Se fosse uscito ora la sua vita sarebbe stata un inferno per una settimana. Rimise la Durlindana nella scatola e la busta con le tuniche nello sgabuzzino. Si attaccò alla bottiglia di amaro. Meglio dormire sul divano. L'indomani mattina Serena sarebbe stata piú calma e avrebbero potuto fare pace, o qualcosa di simile.

Doveva dimostrarle che non era uno scarafaggio senza palle. E per riuscirci c'era solo un modo: recuperare il budget trimestrale e mettere a tacere il vecchio bastardo. Mancava ancora un mese alla fine del trimestre e se si metteva a lavorare di brutto ce la poteva fare. Prese un altro sorso di alcol e mezzo stonato andò in bagno a lavarsi i denti.

Come cavolo gli era venuto in testa di uccidere Larita? Per farlo doveva prendersi un giorno libero e in questo momento, con il bilancio in rosso, non era proprio cosa. E poi, ammettiamolo, oltre a sua moglie anche le Belve non credevano piú in lui.

Sputò il dentifricio nel lavandino, si asciugò la bocca e si guardò nello specchio. Le tempie erano quasi bianche e il velo di barba sul mento era grigio.

Non hai tredici anni. E io non sono tua madre.

Aveva ragione Serena. Ragione da vendere. Se non le dimostrava che poteva avere fiducia in lui, alla morte di suo padre non gli avrebbe mai dato la gestione del mobilificio.

E ho due figli a cui badare. Non devono crescere sapendo di avere un padre incapace.

Ed era solo colpa sua se tutti lo pensavano.

Basta! 'Sta storia della setta satanica deve finire. Domani convoco le Belve e gli dico che il gioco è finito.

Si tolse la camicia e la canottiera. Anche quel poco di peli che aveva sul petto cominciavano a ingrigirsi. Aprí il rubinetto della doccia, poi lo richiuse. Spalancò la bocca in un urlo muto. Aveva le guance rigate dalle lacrime.

Perché si era ridotto cosí? Per quale assurda ragione si era chiuso volontariamente in una gabbia con quell'arpia e aveva buttato via le chiavi della sua esistenza? Da giovane aveva un sacco di progetti. Fare un giro dell'Europa in treno. Andare in Transilvania a visitare il castello del conte Vlad. Vedere i dolmen e le sculture dell'isola di Pasqua. Studiare il latino e l'aramaico. Non aveva fatto nulla di tutto questo. Si era sposato troppo presto con una donna che adorava i villaggi turistici e razziare gli outlet.

Tornò al lavandino e si guardò di nuovo nello specchio come per accertarsi che fosse ancora lui. Prese l'asciugamano e se lo poggiò in testa.

– Aspetta... Aspetta un attimo, – si disse.

Non doveva dimenticare. Quella era stata una giornata speciale e non bastava un litigio con Serena per cancellarla. Sentiva con ogni fibra del corpo che quello era l'inizio di una nuova esistenza, bastava avere il coraggio di ribellarsi. E non era per Gerry Scotti e nemmeno per il nuvolone con il volto di Satana che gli era apparso come un presagio, non era per Kurtz che lo aveva chiamato per chiedergli di essere il suo rappresentante. Era per quel no.

Era stato troppo bello. Troppo gratificante. Non lo poteva sciupare cosí. Era stata la prima volta che aveva detto NO. Un NO vero.

Se abbandoni la setta devi essere cosciente che la tua vita d'ora in avanti sarà solo una lunga sequela di sí. Devi essere cosciente che ti spegnerai lentamente, nell'indifferenza generale, come un cero su una lapide abbandonata. Se adesso deponi la Durlindana e ti metti a dormire sul divano non ci saranno piú messe nere, orge sataniche e scritte sui viadotti. Non ci saranno piú cene con i tuoi adepti. Mai piú. E non le rimpiangerai perché sarai troppo depresso per poterle rimpiangere. Decidi ora. Decidi se sei lo schiavo di tua moglie o sei Mantos, il sommo maestro delle Belve di Abaddon. Decidi chi cazzo sei.

Si tolse l'asciugamano dalla testa, con un sorso finí la boccia di Jägermeister, afferrò il tagliabarba, lo accese e si rapò a zero.

16.

Bollito.

Fabrizio Ciba guidava la vespa giú per la panoramica di Monte Mario. Acceleratore a palla, si piegava a destra e a sinistra come Valentino Rossi. Era fuori di sé. Quegli infami della Martinelli avevano detto che era bollito e volevano fargli le scarpe. A lui che li aveva tirati fuori dal fallimento, che aveva venduto piú di tutti gli altri scrittori italiani messi insieme, a lui che era stato tradotto in ventinove lingue tra cui swahili e ladino.

– E vi beccate pure il venti per cento sui diritti esteri, – urlò superando in piega una Ford Ka.

Se pensavano di poterlo trattare come una suora bulimica si sbagliavano alla grande.

– Che vi credete? Tutti mi vogliono. E vedrete quando uscirò con il nuovo romanzo, bastardi che non siete altro.

Cominciò a zigzagare nel traffico di viale delle Milizie. Poi si buttò nella corsia dei tram. Si fermò con una sgommata al semaforo rosso.

Doveva andarsene da un altro editore. E poi andarsene da questo cazzo di Paese. *L'Italia non mi merita*. Poteva vivere a Edimburgo, tra i grandi scrittori scozzesi. Non scriveva in inglese, ma non importava. Qualcuno glieli avrebbe tradotti.

Alice...

Fu attraversato dall'immagine di loro due in un cottage scozzese. Lei nuda che traduceva e lui che preparava un piatto di rigatoni cacio e pepe. L'avrebbe chiamata domani e si sarebbe scusato.

Una goccia grossa come un chicco di caffè lo colpí in piena fronte, seguita da una su una spalla, una su un ginocchio, una...

– Noo!

Scoppiò l'acquazzone. Sui marciapiedi la gente correva a ripararsi. Si aprivano gli ombrelli. Folate di vento strapazzavano i platani ai lati della strada.

Fabrizio decise di andare avanti lo stesso, la casa della sua agente non era lontana. Si sarebbe fatto una doccia calda e poi avrebbero organizzato la controffensiva.

Arrivò sul lungotevere. Milioni di macchine immobili si imbottigliavano nel sottopassaggio. Tutte suonavano. La pioggia frustava le lamiere, l'asfalto e tutto il resto. I fari creavano un riverbero accecante.

Che diavolo succede?

Venerdí sera + coatti in uscita libera + pioggia = Il centro bloccato tutta la notte.

Fabrizio detestava il venerdí sera. Orde di barbari provenienti dal Prenestino, da Mentana, da Cinecittà, dai Castelli, dalla cinta del Grande Raccordo Anulare si riversavano sul centro storico, Trastevere e la Piramide, alla ricerca di pizzerie, pub irlandesi, ristoranti messicani e paninoteche. Tutti determinati a divertirsi.

Lo scrittore, bestemmiando, si gettò anche lui sul lungotevere. Non riusciva ad avanzare. La vespa non passava tra una macchina e l'altra. Si inerpicò sul marciapiede, ma anche lí era difficile proseguire. C'erano automobili parcheggiate dovunque, gettate senza ordine una sull'altra, come le macchinine di un ragazzino viziato. Arrivò, bagnato fino alle mutande, in una specie di strettoia che terminava in un lago. Le macchine lo attraversavano sollevando onde da motoscafo. Prese un bel respiro e si lanciò. Fece i primi venti metri in un tripudio di schizzi. Le ruote scomparvero in un liquido scuro e gelato. Ora avanzava piú fiaccamente. Il livello dell'acqua si alzava oltre il fondo della vespa. Gli arrivava alle caviglie. Il motore cominciò a sputacchiare, a balbettare. Come una bestia ferita lo scooter si trascinava avanti a spasmi emettendo un suono disperato. Fabrizio in sella implorava tra i denti. – Dài cazzo, dài cazzo, dài porca troia… Ce la fai!

Ma la vespa emise un rantolo e morí nel punto piú profondo.

Fabrizio Ciba smontò smadonnando. L'acqua gli arrivava ai polpacci. I piedi gli sciacquettavano nelle vecchie Church's. Prese a calci lo scooter. Non poteva credere che l'umanità, la meccanica e la natura, in combutta, nell'arco di quaranta minuti, gli si fossero rivoltate contro.

Le macchine, stipate di mostri rasati e tatuati, gli passavano accanto facendogli la doccia. Lo indicavano, scuotevano la testa, ridevano e si allontanavano.

Si guardò. La giacca si era trasformata in un orrendo poncho gocciolante. I pantaloni tutti bagnati e infangati.

A testa bassa, tremando, spinse la vespa fuori dal lago. La pioggia gli colava sul collo, gli scivolava sulla schiena e tra le chiappe. Non sentiva piú i piedi. Mollò lo scooter e si incamminò.

Per fortuna non era lontano dalla casa della sua agente. Sarebbe rimasto a dormire da lei. Si sarebbe fatto preparare una camomilla con il miele. Si sarebbe preso un paio di aspirine e fatto coccolare e rassicurare. Si sarebbe addormentato avvinghiato a quei seni caldi mentre lei gli sussurrava dolcemente che avrebbero fatto il culo alla Martinelli.

Cominciò a marciare risollevato mentre raffiche di vento lo spingevano indietro. La lugubre sagoma di Castel Sant'Angelo era avvolta dall'acqua. Attraversò il ponte degli angeli. Il fiume in piena gli rombava sotto i piedi incanalandosi tra i pilastri.

Sulla riva opposta il lungotevere era un boa di lamiera che strombazzava immobile e insofferente. I tombini vomitavano torrenti grigi che correvano impetuosi lungo i marciapiedi. Tutte le strade, vicoli, buchi che entravano nel centro storico erano presidiati da gruppi di agenti con gli impermeabili gialli e le palette che tentavano di arginare il flusso di automobili. Sembrava l'esodo da una città sotto la minaccia delle bombe.

Fabrizio si fece largo tra le macchine e si infilò nel primo viottolo che gli si parò davanti. Sbucò in una piazzetta dove due tipi si prendevano a spinte per un posto libero. Le fidanzate, tutte e due bionde, tutte e due vestite come modelle di Versace, si sgolavano dai finestrini delle macchine.

– Enrico! Non lo vedi che è un testa di cazzo, lascialo perdere.

– Franco! Non ne vale la pena, è un pezzo di merda.

Fabrizio gli passò accanto non degnandoli di uno sguardo. Entrò a via dei Coronari.

Un incubo.

Ma era finito, era arrivato.

17.

– E cosí non vuoi fare l'amore con me?

Serena aprí un occhio. Per riuscire ad addormentarsi si era fatta venticinque gocce di EN. Sollevò appena la testa e vide sulla porta della stanza la sagoma scura di suo marito.

– Che vuoi? – biascicò sentendo il sapore dolciastro delle benzodiazepine sulla lingua intorpidita. – Non vedi che sto dormendo? Vuoi litigare?

– Hai detto che non vuoi fare l'amore con me.

– Piantala. Lasciami stare. È meglio, – lo liquidò, riaffondando la testa nel cuscino. Nonostante il sonno, una parte del cervello di Serena notò che Saverio aveva un tono diverso, molto deciso. E non era da lui affrontare le cose in quella maniera diretta. *L'imbecille si sarà ubriacato.* Cominciò a frugare nel cassetto del comodino cercando la mascherina per gli occhi e i tappi per le orecchie. Era stata tutto il giorno a Roma a cercare un tornio per la creta ed era distrutta. Non aveva nessuna voglia di mettersi a litigare.

– Ridillo. Ridillo, se hai coraggio, che non vuoi fare l'amore con me.

– Non voglio fare l'amore con te. Sei contento ora? – Trovò la mascherina.

– Preferisci essere scopata da quelli delle spedizioni, vero?

Adesso, però, stava esagerando. Andava rimesso al posto suo. Si tirò su e ringhiò: – Sei impazzito? Ma come ti permetti? Io ti... – Ma non riuscí ad andare avanti perché, nonostante avesse le luci del corridoio negli occhi, le sembrava che Saverio fosse nudo e... *No, non è possibile... Si è rapato a zero.* Un brivido le salí lungo la colonna vertebrale.

– Lo sai che mi dicono ogni volta che vado in magazzino? Che potresti essere una pornostar. E in fondo non hanno tutti i torti visto come vai vestita. Che puttana che sei! Sei talmente puttana che dici che scopare è burino, però ti rifai le tette –. E prese a ridere sguaiatamente.

Serena era pietrificata. Non respirava nemmeno, nel torace il cuore le batteva impazzito e il sangue le rombava nelle arterie. C'era qualcosa che non andava in suo marito. E non era perché era diventato improvvisamente geloso o perché si era tagliato i capelli. Sí, questi erano sintomi preoccupanti. Ma la cosa che la terrorizzava era la voce. Gli era cambiata. Non sembrava la sua. Era profonda e cattiva. E quella risata malvagia, da psicopatico, da posseduto.

Serena Mastrodomenico era sempre stata cosciente che prima o poi a suo marito sarebbe potuta partire la brocca. Era un frustrato. Troppo compresso, troppo accondiscendente, troppo remissivo, troppo gentile con tutti. A lei piaceva cosí. Le ricordava quei cavalli da tiro che trascinano il carretto e prendono botte tutta la vita e muoiono stroncati dalla fatica. Dentro però sapeva che Saverio aveva un inferno che gli bruciava notte e giorno. E lei si divertiva a stuzzicarlo, per vedere fino a che punto resisteva, e se ogni tanto si lasciava scappare una vampata di rabbia. In dieci anni di matrimonio non era mai successo.

Sta succedendo ora, porca puttana. Si ricordò di quel film. Era la storia di un impiegato modello, con famiglia perfetta, che intrappolato nel traffico mollava ogni freno e cominciava a fare una strage con un fucile a pompa. Suo marito era tale e quale a quello lí.

Saverio avanzò lentamente verso il letto. – Tu non mi conosci Serena. Tu non hai neanche idea di cosa sono capace io. Tu credi di sapere tutto, ma non sai niente.

Serena vide che suo marito impugnava lo spadone, le uscí un urletto e si appiccicò al muro.

– Stai zitta! Stai zitta! Che svegli i bambini! Ahh... Giusto! Parliamo di bambini. Credi che io non sappia perché hai tanto insistito per farli in provetta. Non è per l'età. Credevi che me la fossi bevuta la stronzata dell'età. No! È perché ti faccio schifo –. Saverio sollevò le braccia e la spada mostrandosi nudo. – Dimmi, faccio tanto schifo?

Serena Mastrodomenico non era esperta di sindromi psicotiche, nonostante avesse frequentato il biennio di Psicologia. Ma la saggezza popolare sosteneva che ai pazzi bisogna sempre dare ragione. E in quel momento le sembrava un comportamento piú appropriato che mai.

– No... No... che non fai schifo, – balbettò, stupita di avere ancora fiato per parlare. – Ascoltami Saverio. Posa quella spada. Mi dispiace per quello che ti ho detto –. Deglutí. – Lo sai che ti amo...

Lui cominciò a sussultare in preda al riso. – No... Questa no, ti prego... Questa proprio non la dovevi dire. Mi ami! Tu mi ami? È la prima volta che ti sento dire che mi ami da quando ti conosco. Nemmeno quando ti ho dato l'anello di fidanzamento me lo hai detto. Mi hai chiesto se si poteva cambiare –. Voltò la testa verso la finestra, come se lí ci fosse qualcuno. – Hai capito? Hai capito cosa bisogna fare per essere amati dalla propria moglie? E poi dicono che il matrimonio è un'istituzione in crisi.

Doveva scappare. La finestra che dava sul terrazzino

era chiusa e le tapparelle abbassate. E se anche fosse riuscita ad aprirla, erano al terzo piano e sotto c'era la spianata d'asfalto del parcheggio. E se avesse urlato aiuto, lui l'avrebbe colpita con la spada. L'unica cosa che le restava da fare era implorare pietà e appellarsi al vecchio e buon Saverio, che da qualche parte ancora doveva nascondersi dentro la mente malata di quello schizofrenico.

Ma questo era impensabile. In quarantatre anni Serena non aveva chiesto pietà a nessuno. Nemmeno alle Orsoline che le colpivano le nocche con il righello. Il carattere di Serena Mastrodomenico era stato forgiato secondo la rigida etica luterana dei Mastri d'Ascia Tirolesi. Papà, che aveva passato gli anni della gioventú come apprendista in una falegnameria di Brunico, le aveva detto che i legni piú pregiati si spezzano ma non si piegano.

(*E tu, stellina, sei dura e preziosa come l'ebano. E non ti farai mettere i piedi in testa da nessuno. Nemmeno da tuo marito. Promettimelo*).

Sí, paparino, te lo prometto.

E quindi figuriamoci se avrebbe chiesto pietà a quel fallito pezzo di merda scroccone psicopatico di Saverio Moneta, figlio di un modesto operaio della Osram e di una massaia ignorante. Lei lo aveva ripulito, lo aveva fatto entrare nel suo letto, lo aveva fatto accettare a quel sant'uomo di suo padre, aveva accolto il suo sperma bacato per farci dei figli e adesso quello la minacciava con una spada.

Serena afferrò la sveglia dal comodino e gliela lanciò contro digrignando i denti: – Fanculo! Uccidimi! Fallo se hai coraggio. Non ho paura di te, scarafaggio senza palle! – E con le mani gli fece segno di farsi avanti.

18.

Il palazzo di Margherita Levin Gritti era vecchio e signorile, con un grande portone che nascondeva una porticina.

Fabrizio Ciba premette un pulsante del citofono dorato. Un faretto sopra una telecamera gli sparò una luce negli occhi. Battendo i denti attese mezzo minuto poi diede una seconda scampanellata. Guardò l'orologio. Mezzanotte e dieci.

Dal punto di vista stocastico, si disse Fabrizio, era altamente improbabile che non ci fosse. Non era possibile infilare una dietro l'altra un numero cosí alto di sfighe. Sarebbe stato come lanciare i dadi e fare per dieci volte sette.

Si attaccò al pulsante. – Rispondi! Rispondi! Svegliati.

E, ringraziando Iddio, una voce rispose: – Chi è? Fabrizio, sei tu?

– Sí, sono io. Apri, – disse all'occhio della telecamera.

– Che ci fai qui, a quest'ora? – La voce era stupita.

– Fammi salire. Sono tutto bagnato.

La donna rimase in silenzio, poi: – Non posso… Non stasera. Scusami.

– Ma che dici? – Fabrizio non credeva alle sue orecchie.

– Mi dispiace…

– Ascolta, è successa una cosa gravissima. La Martinelli mi vuole fare le scarpe. Apri, – le ordinò. – Non voglio scopare.

– … Io *sto* scopando.

– Come, stai scopando? Non è possibile!

– Perché non è possibile? Che vuoi dire? – La voce dell'agente si stava alterando.

– Niente, niente. Vabbe', non importa, apri lo stesso. Ti spiego due cose, mi asciugo e chiamo un taxi.

– Chiamalo con il cellulare.

– Lo sai che non uso il cellulare. Ascolta, smetti un attimo di scopare e riprendi dopo. Che sarà mai?

– Fabrizio, tu non ti rendi conto di quello che stai dicendo.

Ciba sentí la rabbia espandersi dentro le viscere. – Sei tu che non ti rendi conto! E guardami, cazzo! – Allargò le braccia. – Sono tutto bagnato! Rischio una polmonite. Sto male! Apri 'sta maledetta porta, porca puttana!

La voce dell'agente era ferma. – Chiamami domani mattina.

– Quindi non mi apri?

– No! Te l'ho detto, non ti apro.

Fabrizio Ciba esplose. – Allora sai che ti dico? Vaffanculo! Vaffanculo tu e quella poveraccia, lo so che è la poetessa, che ti credi? Come cazzo si chiama... Vabbe', andatevene a fare in culo tutte e due, lesbiche ciccione di merda. Sei licenziata.

Si allontanò dando calci alle macchine posteggiate.

19.

Che donna! Che leonessa!

Saverio Moneta aveva sempre saputo che sua moglie aveva i coglioni, ma non credeva fino a quel punto. Era pronta a battersi anche a rischio della vita. Proprio per quello aveva deciso di sposarla. Suo padre e sua madre e tutti i parenti (anche quelli di Benevento, che l'avevano vista una volta sola) lo avevano avvertito che non era il tipo giusto per lui. Era viziata, lo avrebbe messo sotto, calpestato, ridotto al rango di un cameriere filippino. Ma lui non era stato a sentire nessuno e l'aveva sposata.

Allungò la spada e gliela puntò sulla gola. – E quindi non hai paura?

– No! Mi fai schifo! – Serena gli sputò addosso.

Saverio si pulí la guancia sorridendo. – Ah, cosí ti faccio schifo –. Infilò la punta della Durlindana nell'asola della camicetta da notte e con un colpo di polso fece saltare il primo bottone.

Serena era tutta contratta, con gli artigli smaltati di rosso pronti a graffiarlo.

– Adesso ti ammazzo –. Saverio le fece saltare il secondo bottone della camicia da notte. Le tette, grosse come due meloni, con i piccoli capezzoli scuri intirizziti dalla paura, apparvero nel loro sintetico splendore.

– Che fai? Schifoso! Non ti permettere, – sibilò Serena con gli occhi ridotti a due fessure buie.

Saverio le mise la lama sotto la gola e l'appiccicò contro la testiera del letto. – Zitta! Devi stare zitta! Non ti voglio sentire.

– Sei un pezzente.

Lui l'afferrò per i capelli e le spinse la testa contro il cuscino. Gettò via la spada e con la destra le strinse il collo come si farebbe con una serpe velenosa, poi le si buttò sopra con tutto il peso. – E adesso che fai? Che fai? Non ti puoi piú muovere. Non puoi urlare. Hai paura, vero? Dillo che hai paura.

Serena non mollava. – Io non ho paura di nessuno.

Saverio si accorse di avere una violenta erezione e di desiderarla da impazzire. – Adesso ti faccio vedere… – Le strappò le mutande e le diede un morso su una chiappa. – Ti faccio vedere io chi comanda qui.

Un urlo soffocato uscí dal cuscino. – Se ci provi, ti giuro sui nostri figli che ti ammazzo.

– Ammazzami! Ammazzami pure. Tanto non me ne importa niente di questa vita di merda –. Le divaricò le gambe e le infilò una mano tra le cosce. Si fece spazio e la penetrò di colpo. Il cazzo le affondò dentro fino alle viscere bollenti.

Lei, come una gatta impazzita, si liberò un braccio e con una zampata gli graffiò quattro strisce sanguinolente sul costato. – Mi stai violentando, maiale. Io ti odio… Tu non sai quanto ti odio…

Saverio, esaltato dal dolore, continuava a pompare disperatamente. Gli girava la testa mentre il sangue gli turbinava nei timpani.

Serena era riuscita a tirare su la faccia dal cuscino e mugugnava. – Smettila! Mi fai schifo… Mi fai… – Non riuscí a continuare perché cominciò a inarcare la schiena offrendosi di piú.

Saverio si rese conto che ce l'aveva fatta. La troia stava godendo. Quella era la sua giornata!

Ora però c'era un problema. A quel ritmo forsennato non avrebbe retto a lungo. Sentiva l'orgasmo che gli attraversava i tendini delle gambe, gli azzannava i muscoli delle cosce e incurante della sua volontà puntava dritto verso il buco del culo e i coglioni. Pensò a Sting. A quel gran figlio di mignotta di Sting che poteva scopare anche quattro ore senza venire. Come faceva? Si ricordò che in un'intervista l'artista inglese aveva spiegato di avere imparato la tecnica dai monaci tibetani… Qualcosa del genere. Comunque era tutto un problema di respirazione.

Saverio, reggendosi con una mano su una scapola di sua moglie e con l'altra contro il muro, cominciò a inspirare ed espirare come un gonfiatore per canotti, cercando di rallentare un pochino il ritmo.

Serena, sotto di lui, si contorceva come la coda mozza di una lucertola.

L'afferrò di nuovo per i capelli e le strinse una tetta. – Ti piace. Dillo!

– No. No. Non mi piace. Mi fa schifo –. Eppure non sembrava che le facesse cosí schifo. – Bastardo. Sei un lurido bastardo –. Mollò una manata sul materasso e colpí la radiosveglia, che si destò dal torpore e cominciò a cantare *She's Always a Woman* di Billy Joel.

Altro segno inequivocabile che Satana era dalla sua parte. Saverio diceva ai suoi discepoli di amare i Sepultura e i Metallica, ma in segreto adorava il vecchio Billy Joel. Nessuno scriveva canzoni cosí romantiche.

Strinse i denti e con rinnovato vigore riprese a martellarla. – Ti sfondo... Giuro che ti sfondo. Beccati pure questo, troia –. E le infilò un dito in culo.

Serena si irrigidí tutta, stirò gambe e braccia e sollevò la testa, lo guardò con una smorfia di dolore e poi si arrese sospirando con un filo di voce: – Vengo... Vengo, vaffanculo. Vaffanculo, maledetto.

Saverio finalmente si lasciò andare, rilassò le cosce e venne a bocca aperta. Stravolto dalla fatica, tutto sudato, si accasciò sul collo di Serena, infilò la bocca fra i suoi capelli e sospirò: – Ora dimmi che mi ami!

– Sí. Ti amo. Ma adesso fammi dormire.

20.

Su corso Vittorio Emanuele Fabrizio Ciba aveva rinunciato a cercare un taxi. Il lungo viale era intasato di macchine. I bassi dei woofer facevano pulsare le automobili ferme. In un angolo c'era un bar illuminato. Si fiondò dentro.

Un caldo asfissiante. Una puzza di sudore da capogiro. Gente dappertutto che si spintonava accalcandosi nello spazio angusto. E ballavano. Sul bancone. Sui tavoli. Un'orchestra di caraibici invasati suonava una merdosa salsa spaccatimpani.

Gli si parò davanti un tipo basso con la frangetta bionda e la canottiera. Portava legato in vita una specie di cinturone da cowboy con dei bicchierini al posto delle pallottole. In mano stringeva una bottiglia. – Come sei ridotto? Fatti una bella tequila bum bum. Ti fa bene.

Fabrizio se la bevve in un sorso. L'alcol gli scaldò le budella gelate. – Ancora.

Il tipo gliene versò un'altra.

Anche questa la buttò giú in un colpo. – Ahhh!! Meglio. Un'altra!

– Sei sicuro?

Fabrizio fece segno di sí. Poggiò sul bancone una banconota da cinquanta euro tutta zuppa. – Versa e non rompere.

Il cameriere scosse la testa ma ubbidí.

Si cacciò nello stomaco il bicchierino con una smorfia di disgusto. Poi guardò il ragazzo. – Senti, io sono Fabrizio Ciba e ho un… – Si bloccò. Negli occhi del nano albergava il vuoto siderale. Non aveva la piú lontana idea di chi fosse Fabrizio Ciba. Lo guardava come si guardano i barboni alcolisti. – C'è un telefono dove posso chiamare?

– No. A piazza Venezia ci dovrebbe essere una cabina.

D'accordo, si disse lo scrittore, doveva ricorrere al solito metodo che usava con gli idioti come questo. – Senti, ti do altri cento euro se mi accompagni a via Mecenate. Non è lontana, è sopra al Colosseo.

Il frangettato sollevò le spalle. – Magari! Ma qua tocca lavorare.

– Non puoi fare lo stronzo! Cazzo, non ti ho chiesto la luna!

Il cameriere versò un bicchierino e lo sbatté violentemente sul bancone. – Tieni, questo te lo offro io, poi te ne vai però. Da bravo.

Fabrizio buttò giú la tequila con un sorso e si pulí la bocca con la manica. – Se sei nella merda nessuno ti dà una mano, eh? – Fece due passi indietro e finí sui piedi di qualcuno.

Una voce femminile si lamentò: – Che male! Questo idiota mi ha distrutto il ditone!

Cercò di guardarla in viso, ma aveva le luci del bancone dritte negli occhi. Sollevò una mano per chiedere perdono, ma una voce maschile gli abbaiò contro: – Senti... Hai rotto il cazzo. Guarda che le hai fatto!

– E che sarà mai? Non capisco... È una cozza... I molluschi non dovrebbero avere la soglia del dolore piú alta? – Chiuse gli occhi, si accorse che la musica si era fermata. – Immagino che nessuno di lor signori... – Non ce la fece a continuare. Doveva sedersi. Riaprí gli occhi e il locale con tutti quei volti sfocati iniziò a girargli intorno. – Che mondo orribile è il vostro... – biascicò e cercò di aggrapparsi al nanetto, ma crollò a terra tra le gambe della gente.

– Buttatelo fuori! – E basta un po'! – Ogni volta è la solita storia da queste parti.

– Va bene... – Si sollevò, aiutato da qualcuno.

E senza rendersene conto si ritrovò all'aperto, sotto il diluvio. Il freddo e la pioggia gli diedero una sferzata e si sentí un po' piú lucido. Si sarebbe fatto quel chilometro e mezzo a piedi sotto l'acqua.

Arrivò a piazza Venezia ad occhi chiusi, con le gambe che gli tremavano. L'attraversò senza curarsi delle automobili che inchiodavano suonandogli contro. Gli si parò davanti via dei Fori imperiali. Sembrava infinita. Lontano, come un miraggio, riluceva il Colosseo avvolto dall'acqua. La pioggia frustava i sampietrini, che brillavano sotto i fari delle macchine.

Doveva solo camminare a testa bassa.

Devo vomitare, però.

Continuava a ripensare a quel bastardo di Gianni che lo aveva accoltellato alle spalle, a quella puttana della sua agente che non lo aveva fatto salire, e a quelle merde nel bar.

Domani… mi cerco… un nuovo agente… e mando una bella email… alla Martinelli.

Il Colosseo si faceva piú vicino. Sembrava un enorme panettone illuminato.

Fabrizio era sfinito, ma accelerò il passo utilizzando le ultime forze.

Me ne vado dalla Martinelli.

Sentí che gli mancava l'aria e un artiglio gelato gli squarciava il cuore.

Oddio…

Alzò gli occhi al cielo, allungò una mano come per sostenersi a qualcosa, inciampò e il marciapiede si piegò e gli venne incontro colpendolo su uno zigomo.

Si rese conto che era steso a terra e stava perdendo i sensi. La fitta di dolore si era allungata fin dentro il braccio sinistro. Vomitò una roba acida e alcolica che si stemperò in una pozzanghera.

Infarto.

La testa gli si era trasformata in una palla infuocata.

Nelle orecchie aveva un reattore. Il Colosseo, la strada, le luci, la pioggia gli vorticavano intorno fondendosi in spire luminose.

Provò ad alzarsi, ma le gambe non lo sostennero. Ricadde a terra. Allora cominciò a trascinarsi a forza di braccia verso la strada, mentre le macchine gli passavano accanto senza neanche rallentare. Alzò una mano e sussurrò: – Aiuto! Aiuto! Vi prego… Aiutatemi!

Fabrizio Ciba, lo scrittore del best seller internazionale *La fossa dei leoni*, il conduttore del programma culturale *Delitto & Castigo*, il terzo uomo piú sexy d'Italia secondo il settimanale «Yes», capí che nessuno si sarebbe fermato e che sarebbe morto nel suo vomito di fronte ai Fori imperiali. Vide la foto del suo corpo sciolto a terra. Sullo sfondo le rovine romane.

Sarà su tutti i giornali. Che scriveranno? Come Janis Joplin.

Il braccio gli ricadde mollemente a terra. Rimase cosí chiedendosi perché, perché proprio a lui era toccato questo.

Non ho fatto niente di male.

Tutto si sfocava. C'erano solo puntini viola.

Poggiò la testa a terra e chiuse gli occhi.

21.

I coniugi Moneta erano stesi sul letto. Fuori, il temporale cominciava a perdere di forza.

Saverio guardò sua moglie. Dormiva rivolta dall'altra parte, la mascherina sugli occhi.

Appena finito di fare l'amore Serena gli aveva detto che lo amava. Non doveva crederci. Serena era infida come uno scorpione. Per farselo dire era stato costretto a stuprarla.

Ma alla fine ha goduto.

Una debolezza di Serena che gli sarebbe costata cara.

Domani, ripensandoci, diventerà una bestia. Sarà piú egoista, prepotente e insensibile che mai. Potrebbe pure raccontarlo al vecchio.

Nonostante questo non riusciva a odiarla. Si era dovuto trattenere dal dirle: «Anche io. Tu non sai nemmeno quanto. Piú di ogni altra cosa al mondo».

Ma ora, a mente fredda, si sentiva diverso. Quel no continuava a ronzargli in testa. Lo stadio da scarafaggio senza palle era terminato. La metamorfosi era finita e non gli restava che prendere il volo e scomparire.

Aveva fatto una promessa alle Belve e l'avrebbe mantenuta. Avrebbero sacrificato Larita a Satana e sarebbero diventati la setta piú famosa del mondo. Saverio Moneta avrebbe fatto vedere a tutti che razza di malato di mente era.

La polizia li avrebbe beccati. Questo era sicuro. E l'idea di passare il resto dei suoi giorni in galera lo terrorizzava. C'era gente cattivissima lí dentro. Assassini, mafiosi, psicopatici veri. Certo, se lui entrava dentro il carcere come Mantos, il signore del Male, il mostro che aveva decapitato la cantante Larita e si era bagnato nel suo sangue, forse avrebbero avuto paura di lui. E lo avrebbero lasciato in pace.

Forse… Forse no… Forse sono tutti fan di Larita. E mi ammazzano come a quel povero disgraziato di Jeffrey Dahmer.

La storia della galera era una vera rogna.

A meno che…

Sorrise nel buio. Una via c'era.

Si alzò dal letto. Aprí l'armadio. Prese una tuta nera che si era comprato pensando di fare jogging, cosa che non aveva mai fatto. Se la infilò e si mise il cappuccio in

testa. Stava uscendo dalla stanza quando Serena bofonchiò: – Dove vai?

– Dormi.

22.

– Ha bisogno di una mano?

... *Che?*

– Mi sente? Mi sente?

... *Cosa? Chi?*

– Sta bene?

Una voce. Una donna.

Fabrizio Ciba riaprí gli occhi a fatica. – Sto male... Mi
aiuti... La prego –. Afferrò la caviglia di una figura nera
in piedi di fronte a lui.

– Oddio, ma lei... Lei è lo scrittore... Certo, lei è Fabrizio Ciba! Che ci fa lí a terra? Che emozione incon-
trarla.

– Sí... Ciba... Sono io... Sono Fabrizio Ciba! La prego mi aiuti, mi porti...

– La porto all'ospedale?

Con quel poco di lucidità che gli restava Fabrizio capí
che se fosse andato in ospedale sarebbe finito su tutti i
giornali. E avrebbero scritto che era un alcolizzato o peggio. – No. A casa. Mi porti a casa... Via Mecenate...

– Certo, certo. La porto subito a casa. Lo sa, lei è il mio
scrittore preferito, molto meglio di Saporelli. Ho letto tutti i suoi libri. Ho adorato *La fossa dei leoni*. Sono indiscre-
ta se le chiedo un autografo? Non ho il libro però.

Fabrizio sorrise. Quanto amava i suoi lettori.

– Ora la metto in macchina.

Si sentí afferrare per le ascelle. Vide un'auto con gli

sportelli aperti. La donna lo trascinò e lo aiutò a salire sul sedile posteriore.

Sono ancora io il piú forte, non sono bollito..., si disse mentre sveniva.

23.

Zombie, Murder e Silvietta erano in vena di discussioni cinematografiche.

Se ne stavano stravaccati su un divano e si passavano un chilum fatto in casa con una bottiglia di acqua Rocchetta. Sul fondo c'era una miscela grigiastra di vodka e fumo. Da un buco spuntava l'involucro di una Bic in cui era infilato un cannone a due cartine. Avevano da poco finito di vedere *Blackwater Valley Exorcism*. Tutti e tre erano entusiasti della pellicola ed erano d'accordo che quel film era superiore al tanto osannato *L'esorcista*. Innanzi tutto era tratto da una storia vera, e secondo i loro criteri le storie vere erano superiori alle storie inventate. Poi la scena iniziale era grandiosa: Isabel, la figlia di una povera famiglia di contadini texani, si mangiava un coniglio vivo. Era un film genuino, fresco, e si capiva che il regista e gli attori ci si erano impegnati di brutto nonostante il basso budget a disposizione.

Silvietta cominciò a rollare un'altra canna. Era lei la rollatrice ufficiale del gruppo. – Ma secondo te, Zombie, *Blackwater* è migliore anche di *Omen*?

Zombie sbadigliò. – Bella domanda... Non lo so.

Anche Silvietta sbadigliò. – Sto cotta. 'Sto marocchino è bestiale.

Murder sollevò la schiena dal divano e stirò le braccia. – E se ce ne andassimo a nanna?

La vestale passò la lingua sulla colla della cartina e con un movimento tecnico sigillò la canna e l'accese. – Vabbe' facciamoci lo spino della buonanotte –. Poi prese a mettere in ordine i cd di heavy metal, le riviste di tatuaggi e le buste unte dei fiori di zucca fritti e delle olive ascolane sparse sul pavimento. Quando esagerava con il fumo le prendeva la sindrome della casalinga. – Zombie, perché non rimani qui a dormire?

– Ma... Non so... Meglio di no, – fece Zombie cercando gli anfibi. – Domani mattina devo accompagnare mia madre a fare le analisi a Formello.

Non era vero, ma quel divano dove lo facevano dormire aveva le molle sfondate e poi gli scocciava fare sempre la figura di quello che non ha donne, cosa tra l'altro vera. Quei due dicevano tanto che odiavano gli innamorati, le coppiette appiccicose e le stronzate romantiche tipo San Valentino, eppure appena potevano si appartavano per conto loro come se lui non esistesse.

Che gli costava dormire tutti e tre insieme nel lettone? Non che volesse fare sesso di gruppo (anche se in verità la cosa non gli sarebbe dispiaciuta), ma non avevano fatto il giuramento di fratellanza satanica? E poi non riusciva proprio a capire che cosa ci trovasse di tanto interessante Silvietta in quel buzzurro di Murder. Lui era mille volte meglio. D'accordo, aveva questo problema dell'esofagia gastrica, ma con le medicine gli era quasi passato del tutto.

Zombie prese una scarpa da terra. – No... Vado a casa. È meglio.

Murder sollevò i suoi cento chili di ciccia e aprí il frigorifero dell'angolo cottura. – Fai come ti pare.

Silvietta spalancò la finestra per fare uscire il fumo. Fuori la pioggia era quasi finita. Rimase un po' a fissare la notte e poi si voltò verso gli altri due. – Ma secondo voi Mantos che azione ci vuole proporre?

Murder tirò fuori un vecchio barattolo di maionese e cominciò a ispezionarlo. – Secondo me non lo sa, non ha piú idee, è scarico. Ma non lo avete visto a cena? Tutto nervoso… Ve lo avevo detto io che dovevamo andare pure noi con Paolo nei Figli dell'Apocalisse. A quest'ora… sai le orge, i sacrifici.

Zombie si fece il fiocco ai lacci. – Stanno a Pavia. È lontanissimo. E io devo lavorare.

Murder infilò un dito nella crema gialla e se lo cacciò in bocca. – Vedi che non sai un cazzo. I Figli dell'Apocalisse organizzano i raid nel weekend. Parti venerdí e domenica sera te ne torni col treno. Il lunedí sei al lavoro.

Silvietta si diede una ravviata ai capelli. – In effetti… Anche se alla fine, tra andare e tornare, ti costa una cifra.

Zombie si grattò la mascella. – Ve la dico tutta. Saverio non ha il carisma di un Kurtz Minetti o di, che ne so, un Charles Manson. Ammettiamolo, le Belve di Abaddon sono morte!

– Non sono mai nate, – lo corresse Murder.

– No! Non è vero –. Silvietta versò il detersivo per i piatti nel lavandino. – È un periodo. Lo sapete che Saverio ha un sacco di problemi familiari. Io di lui mi fido tantissimo e non l'abbandonerò mai. Se non ci fosse stato lui io non sarei entrata nelle Belve e non vi avrei mai conosciuti. E poi eravamo d'accordo nel dargli un'altra possibilità.

– Sí… Infatti. Glielo dobbiamo, – ripeté Zombie, poco convinto.

In quel momento suonò il citofono.

Murder guardò gli altri due. – E mo' chi scassa?

Silvietta sbuffò. – Deve essere la vecchia di sotto.

– E che vuole?

– Dice che quando parliamo si sente tutto. Alla riunione di condominio, l'altra volta, ha tirato su un casino che non finiva piú.

Murder abbassò la voce. – E che dovremmo fare? Stare muti?

– No. Però Murder, amore mio, te l'ho detto mille volte che devi parlare piano.

– Guarda che se c'è uno che parla forte qui è lui.

Zombie si mise una mano sulla fronte. – E ti pareva. Alla fine è sempre colpa mia.

Il citofono suonò di nuovo.

Silvietta si avvicinò all'apparecchio. – Che faccio? Rispondo? E che le dico?

Murder sollevò le spalle. – Dille di non cagare il cazzo.

La ragazza prese un respiro e afferrò la cornetta. – Sí?! – Rimase un attimo in silenzio e spinse il pulsante. – D'accordo. Apro.

Murder si avventò sul chilum per farlo sparire. – Ma che sei matta? La fai salire?

Silvietta aprí la porta di casa. – È Saverio.

Un minuto dopo apparve il leader delle Belve di Abaddon. Era tutto vestito di nero. Gli occhiali da sole. E i capelli rasati a zero.

Zombie gli si avvicinò. – Saverio che hai combi…?

Mantos gli fece segno di stare zitto, poi con un gesto teatrale si tolse gli occhiali e li squadrò uno a uno. – Lo so, voi pensate che il grande Mantos sia finito. Che si è rincoglionito appresso alla famiglia e al lavoro.

Murder colpevole abbassò il capo.

Saverio lo guardò deluso. – Murder, proprio tu che sei stato il primo a cui ho fatto leggere le Tavole del Male. Tu, che non sapevi neanche quali sono le corti sataniche.

Tu non hai fiducia nel tuo maestro. Questa è una setta unita dalla fede nel Maligno. Ricordati che è difficilissimo entrarci e facilissimo uscirne.

Murder bofonchiò: – No vabbe' Saverio. Non ce l'avevo con te. Cioè... Lo sai...

Il leader delle Belve di Abaddon guardò fuori dalla finestra e tornò a fissarli. – Da oggi Saverio Moneta non esiste piú. È morto in questa serata di tempesta. Da ora esiste solo Mantos, il sommo maestro. Che giorno è oggi?

– Il 28 aprile, mi sembra, – disse Silvietta.

– Segnatevi questa data. Oggi avviene la svolta epocale. Le Belve escono dalle tenebre alla conquista della luce. Questa data verrà inserita nel calendario satanico e ricordata dal mondo cristiano con orrore –. Il leader delle Belve sollevò le braccia verso il soffitto. – Io sono il padre carismatico. Io sono il lupo che porta la morte nel gregge del Buon Pastore. Io sono quello che ha avuto l'Idea!

– Lo sapevo che era un grande, – urlò Silvietta eccitata agli altri due. – Avete visto? Ve lo avevo detto.

– Dicci Mantos! – Murder protese una mano verso il ritrovato padre carismatico.

Il leader abbassò le braccia e tirò fuori dalla tasca della tuta un cd. Lo gettò sul tavolino davanti al divano.

Zombie fece un salto indietro, come se ci fosse una tarantola. – Oddio, perché hai il cd di quella stronza di Larita?

Mantos indicò il disco. – Sapete dove ha registrato questo live? A Lourdes. Sapete che la sua canzone *King Karol*, in onore di Wojtyła, è nella top ten da sei mesi?

Murder fece una smorfia disgustata. – Traditrice, si è convertita al cristianesimo. È una nemica di Satana.

Silvietta sedette sulle gambe del fidanzato. – Però bisogna capirla. Ho letto su «Gente» un'intervista in cui

spiega perché ha abbandonato i Lord of Flies. Ha avuto
una storia d'amore con Rotko, il cantante dei Remy
Martin, e insieme hanno imboccato il tunnel della droga. Lui è rimasto un tossico, lei ne è uscita grazie a don
Toniolo. In comunità ha avuto l'illuminazione e si è convertita al pop.

Mantos l'azzittí. – Larita morirà per mano delle Belve
di Abaddon. Questa è la missione.

Nella stanza cadde un silenzio pesante. Un cane da qualche parte prese a ululare.

Zombie cominciò a grattarsi la testa. Silvietta a man-
giarsi le unghie. Murder si pulí gli occhiali con la maglietta, poi buttò fuori l'aria e disse: – Questa è grossa! Veramente grossa. Non mi aspettavo una roba del genere.

– E come facciamo? Ce l'hai un piano? – balbettò
Zombie.

Mantos abbassò le braccia. – Ovvio. Domani a Roma
c'è una festa dove sono invitati tutti i vip d'Italia. E durante la festa Larita canterà. Noi verremo ingaggiati come
facchini. Al momento opportuno rapiremo Larita e inzup-
peremo la terra con il sangue della bastarda.

– Ma prima ce la scopiamo, vero? – chiese Zombie vi-
sibilmente eccitato.

– Chiaro, prima c'è l'orgia satanica. Il giorno dopo le
Belve di Abaddon saranno su tutti i telegiornali del mondo. Qui parliamo di roba seria, altro che di voci di suore
decapitate. Ognuno di voi diventerà un eroe nell'ambiente satanico e un nemico per il resto del mondo.

Zombie si carezzava il collo. – Ma ci beccheranno sicuro, Saverio. Io non voglio andare in galera.

Mantos fece no con la testa. – Non ci andrai.

– E come è possibile?

– Tranquillo –. Il leader delle Belve girò lentamente su

se stesso, si fermò e mise le mani sui fianchi. – Non ci beccheranno mai. Perché ci suicidiamo.

Le Belve si osservarono in silenzio.

Murder fu il primo a parlare. – Ahò, aspetta un attimo, ma dici veramente Saverio? Non è un po' troppo?

– Per prima cosa non mi chiamate mai piú Saverio. Per seconda cosa, non temete, la morte sarà un liquore dolcissimo per noi. Finiremo seduti di fianco a Lucifero –. Mantos sollevò le braccia. – Ora inginocchiatevi e rendete onore al padre carismatico.

I tre si misero testa a terra.

Mantos si piegò, toccò il capo ai suoi adepti e sgranando gli occhi cominciò a ridere.

Parte seconda

La festa

Sono un grande falso mentre fingo l'allegria.
TIZIANO FERRO, *Alla mia età*.

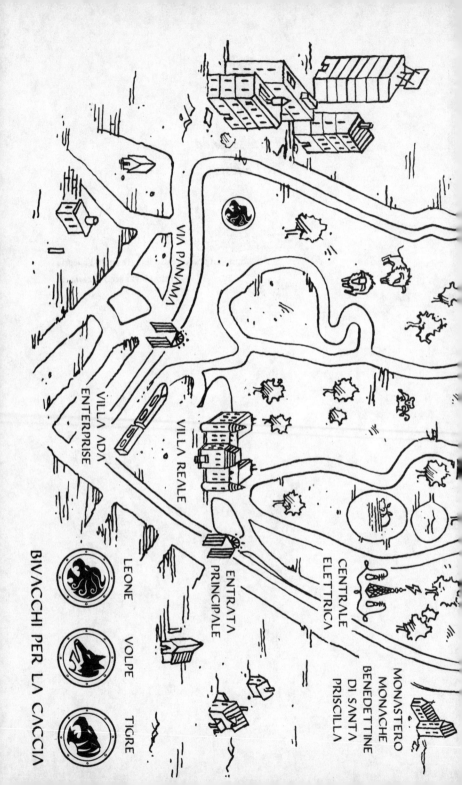

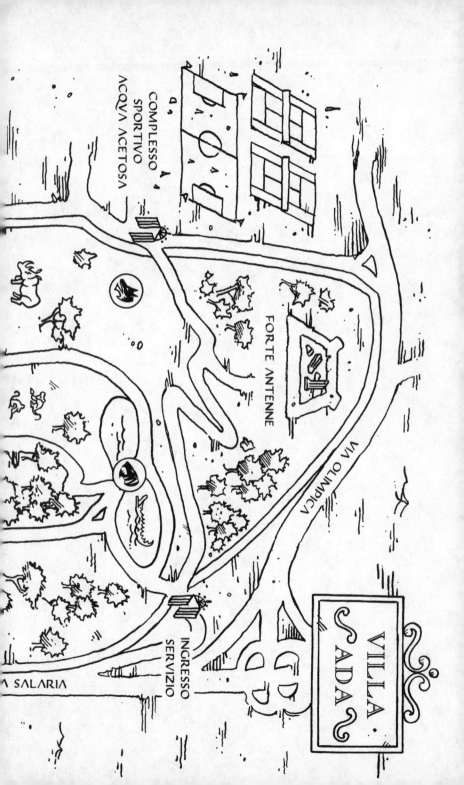

Durante i pranzi all'aperto, tra i romani si discute spesso su quale sia il piú bel parco della città. Alla fine, inevitabilmente, si contendono il podio Villa Doria Pamphili, Villa Borghese e Villa Ada.

Villa Doria Pamphili, dietro il quartiere di Monteverde, è la piú estesa e scenografica; Villa Borghese, proprio al centro della città, è la piú famosa (chi non conosce il piazzale del Pincio da cui si gode una vista indimenticabile del centro di Roma e di piazza del Popolo?); Villa Ada, di tutte e tre, è la piú antica e selvaggia.

A modesto parere dell'autore di questa storia, Villa Ada batte tutte le altre. È molto grande, circa centosettanta ettari di boschi, prati e roveti compresi tra via Salaria, il viadotto dell'Olimpica e il centro sportivo dell'Acqua Acetosa. Al suo interno vivono tuttora scoiattoli, talpe, ricci, conigli selvatici, istrici, faine e una ricca comunità di uccelli. Deve essere il totale abbandono e l'incuria in cui versa il parco, ma la sensazione appena ci si addentra nei suoi boschi è di essere in una foresta. La città e i suoi rumori scompaiono e ci si ritrova tra pini centenari, boschetti di allori, stradine fangose che si snodano tra cespugli di more impenetrabili e tronchi abbattuti, campi di ortica e grandi prati ricoperti di erbacce. Tra le frasche si intravedono vecchie costruzioni abbandonate ricoperte di edera, fontane smantellate dai fichi selvatici e bunker che chissà a cosa servivano. Se non la si conosce bene è meglio non *avventurarsi da solo nel bosco, c'è il rischio di smarrirsi per giorni. Il sottosuolo della Villa è attraversato dalle catacombe di Priscilla dove i primi cristiani seppellivano i loro morti.*

Nella parte nord, oltre un grande lago artificiale, sorge una collina alberata chiamata Forte Antenne perché alla fine del diciannovesimo secolo l'esercito italiano vi costruí delle fortificazioni per difendere Roma dagli attacchi francesi. Quando Roma ancora non esisteva, in quel luogo già sorgeva l'antica città di Antemnae. Il nome, secondo lo storico romano Varrone, deriva da ante amnem *(davanti al fiume), perché lí l'Aniene confluisce nel Tevere. Da quella posizione la città dominava il traffico fluviale verso il guado dell'isola Tiberina. Romolo nel 753 a.C. la espugnò e i suoi abitanti furono accolti come cittadini romani e nelle loro terre furono mandati coloni. Dal terzo secolo a.C. la città decadde e fu abbandonata. Le alture di Antemnae, nei secoli della decadenza romana, ospitarono i Goti di Alarico che, venendo dal Nord, si preparavano a conquistare Roma. Per secoli e secoli non abbiamo piú notizie e dobbiamo aspettare il diciassettesimo secolo per averne di nuovo. Roma era ancora lontana e lí era aperta campagna. La zona era diventata la tenuta agricola del Collegio Irlandese. Poi nel 1783 la terra fu acquistata dal principe Pallavicini, che vi costruí una villa. La proprietà passò alla metà dell'Ottocento ai principi Potenziani e fu venduta nel 1872 alla famiglia reale, che ne fece la sua residenza romana. Vittorio Emanuele II, che amava l'arte venatoria, acquistò altri terreni confinanti per farne la sua tenuta di caccia.*

Alla sua morte gli successe Umberto I, che preferí spostarsi con tutta la corte al Quirinale. La Villa fu comprata per cinquecentotrentunomila lire dal conte svizzero Tellfner, amministratore dei beni della famiglia reale, che le diede il nome della moglie Ada, di cui pare fosse perdutamente innamorato.

Nel 1900 re Umberto I fu assassinato da un anarchico. Il successore Vittorio Emanuele III decise di tornare a vivere nella Villa del nonno, che rimase residenza ufficiale dei regnanti fino al 1946, anno della caduta della monarchia, quando il re e i suoi congiunti furono costretti all'esilio.

La Villa passò allo Stato italiano, con l'eccezione della Villa Reale, che i Savoia generosamente diedero in concessione al governo egiziano, in segno di riconoscenza per l'ospitalità ricevuta dopo l'esilio del 1946. L'edificio divenne l'ambasciata d'Egitto.

Da quel momento in poi Villa Ada diventò parte del demanio pubblico e fu trasformata in parco comunale. Furono tracciati nuovi viali, costruiti percorsi attrezzati per gli atleti, scavati laghi artificiali e piantate molte specie arboree non autoctone.

Nel 2004, per rimpinguare le casse comunali esaurite, la giunta capitolina decise di mettere all'asta l'intera area di Villa Ada per la cifra astronomica di trecento milioni di euro.

L'asta ebbe luogo nel Campidoglio il 24 dicembre, fra le proteste dei romani inferociti per quello che passò negli annali capitolini come «il grande scippo». Vi parteciparono personaggi del calibro di Bono degli U2, l'imprenditore russo Roman Arked'evič Abramovič, Paul McCartney, l'Air France, e un cartello di banche svizzere.

Inaspettatamente riuscí ad accaparrarsela per la cifra di quattrocentocinquanta milioni Salvatore Chiatti detto Sasà, un imprenditore campano dagli oscuri natali che nel corso degli anni Novanta era riuscito ad accumulare un capitale immenso in proprietà immobiliari. Era finito in galera per evasione fiscale e abigeato ma grazie all'indulto era tornato in libertà.

Qualche giorno dopo, in un'intervista al quotidiano «Il Messaggero», l'imprenditore motivò cosí l'acquisto: «Mi ci portava sempre mamma da piccolo. Sono stato spinto dalla nostalgia». Cosa falsa, dal momento che Chiatti aveva vissuto la sua infanzia a Mondragone, lavorando nella bottega del padre carrozziere. Il giornalista poi gli aveva chiesto: «E cosa conta di farne?»

«La mia residenza romana».

Per un paio di anni la Villa rimase chiusa. Gli abitanti della zona formarono un comitato per la restituzione del parco ai romani. Si diceva che Chiatti in realtà l'avesse comprata per speculare e cercasse dei soci stranieri per trasformarla in area residenziale con campi da golf, club di equitazione e una pista di go-kart.

Nel 2007 cominciarono le opere di ristrutturazione. I muri di cinta vennero alzati a dieci metri e sulla sommità furono poggiate matasse di filo spinato. Ogni cinquanta metri lungo il perimetro murario apparvero delle torrette da cui pendevano grappoli di telecamere.

La marchesa Clotilde, vedova del generale Farinelli, dal suo attico di via Salaria riusciva a intravedere tra le fronde degli alberi uno spicchio del parco. A un giornalista del settimanale «Panorama» l'anziana signora rivelò che vedeva un viavai ininterrotto di operai. Piantavano alberi, disboscavano. E aveva visto anche due giraffe e un rinoceronte. Il giornalista diede poco credito alla fonte dal momento che la vedova Farinelli aveva settantotto anni e un principio di Alzheimer.

Ma la marchesa aveva visto bene.

Sasà Chiatti aveva costruito acquitrini, fiumi, sabbie mobili, e si era impegnato nella ripopolazione del parco. Aveva comprato dagli zoo in abbandono e dai circhi dismessi dell'Est orsi, foche, tigri, leoni, giraffe, volpi, pappagalli, gru, aironi, macachi, bertucce, ippopotami, piranha, e li aveva sparpagliati per i centosettanta ettari di Villa Ada. Erano tutte bestie nate e cresciute in cattività e quindi mansuete e dipen-

*denti dal cibo fornito dai guardiani. Vivevano in un paradiso
naturale, dove le regole primordiali preda-predatore non esi-
stevano piú. Col passare dei mesi la fauna eterogenea aveva
trovato una sorta di equilibrio. Ogni specie si era ricavata la
sua nicchia ecologica. Gli ippopotami si piazzarono nel la-
ghetto accanto al vecchio chiosco del bar e da lí non si mossero piú, i coccodrilli colonizzarono insieme ai piranha il secondo specchio artificiale a poca distanza dalle altalene e gli
scivoli. Leoni e tigri formarono una colonia sul monte Antenne. I pipistrelli australiani, bestioni di sei chili l'uno, trovarono rifugio nelle catacombe. Accanto all'ex ambasciata, in una
grande pianura erbosa, pascolavano gnu, zebre, cammelli e
branchi di bufali che Sasà si era fatto portare direttamente da
Mondragone.*

*Con la fauna aviaria le cose furono un po' piú complesse.
Stefano Coppé, steso accanto al suo Burgman 250 dopo esser
stato tamponato da una Opel Meriva sullo svincolo fra la Salaria e l'Olimpica, vide roteare sopra di lui uno stormo di avvoltoi e capí che le cose si stavano mettendo male. Una coppia di condor fece il nido sul balcone della famiglia Rossetti,
in via Taro, e straziò Anselmo, il soriano di casa, che aveva
tentato una difesa disperata del terrazzino. Gli atleti dell'Acqua Acetosa videro nibbi e barbagianni appollaiati sui pali
delle porte di rugby. Il pescivendolo di via Locchi fu depredato di una spigola di tre chili da un'aquila pescatrice. Pappagalli e tucani si spiaccicavano sui parabrezza delle macchine
che correvano sulla tangenziale.*

*L'idea di Sasà Chiatti era semplice e grandiosa allo stesso
tempo: organizzare per l'inaugurazione della sua Villa un
party cosí esclusivo e sfarzoso che sarebbe stato ricordato nelle cronache dei secoli a venire come il piú grande evento mon-
dano nella storia della nostra Repubblica. E lui sarebbe passato dalla fama di losco immobiliarista a quella di radioso ma-*

gnate miliardario ed eccentrico. Politici, imprenditori, gente dello spettacolo e dello sport sarebbero venuti a corte a omaggiarlo, proprio come il Re Sole a Versailles. Ma per fare ciò non bastava una festa con musica, balli, buffet e cotillon. Ci voleva qualcosa di assolutamente speciale e inimitabile che avrebbe lasciato tutti a bocca aperta.

L'idea gli venne una notte vedendo La mia Africa, *con Robert Redford e Meryl Streep.*

Un safari! Doveva organizzare per gli invitati un safari a sorpresa. Nella sua megalomania decise che uno non era sufficiente. Ce ne volevano tre. La classica caccia inglese alla volpe, la caccia africana al leone coi battitori di colore e quella indiana alla tigre, sugli elefanti.

Ma perché tutto funzionasse a dovere era necessario che all'esterno non trapelasse nulla dei preparativi della festa. A tutte le guardie, agli operai e al personale fece firmare un contratto di segretezza.

Convocò il famoso cacciatore bianco Corman Sullivan, che si fregiava di avere accompagnato lo scrittore Ernest Hemingway alla caccia grossa nel 1934. Sullivan aveva un'età indefinita che andava dagli ottanta ai cento anni, era affetto da cirrosi epatica cronica e da venti anni viveva in una casa di cura delle suore missionarie a Manzini Town nello Swaziland, il piccolo stato confinante col Sudafrica. Arrivato all'aeroporto di Fiumicino, il cacciatore, debilitato da svariate infezioni polmonari, dovette restare tre giorni in una camera iperbarica approntata a Civitavecchia. Poi finalmente fu trasportato a Villa Ada in ambulanza. Passò altri due giorni steso su un letto a espellere sangue e catarro e a far calare la terzana maligna che ciclicamente lo colpiva. Quando ebbe la forza di camminare, il vecchio etilista si diede da fare per organizzare le tre cacce.

Per quella alla volpe non c'erano grossi problemi. Sasà

Chiatti aveva restaurato la scuderia dei Savoia e vi custodiva venticinque lipizzani purosangue. E nel canile teneva una muta di beagle che aveva acquistato da una casa farmaceutica in fallimento. Anche per la caccia indiana Sullivan non trovò difficoltà. L'immobiliarista aveva comprato quattro elefanti affetti da dermatosi a chiazze da un circo di Cracovia. I problemi sorsero con quella al leone. Dovettero assoldare una trentina di battitori fra le comunità del Burkina Faso e del Senegal che stanziavano davanti alla stazione Termini. Non ricordavano perfettamente l'arte venatoria al gran felino, ma assicurarono di fare un buon lavoro o comunque di uscirne vivi. Giacché si trovava alla stazione, Sasà ingaggiò anche dei filippini per condurre gli elefanti.

Ma il suo colpo di genio imprenditoriale fu farsi sponsorizzare i safari dallo stilista Ralph Lauren, che scelse il cachi e il fucsia come colori dominanti per le uniformi da caccia.

Anche il catering andava pianificato nei minimi dettagli. La maggior parte dei party cadono proprio sul cibo e a quel punto tutto il resto è da buttare. Chiatti non badò a spese e chiamò Zóltan Patrovič, l'imprevedibile chef bulgaro proprietario del pluripremiato ristorante Le regioni. Ogni safari avrebbe avuto il proprio accampamento dove gli ospiti si sarebbero rifocillati con cibi in tono con la caccia. L'accampamento della battuta alla volpe aveva dei grandi plaid in cachemire con disegni tartan adagiati su un prato di erica. Lí si sarebbe pasteggiato a salmone, selvaggina, pudding, tutto ovviamente reinterpretato dal tocco di Zóltan Patrovič. Per la caccia alla tigre gli invitati sarebbero stati accolti in tre case galleggianti ormeggiate sul lago artificiale. Chiatti le aveva fatte arrivare dal lago Dal nel Kashmir. Lí degli sherpa avrebbero servito riso basmati, pollo al curry e altre leccornie indostane. Per il safari africano Corman Sullivan insistette per cinque tende da campo e fuochi su cui grigliare carne di struzzo e abbacchio.

La festa sarebbe cominciata all'ora di pranzo e sarebbe finita all'alba del giorno dopo. Sparse per tutta la Villa sarebbero state montate tende per riposare, punti d'informazione e chioschi gratuiti per le bibite.

Questo è il programma della festa che Salvatore Chiatti insieme a Ingrid Bocutte, la grande organizzatrice di eventi viennese, e a Corman Sullivan partorirono dopo un briefing durato sei giorni.

Programma

Ore 12.30 Buffet di benvenuto

Ore 14.30 Discorso di Salvatore Chiatti agli ospiti

Ore 15.00 Organizzazione dei gruppi-caccia
Vestizione e assegnazione delle armi

Ore 15.40 Partenza dei safari

Ore 16.00-20.00 Caccia

Ore 20.30 Arrivo ai bivacchi e cena

Ore 23.00 Ritorno a Villa Reale

Ore 24.00 Amatricianata di mezzanotte

Ore 02.00 Concerto di Larita live in Villa Ada

Ore 04.00 Spettacolo pirotecnico by Xi-Jiao Ming
and the Magic Flying Chinese Orchestra

Ore 04.30 Danze new and revival by dj Sandro

Ore 06.00 Cornettata

Ore 07.00 Fine

24.

Fabrizio Ciba si risvegliò con la certezza che lo avessero riesumato da una cassa da morto. Sollevò la palpebra destra e una lama di sole gli trafisse la pupilla. Ad occhi chiusi cominciò a muovere la lingua gonfia come quella di un vitello sulle labbra secche. Spostò appena la testa. Il dolore fu cosí intenso che lo lasciò senza fiato, non riuscí nemmeno a lamentarsi. Era come se una corrente alternata gli si incanalasse dalle scapole lungo le vertebre cervicali, gli attraversasse la materia grigia, gli scorresse dalle tempie nelle arcate sopraciliari e da lí dentro i globi degli occhi. Si toccò i capelli, anche quelli gli facevano male. Si girò da un lato per nascondersi dal sole. Lo stomaco si rattrappí e si espanse spingendo una pappa acida su per il gozzo dello scrittore, che per poco non vomitò. – Va bene… Va bene… Sto buono… – implorò disperato. Rimase cosí, attraversato da correnti elettriche in alto e urticato dagli acidi gastrici in basso.

Che ho combinato ieri sera?

Non ricordava nemmeno come era riuscito a tornare a casa. Si ricordava che stava avanzando ubriaco sui Fori imperiali e pioveva. Le gambe all'improvviso gli avevano ceduto. Dopo, solo buio.

Ma sono a casa? Con fatica riuscí a guardarsi intorno e capí di essere in mutande, sotto una coperta, sul divano del suo appartamento a via Mecenate.

Un vecchio scrittore alcolizzato di Udine gli aveva insegnato un intruglio di sua invenzione per casi di hungover terminali. Anche se quello che sentiva ora Fabrizio assomigliava piú ai postumi di un'operazione al cervello che a un dopo sbornia.

Metti in un bicchiere d'acqua 3 Alka-Seltzer, 2 pillole di Serenase, 35 gocce di Novalgina, ti mangi un pezzo di pane e ti rimetti a dormire. Vedrai...

Vedrai cosa?

Lo scrittore di Udine non prendeva in considerazione la difficoltà oggettiva di comporre la miscela galenica nelle precarie condizioni in cui versava Fabrizio. Eppure in qualche modo Ciba riuscí ad alzarsi. Barcollò per l'appartamento appigliandosi a tutto quello che incontrava. Entrò in bagno e con grande fatica preparò la pozione. La bevve tutta in un sorso, ruttò e si trascinò in camera, chiuse le imposte, staccò il telefono e si infilò a letto. Il contatto con le lenzuola fresche, l'odore dell'ammorbidente sul cuscino e il lieve peso del piumone furono le uniche sensazioni piacevoli nell'inferno in cui si era svegliato. Ebbe l'impressione che il letto lo inglobasse e lo proteggesse da tutti i cattivi del mondo, come fa la conchiglia con il paguro.

Morí.

Si risvegliò dopo qualche ora. Il sonno e il cocktail avevano funzionato. Le tempie gli pulsavano ancora e aveva le membra indolenzite come se si fosse arrampicato sul Monte Rosa, ma stava meglio.

Ciondolò per l'appartamento cercando di fare mente locale. Prima di tutto ci voleva un caffè bollente, un bel panino con prosciutto e stracchino e una doccia.

Sotto la pioggia miscelata e con lo stomaco pieno, i pezzi della serata si ricomposero. I fatti salienti erano tre:

1) la Martinelli lo voleva fare fuori;

2) aveva mandato a fare in culo la sua agente, sua unica alleata;

3) aveva avuto un principio di infarto, un ictus, qualcosa del genere.

L'ultimo punto era quello che lo preoccupava di meno. Essendo cronicamente terrorizzato dai medici e dal dolore, Fabrizio Ciba minimizzava ogni problema di salute. Era colpa di tutte quelle tequile bum bum.

Gli altri due punti, invece, lo angosciavano parecchio. Doveva organizzare un piano velocemente. Aveva ragione Gianni, nessun'altra casa editrice l'avrebbe pagato quanto la Martinelli.

Uscí in terrazzo e si appoggiò alla ringhiera cercando di schiarirsi le idee. Cielo e sole erano impastati in una roba opalescente che pesava come un gas fetido sulla capitale e il frastuono del traffico anche a quell'altezza era assordante. Sotto di sé vide il Colosseo, e intorno il viavai di turisti, pullman, centurioni e venditori di cianfrusaglie. Pensò alle loro vite squallide, alle serate in pizzeria, alle ferie. Le rate della macchina. Le file alla posta. Problemi semplici e comuni.

Che fortunati! Non sapevano cos'era la sofferenza vera. *Perché non lavoro in un'agenzia immobiliare? Senza questo travaglio creativo, senza la responsabilità di dover dire cose intelligenti all'umanità. E se mi fermassi? Se la piantassi per sempre?*

L'immagine di Jerome David Salinger, il grande autore del *Giovane Holden*, gli riaffiorò alla mente. *Jerome... Tu sí che sei un grande. Come me hai fatto tre libri in croce. Come me hai fatto il capolavoro, poi sei sparito e sei diventato un mito. Dovrei fare cosí pure io. Con i diritti della* Fossa dei leoni *teoricamente ce la potrei fare. Dovrei però abbassare il mio tenore di vita.*

Fabrizio Ciba spendeva tra una stronzata e l'altra quindicimila euro al mese. Anche se il suo ultimo romanzo, *Il sogno di Nestore*, era uscito oramai da cinque anni e aveva venduto meno di duecentomila copie, grazie alla *Fossa dei leoni* poteva permettersi quel tenore di vita. Quel romanzetto di centoventi pagine era ancora in cima alle classifiche. Era stato tradotto in mezzo mondo e i diritti cinematografici li aveva comprati la Paramount.

Se Ciba fosse stato oculato avrebbe potuto campare tranquillamente fino a ottant'anni senza dover fare un accidente dalla mattina alla sera. Certo l'attico a via Mecenate toccava lasciarlo. E doveva vendersi anche il rifugio sulle montagne di Maiorca. E soprattutto, per mantenere lo stesso alone di mistero che circondava Salinger, non avrebbe dovuto rilasciare piú interviste. Niente programmi, ospitate in televisione, niente feste, niente scopate in giro, insomma trasformarsi in un monaco di clausura e rompersi i coglioni in un eremo solitario per il resto della vita.

In America forse si può fare. La natura, il deserto, i grandi spazi... ma in Italia dove mi chiudo? In un monolocale a Boccea? E poi solo, in un eremo, senza figa... Mi suicido in un paio di settimane.

La parola «figa» lo riportò fortunatamente a terra.

Doveva partire. Andarsene qualche giorno a Maiorca. Lí, nella solitudine, avrebbe ripreso in mano il romanzo che era fermo da...

Il cervello fece un impercettibile click, come se fosse scattato un salvavita. Il pensiero cosí come era apparso si dissolse e la sua attenzione tornò su Maiorca.

Certo da solo... Chi si poteva portare? Ci voleva una che gli facesse risalire un po' la stima in se stesso. Ma soprattutto che non fracassasse le palle con figli, matrimoni e seghe mentali.

Alice Tyler... La traduttrice.

No, troppo intellettuale. E poi con la figura di merda che aveva fatto.

Invece nel ricco paniere della Luiss aveva solo l'imbarazzo della scelta. Almeno sette studentesse del suo corso di scrittura creativa avrebbero rinunciato ai diritti civili pur di farsi un weekend con lui. Ce n'era una poi, tale Elisabetta Cabras, che doveva essere una bella porca. Di scrittura non capiva un cazzo, però aveva un insolito talento per le scene erotiche. Si intuiva che era roba vissuta. Ciba immaginò la Cabras aggirarsi nuda intorno alla piscina, con quelle sue tettone e un Bloody Mary in mano, di fronte al sole che affogava nel mare delle Baleari.

Rientrò in casa e si sedette alla scrivania. Sul piano erano affastellati in disordine pile di fogli stampati, libri, fascicoli rilegati, barattoli di birra e portacenere ricolmi di cicche. Cominciò a cercare la tesina della Cabras su cui lei aveva sicuramente segnato il cellulare, urtò il mouse e lo schermo del portatile si illuminò. C'era l'inizio del secondo capitolo del nuovo romanzo:

> Vittoria Cubeddu aveva quello che si definisce un accento italiano pulito. Al contrario di tutta la famiglia Cubeddu che parlava il lento e strascinato dialetto di Oristano. La casa poi

Aveva passato tre giorni a scrivere quelle due frasi continuando, ossessivamente, a cambiare gli aggettivi, spostare i sostantivi, invertire i verbi. Contro la sua volontà lo rilesse e gli tornò su un rigurgito acido. Con uno schiaffo chiuse il computer. – Ma che cazzo è 'sta roba? Questo dovrebbe essere il nuovo romanzo nazionale! Sono una pippa! – E si aggirò per l'appartamento prendendo a calci il divano e i puff marocchini. Si sedette ansimante sul letto. Il dolore alle tempie era tornato a tormentarlo. Doveva reagire. Dentro di lui, sepolto sotto un mare di inutili stronzate, c'era ancora lo spirito dello scrittore che era stato un tempo. Doveva farlo riemergere. Fare *tabula ra-*

sa, smettere di bere, smettere di fumare e rimettersi sotto a scrivere, con la forza e la voglia degli inizi.

Ma come? In quattro anni aveva abbandonato cinque romanzi. La grande saga sarda gli sembrava l'unica opera che avesse un senso, e invece... niente, faceva cagare. Sí, era necessario andarsene una decina di giorni a Maiorca a fare pulizia cerebrale.

Mentre ricominciava a cercare il numero della Cabras il telefono di casa squillò. Dall'altra parte c'era sicuramente uno scassacazzi. Ma decise di rispondere lo stesso. Poteva essere quella stronza della sua agente che gli chiedeva scusa.

Tirò fuori un tono scocciato. – Pronto? Chi è?

– A frocione!

Fabrizio chiuse gli occhi e si piegò indietro, come farebbe un calciatore che sbaglia un rigore.

Paolo Bocchi. Lo scassacazzi per antonomasia. Per ragioni a lui incomprensibili quell'essere continuava a ronzargli intorno come una zanzara assetata di sangue. In realtà, a dirla tutta, una ragione c'era. Il professor Paolo Bocchi aveva sempre a disposizione qualsiasi sostanza psicotropa che la natura e la chimica fornivano all'uomo.

Un po' d'erba a Maiorca, in effetti, non ci starebbe male.

– Allora vecchio frocione, come stai?

Se c'era una cosa che lo disturbava profondamente era l'atteggiamento goliardico e greve che Paolo Bocchi aveva nei suoi confronti. Essere stati in classe insieme al liceo San Leone Magno non gli dava diritto a quell'intimità.

– Dài Paolo, oggi non è giornata –. Fabrizio cercò di rimanere calmo.

– Non dirlo a me. Oggi ho fatto già due nasi e una lipo. So' cotto.

Il professor Paolo Bocchi era primario di chirurgia estetica alla clinica San Roberto Bellarmino. Allievo del grande Roland Château-Beaubois, era considerato il numero uno della chirurgia estetica capitolina. Aveva restituito la gioventú a migliaia di babbione. L'unico problema era che tirava come una stufa a pellet.

– Ahò! Ce l'ho fatta. Ho letto *La fossa dei leoni*. Posso dire? Grandissimo!

– Complimenti, è uscito otto anni fa.

– Ma come fai a entrare cosí nella testa della gente? Li vedi, i personaggi. Ti giuro, meglio di un film. Le infermiere mica ci credevano che potevo leggere un libro…

– Vabbe', – cercò di tagliare Fabrizio. – Senti, sto incasinato. Sto partendo per la Spagna. Anzi…

Un urlo: – Come? E la festa di Chiatti?

Fabrizio si diede una pacca sulla fronte. Si era completamente dimenticato della festa di Salvatore Chiatti. L'invito gli era arrivato da due mesi. Un quadrato in perspex con le scritte dorate in bassorilievo, strettamente riservato.

Da circa un anno si parlava solo di quel party. A detta di tutti rischiava di essere l'evento piú esclusivo ed esagerato degli ultimi decenni. Mancare a un appuntamento del genere era un grave oltraggio alla propria condizione di vip. Ma Fabrizio non era nello stato psicologico adatto per affrontare mondanità. Per superare una prova sociale del genere devi essere al cento per cento, spiritoso e vivace come non mai. E lui in quel momento era spiritoso e vivace come un profugo ugandese.

Salinger. Pensa a Salinger.

Fabrizio scosse la testa. – Naa, da quel palazzinaro mafioso? Mai! È una cafonata.

– Ma sei scemo? Non hai capito che cosa ha speso quel pazzo megalomane. Parliamo di milioni! A una roba cosí non si può mancare. Ci sono tutti. Musica, arte, calciatori, politici, modelle, tutti! Un baraccone esagerato. Potresti scriverci un romanzo sopra.

– No guarda, Paolo, queste feste le conosco a memoria. Ti fai due palle cosí. E poi è proprio questo tipo di presenzialismo che devo evitare. Pensa a Salinger…

– Chi?

– Lascia perdere. Comunque… ci sentiamo quando torno, dài…

– Ma sei sicuro? – Paolo Bocchi era incredulo. – Secondo me fai una cazzata. Ci sta… come ti posso dire… – Il grande chirurgo era un mago del bisturi, ma un disastro lessicale. – Proprio non hai capito… te la tirano dietro. Due giorni a bere e a scopare nel parco. Sei un pazzo.

– Lo so, lo so. Guarda, ho problemi con la mia casa editrice. E non ci sto con l'umore.

– Tranquillo, quello te lo tiro su io –. Paolo Bocchi rise di gusto.

– Lasciami perdere. Con quella roba ho smesso.

– Allora fai come cazzo ti pare. Ma solo per farti capire, ci canta Larita. È l'unica cosa che è trapelata sulla festa. Ti rendi conto?

– Larita? La cantante?

– No, Larita la salumiera! Certo la cantante.

– E chi se ne frega.

– Ha vinto non so quanti Grammy e dischi di platino.

Fabrizio voleva chiudere. – Vabbe' Paolo, ci penso. Adesso però fammi attaccare.

– Bravo, pensaci. Infermiera, su con quel drenaggio che qui facciamo notte…

– Ma dove stai? – chiese Ciba allibito.

– In sala operatoria. Tranquillo ho l'auricolare. Ciao bello –. E mise giú.

Ciba tornò in salone a cercare la tesina della Cabras. E si accorse di un foglietto attaccato alla lampada della scrivania.

Buon giorno Fabrizio,

Sono Lisa la ragazza che ti ha riportato a casa ieri notte.

Scusa se te lo dico, eri ridotto veramente uno schifo.

Ma quanto hai bevuto? Non so cosa ti è successo ma sono contenta di essere stata io ad averti salvato. Così ho avuto la fortuna di vederti di persona e rendermi conto che sei ancora + figo che in televisione. Avrei potuto approfittare di te.

Ti ho spogliato e messo sul divano, ma sono una ragazza all'antica e certe cose non le faccio.

E poi trovarmi qui, a casa tua, la casa del mio idolo, del numero uno è incredibile.

E' troppo. Non mi crederà nessuno.

Il braccio che mi hai autografato non me lo laverò mai più. Spero che tu faccia lo stesso con il tuo fianco.

Fabrizio si sollevò la maglietta. E vide, proprio sopra la chiappa sinistra, i resti illeggibili di un numero di telefono. – No! La doccia! – Riprese a leggere.

Ricordati che sei sempre il migliore, tutti gli altri sono cento metri sotto di te.

Ora basta però con tutti questi complimenti, non ne potrai più di quelle come me. Chiamami, se vuoi.

Lisa

Fabrizio Ciba rilesse tre volte il bigliettino e a ogni lettura si sentiva il fisico e lo spirito piú tonificati.

Si ripeté tutto soddisfatto: – Tu sei il numero uno. Sei sempre il migliore, tutti gli altri sono a cento metri. Avrei potuto approfittare di te –. Indicò la finestra e disse: – Ti amo dolce Lisa.

Ecco chi è Fabrizio Ciba, fanculo!

Ebbe l'impulso infantile di scannerizzare la lettera e mandarla a quelle carogne di Gianni & soci, invece accese lo stereo e infilò dentro un vecchio cd live di Otis Redding. I woofer delle grandi casse Tannoy cominciarono a smuoversi e i VU meter azzurrini del suo vecchio McIntosh a ondeggiare mentre il cantante della Georgia attaccava *Try a Little Tenderness*.

Fabrizio adorava quella canzone. Gli piaceva che cominciava piano, tranquilla e poi lentamente cresceva fino a trasformarsi in un ritmo forsennato con la voce rauca e impastata del vecchio Otis che faceva da contrappunto.

Lo scrittore prese dal frigo una birra e iniziò a ballare nudo per il salotto. Saltava come il grande Muhammad Ali prima di un incontro e gridava all'universo intero: – Fanculo! Fanculo! Io sono Ciba! Io sono il piú figo di tutti! – Poi zompò sul tavolino di Gae Aulenti e usando la lattina come un microfono prese a cantare. Alla fine del pezzo crollò sul divano esausto. Aveva il fiatone, lo stomaco gonfio come un parabordo, ma era ancora forte. Ci voleva altro per buttarlo giú. Non sarebbe scappato a Maiorca con la coda tra le gambe. Gli venne naturale pensare al grande scrittore Francis Scott Fitzgerald. Uno che aveva vissuto nella dissoluzione, tra feste meravigliose e donne da favola.

Era di nuovo lui. Il vecchio combattente.

Fabrizio Ciba cominciò a cercare, tra i fogli e la posta che affollavano il tavolo, l'invito della festa.

25.

Le Belve di Abaddon, a bordo della Ford Mondeo del loro leader, erano ferme nel traffico. Il navigatore satellitare segnava un chilometro e mezzo a Villa Ada, ma i posti di blocco a via Salaria avevano creato un ingorgo sull'Olimpica e su via dei Prati fiscali.

Mantos, al volante, osservò i suoi adepti nello specchietto retrovisore. Erano stati molto bravi. Si erano tolti i piercing e lavati. Silvietta si era addirittura tinta di nero i capelli. Ma da quando erano partiti da Oriolo stavano in silenzio, con delle facce lunghe e preoccupate. Doveva risvegliarli, questo è il compito di un leader. – Allora, ragazzi? Siete pronti?

– Un po' nervosi… – Murder aveva la bocca secca.

Silvietta si mordeva il labbro. – Io non ero cosí agitata nemmeno all'esame di Psicologia generale.

Mantos mise la freccia, accostò a lato dell'Olimpica e li guardò: – Avete fiducia in me?

La faccia di Zombie aveva il colorito di un cavolfiore lesso. – Ne abbiamo, maestro.

– Ascoltatemi bene. La missione, lo sapete, è suicida. Siete ancora in tempo a mollare. Io non obbligo nessuno. Ma se decidete di restare dovremo essere una squadra perfetta, sincronizzati come un orologio svizzero. Dobbiamo essere spietati e avere fiducia nel Maligno che vigila sulle nostre teste –. A quel punto accese l'autoradio e i cori dei *Carmina Burana* si diffusero nell'abitacolo. «O Fortuna, velut Luna statu variabilis, semper crescis aut decrescis».

– Ascoltatemi! Noi siamo i piú cattivi. E io voglio la testa di Larita. Una volta dentro la Villa nessuno si aspetterà il nostro attacco. Quelli si divertono, bevono, abbassano le difese e noi li stronchiamo. Zombie, dietro c'è un tappetino del bagno arrotolato. Prendilo ma fai molta attenzione.

L'adepto si allungò nel bagagliaio e consegnò il rotolo nelle mani di Saverio. Il leader delle Belve di Abaddon poggiò sulle ginocchia il tappeto e lento e solenne lo srotolò.

Un raggio di sole attraversò il finestrino e fece brillare l'acciaio.

«Vita detestabilis nunc obdurat et nunc curat». Il coro continuava il suo crescendo impetuoso.

Mantos, con un po' di difficoltà, sollevò l'arma oltre i poggiatesta. – Questa è la Durlindana, l'esatta riproduzione della spada di Orlando a Roncisvalle.

– Nooo! – fecero in coro gli adepti. – È stupenda!

Saverio aprí lo sportello. – Usciamo dalla macchina.

Silvietta gli strinse la spalla cercando di fermarlo. – Aspetta Sommo, ci possono vedere.

– Non importa. Ci nascondiamo dietro la macchina.

Le Belve uscirono e si acquattarono dietro la Ford.

– Inginocchiatevi –. Saverio poggiò la lama della Durlindana sulla testa dei suoi adepti. – Murder! Zombie! Silvietta! Io Mantos, vostro padre carismatico, Gran Sacerdote del Maligno e umile servitore di Satana vi nomino Paladini del Male. Che nessuno osi rompere il nostro giuramento, ora e per l'eternità! Porteremo la missione fino in fondo. Fino al sacrificio finale delle nostre stesse vite. Ora baciamoci!

Le Belve a quel punto si abbracciarono e si baciarono commosse.

– Ma che state a fa'? Siete impazziti?

Si girarono.

Il cugino di Saverio, Antonio Zauli, al volante di un furgone, li guardava basito.

– No... È che... – bofonchiò il leader delle Belve imbarazzato.

– Dài... Che siete in ritardo... Dovete registrarvi. Salite in macchina.

Li fecero entrare dal GATE OVEST, quello di servizio. In tutta la Villa c'erano altri tre ingressi. Due erano chiusi e servivano in caso di emergenza e il terzo, su via Salaria, quello principale, era destinato agli ospiti. Delle imponenti porte di ferro alte dieci metri scorrevano su binari, mosse da pompe idrauliche.

L'ingresso di servizio era pattugliato da guardie private che controllavano la merce in entrata e in uscita. Poco dopo sorgeva il punto di registrazione, una struttura a due piani tutta vetro e colonne d'acciaio anodizzato. Il personale, dai cuochi fino ai battitori per la caccia, doveva essere registrato prima di accedere all'interno.

Le Belve di Abaddon si misero in fila. Davanti a loro c'erano una trentina di persone, la maggior parte di colore.

– Pare di stare all'aeroporto, – commentò Zombie, che una volta era andato a Colonia per il concerto degli AC/DC.

Quando fu il loro turno una guardia gli fece compilare un lunghissimo questionario e firmare un contratto scritto piccolo piccolo. Poi gli stamparono sul polso un codice a barre identificativo. Da lí, attraverso un basso corridoio illuminato da una luce soffusa, passarono in una lunga stanza con file di armadietti metallici dove deporre gli abiti e prendere le uniformi. Silvietta si cambiò nello spogliatoio delle donne. Le avevano consegnato una gonna nera, una camicetta bianca e degli scarponcini con la suola carrarmato. Quando riapparve, gli altri cominciarono a ridere e prenderla in giro. Nessuno l'aveva mai vista con la gonna. Però dovettero ammettere che non le stava male.

Su un cartello era scritto in molte lingue che era tassativamente vietato portare all'interno della Villa oggetti personali, compresi telefoni cellulari, macchine fotografiche e videocamere.

– E come facciamo a far passare la spada? E le tuniche? Non possiamo fare il rito senza le tuniche, – sussurrò Murder in un orecchio a Mantos, che le teneva nascoste nello zaino. Sotto il braccio aveva il tappetino del cesso in cui aveva arrotolato la Durlindana.

A questo Saverio non aveva pensato. E ora? L'importante era far credere che era tutto sotto controllo. – Non c'è problema. Sereni –. Prese un respiro e attraversò il metal detector, pregando che l'allarme non suonasse.

Ma cosí non fu.

– Venga qua, – gli intimò una guardia appesantita dal giubbotto antiproiettile. – Che ha lí?

Mantos srotolò il tappetino con disinvoltura.

La guardia scosse la testa. – Le armi non sono ammesse.

Mantos sollevò le spalle, come se fosse la centesima volta che gli capitava una scocciatura del genere. – Non è un'arma. È solo una riproduzione di una Durlindana, appartenuta a Orlando e prima di lui a Ettore.

L'uomo si tolse gli occhiali scuri mostrando due occhietti espressivi quanto un abat-jour. – In che senso?

Il leader delle Belve guardò i suoi adepti che, insieme alla guardia, aspettavano una risposta. Sorrise. – Nel senso che ha esclusivamente valore estetico –. Gli sembrò un'ottima risposta. Di quelle definitive, a cui non si replica.

– E a che le serve? – replicò invece il tipo.

– A che serve? Ora glielo spiego –. Prese un respiro e si buttò. – Serve per tagliare l'arrosto. Io sono l'addetto al taglio delle carni rosse. E gli abiti che ho nello zainetto servono per uno spettacolo di magia. Sono il mago Mantos e loro tre i miei assistenti.

La guardia si grattò la nuca rasata. – Quindi, mi faccia capire, lei è un mago addetto al taglio delle carni rosse?

– Esattamente.

Qualcosa si ruppe nelle poche certezze granitiche del tipo. – Un attimo –. Si allontanò e cominciò a confabulare con uno che doveva essere il suo superiore.

Poi tornò e disse: – D'accordo, potete andare.

Le Belve tutte irrigidite superarono la zona di controllo e si trovarono in un piazzale pieno di casse di vino, di cibo e di container. Da un lato erano parcheggiate una fila di macchinette come quelle che si usano per il golf. Lo spiazzo era circondato da una rete d'acciaio e sopra erano appesi dei cartelli con scritto: ATTENZIONE. RETI ELETTRIFICATE.

Appena si ritrovarono sole, le Belve non riuscirono a contenere la gioia.

– Grande Mantos! Sei un mito! – Murder diede un paio di pacche affettuose al maestro.

Silvietta si strinse al Sommo. – Bellissima la storia del mago tagliatore di carni.

– Chissà che si sono detti quei due. Li hai spiazzati, – sghignazzava Zombie.

– Basta! Basta cosí –. Il leader tentava di arginare i baci dei suoi adepti.

– Ancora! Ma allora siete froci? – gli urlò Antonio alla guida di una macchinetta elettrica. – Dài salite, veloci. Vi porto alla zona cucine. C'è un sacco da fare e tra poco cominceranno ad arrivare gli ospiti.

Mantos si guardò intorno. – Ma a che serve tutta 'sta sicurezza?

Antonio schiacciò l'acceleratore: – Adesso lo scoprirete.

Attraversarono il cancello e imboccarono una stradina di terra che si immergeva nel bosco. All'inizio non si accorsero di nulla, poi a Zombie sembrò di vedere qualcosa saltare fra le fronde degli alberi. Finché sentirono degli urli striduli al loro passaggio.

– Gibboni. Tranquilli. Sono inoffensivi.

– Nooo. Non è possibile! Guardate –. Zombie indicò qualcosa al di là del bosco. Dove gli alberi si diradavano si stendeva una prateria verdissima, in cui pascolavano gnu, gazzelle e giraffe. Più in là, in un lago limaccioso, si scorgevano le groppe infangate di un branco di ippopotami. In cielo volavano stormi di avvoltoi.

Mantos era incredulo. – Sembra di stare allo zoosafari di Fiumicino.

– E questo è niente. Vedrete dopo, – sorrise soddisfatto Antonio.

Sulla loro destra, nascosta da una fila di lecci, scorsero una specie di centrale elettrica in miniatura. Grandi trasformatori dipinti di verde si confondevano con la vegetazione emettendo un ronzio sordo. Tubi colorati spuntavano dalla struttura e si piantavano nel terreno.

– Questa è la fonte che alimenta tutto il parco, – spiegò Antonio. – Chiatti si produce l'energia elettrica da solo utilizzando gas. È più conveniente che acquistarla dall'Acea, vista la quantità di kilowatt che gli servono per mantenere sotto tensione i recinti, illuminare il parco, alimentare la sala dei computer...

La strada fu attraversata da una decina di zebre con un paio di puledrini al seguito. Silvietta era in estasi. – Guardate i cuccioli. Sono tenerissimi.

Attesero che passassero e ripresero il viaggio.

Saverio, con tono disinteressato, domandò al cugino: – Senti, ma Larita è arrivata?

Antonio sollevò le braccia. – Credo che Chiatti le abbia riservato un appartamento nella Villa Reale, piú di questo non so.

Poco dopo tra le cime degli alberi apparve un vecchio
edificio di tre piani coronato da un terrazzo con due torrette.

– Siamo arrivati alla Villa Reale.

Il cortile posteriore della casa, nascosta da alte siepi di
bosso, era un viavai frenetico di uomini e mezzi nel pol-
verone alzato dagli pneumatici di furgoni, pick-up e Land
Rover. Squadre di operai in uniformi verdi scaricavano
cibi, bottiglie, tovaglie, bicchieri, posate e tavoli sotto il
comando di uomini vestiti di nero che urlavano neanche
fossero in un carcere militare. Sotto una tettoia, accovac-
ciati nella polvere, i battitori di colore, in perizoma, man-
giavano dalle gavette quelli che sembravano dei tortelli-
ni in brodo.

In un angolo c'erano dei prefabbricati da cui usciva fumo e odore di cibo.

– Quelle sono le cucine. Tra poco arriverà Zóltan Patrovič a controllare come procedono le cose. Mi raccomando –. La faccia di Antonio si fece seria. – Non fatevi trovare con le mani in mano.

– Chi è Zóltan Patrovič? – deglutí Silvietta preoccu-
pata.

– Si vede che venite da Oriolo. È un famoso chef bulgaro. È molto esigente, quindi fate bene il vostro lavoro.

I quattro scesero dalla macchinetta.

Antonio indicò un uomo in nero. – Adesso andate da
quello lí e domandategli che dovete fare. Ci rivediamo dopo… E mi raccomando, niente cazzate.

26.

Fabrizio Ciba era fermo al semaforo all'incrocio della Salaria con viale Regina Margherita in sella alla sua vespa che sputacchiava fumo scuro. Era riuscito a recuperarla e rimetterla in moto.

Gli inchiodarono accanto, sopra uno scooter, due adolescenti con le chiappe e le mutande che spuntavano dai jeans a vita bassa. L'osservarono un istante, squittirono eccitate e poi quella di dietro gli domandò: – Scusa? Ma sei Ciba? Lo scrittore della televisione?

Fabrizio sfoderò la sua espressione ironica mettendo in mostra la dentatura sbiancata. – Sí, ma non ditelo a nessuno. Sono in missione segreta.

La biondina gli chiese: – Ma che vai alla festa a Villa Ada?

Lo scrittore fece spallucce come a dire: «Mi tocca».

L'altra ragazzina masticando la gomma gli domandò: – Non è che ci puoi imbucare? Ti prego... Ti prego... Ti scongiuro... Ci sono tutti...

– Magari, ma mi sa proprio che non si può. Mi divertirei molto di piú se ci foste pure voi.

Il semaforo divenne verde. Lo scrittore ingranò la prima e la vespa scattò. Per un secondo Ciba si vide riflesso nella vetrina di una boutique. Per l'occasione si era messo un paio di pantaloni di tela marrone chiaro, una camicia oxford azzurrina, una cravatta Cambridge blu lisa che era appartenuta a suo nonno e una giacca di cotone madras a tre bottoni di J. Crew, a righine bianche e grigie. Il tutto rigorosamente stropicciato.

Piú avanzava verso Villa Ada e piú il traffico aumentava. Drappelli di vigili cercavano di deviarlo su via Chiana e via Panama. In alto ronzava un elicottero dei Carabinieri. Sui marciapiedi ai lati della strada la folla si accalcava, dietro le transenne controllate da celerini in tenuta antisommossa. Molti erano giovani dissidenti dei centri sociali che manifestavano contro la privatizzazione di Villa Ada. Dai balconi pendevano degli striscioni. Uno lunghissimo diceva: CHIATTI MAFIOSO! RIDACCI IL NOSTRO PARCO! Un altro: GIUNTA COMUNALE MANICA DI LADRI! E poi: VILLA ADA TORNI AI ROMANI!

Fabrizio decise di parcheggiare la vespa e di riflettere su un aspetto che non aveva considerato. Partecipando alla festa di Chiatti la sua immagine pubblica di intellettuale impegnato ne avrebbe risentito negativamente. Lui era uno scrittore di sinistra. Aveva aperto il congresso nazionale del Pd, chiedendo un impegno urgente per la cultura italiana oramai agonizzante. Non si era mai tirato indietro da una presentazione al Leoncavallo o al Brancaleone.

Sono ancora in tempo a tornarmene a casa, nessuno mi ha visto...

– A frocione!

Fabrizio si girò. Paolo Bocchi alla guida di una Porsche Cayenne gli si fermò accanto.

E no!

– Scritto', lascia 'sto catorcio e sali in macchina, va'! Fai un ingresso come si deve.

– Vai vai, ho una telefonata di lavoro, ci vediamo dentro, – mentí Fabrizio.

Il chirurgo indicò un gruppo di ragazzotti con la kefiah. – Ma che vogliono 'sti scassacazzi? – E partí strombazzando.

Che fare? Se bisognava andarsene era meglio farlo in

fretta. Fotografi e troupe televisive si aggiravano famelici alla ricerca degli invitati.

Mentre osservava i ragazzi dei centri sociali che urlavano ai poliziotti: «Siete merde e merde resterete», a Fabrizio tornò in mente una cosa che ogni tanto inspiegabilmente si scordava: *Io sono uno scrittore. Io racconto la vita. Come ho denunciato l'abbattimento delle foreste millenarie finlandesi, posso sputtanare 'sta banda di arricchiti e mafiosi. Un bell'articolo tosto in cultura di «Repubblica» e li sistemo tutti. Io sono diverso.* Si osservò il vestito stropicciato. *A me non mi comprate! Io vi faccio il culo!* Rimontò sulla vespa, ingranò la prima e affrontò la folla.

La composizione degli spettatori dietro le transenne stava cambiando. Ora c'erano piú ragazzine e famiglie intere coi cellulari, che presero a fotografarlo e a urlargli di fermarsi.

Finalmente arrivò al varco presidiato da una ventina di hostess e un drappello di guardie private. Una ragazza bionda fasciata in un tailleur attillato gli si fece incontro. – Buon giorno, felice di averla con noi. Non eravamo certi della sua presenza, lei non ha confermato.

Fabrizio si sfilò i Ray-Ban e la guardò. – Ha ragione, sono terribilmente colpevole. Come posso farmi perdonare ?

La ragazza sorrise. – Lei non ha niente da farsi perdonare… basta che mi dia il suo invito –. E protese la mano verso lo scrittore.

Fabrizio prese la busta. Dentro, oltre all'invito, c'era una tessera magnetica. La consegnò alla hostess, che la strisciò su un lettore. – Tutto a posto dottor Ciba. La vespa le conviene parcheggiarla qui a sinistra e farsi la passerella a piedi. Buon divertimento.

– Grazie, – rispose lo scrittore e inserí la prima. Girò a sinistra oltre il tappeto rosso che portava all'ingresso, verso uno spiazzo dove erano parcheggiate Bmw, Mercedes, Hummer, Ferrari. Mise la vespa sul cavalletto, si tolse il casco e si ravviò la chioma con le mani. Mentre si dava un'occhiata di controllo allo specchietto, dalle transenne sentí un urlo strozzato: – A falsoooo! – Non ebbe neanche il tempo di capire cosa stesse succedendo che qualcosa di pesante lo colpí sulla spalla sinistra. Pensò per un attimo che i Black Bloc avessero lanciato una gragnola di sampietrini. Sbiancò e arretrò terrorizzato e si acquattò dietro un Suv. Poi ingoiando aria si guardò la spalla offesa. Un arancino siciliano, ripieno di riso e piselli, gli era esploso sulla giacca e colava lentamente sul petto lasciando una bava oleosa di mozzarella e sugo bollente. Fabrizio si strappò dalla spalla l'arancino come fosse una sanguisuga infetta e lo scagliò a terra. Offeso, deriso e umiliato si girò verso la folla. Tre uomini in giacca e cravatta con i capelli ricci e la barba lo guardavano con odio, neanche fosse Mussolini (arrestato tra l'altro proprio a Villa Ada). Lo indicavano con le braccia tese e gli urlavano in coro: – Ciba bastardo! Devi morire! Sei un venduto –. Lo scrittore riuscí a schivare per un pelo un bicchierone da un litro di Coca-Cola che esplose sul muso del Suv.

Un blindato vomitò una falange di celerini che aggredí a manganellate i facinorosi. I tre cercarono di difendersi tirando su una transenna. A quello che gli aveva lanciato l'arancino un poliziotto colpí l'arcata sopraciliare, un fiotto di sangue sprizzò trasformandogli la faccia in una maschera rossa. Gli altri due finirono a terra sotto i colpi dei manganelli.

Un giovane poliziotto prese lo scrittore per un braccio e lo trascinò indietro urlando: – Via, via da là!

Fabrizio, angosciato e confuso, lo seguí senza riuscire a staccare gli occhi dall'uomo insanguinato che da terra continuava a urlare: – Ciba maledetto! Sei uguale agli altriiii! Ipocrita venduto! Fai schifo –. Mentre i celerini continuavano a pestare, sul tappeto rosso si fermavano le ammiraglie e gli invitati facevano la loro passerella fra i flash dei fan e dei fotografi. Fabrizio Ciba si rifugiò tra le macchine con il cuore che gli martellava lo sterno. – Ma che cazzo... – ansimò asciugandosi il sudore dalla fronte, – ... so' matti!

– Si sente bene? – gli chiese il poliziotto.

Ciba gli fece cenno di sí con la testa.

– Che aspetta? Vada, vada che qui è pericoloso.

Fabrizio si sentí morire. *No, no, io torno a casa*.

Non poteva. Si immaginò i titoli dei giornali: *Lo scrittore Fabrizio Ciba contestato dai centri sociali alla festa di Chiatti scappa via*. Che poi quei tre tutto sembravano, tranne che ragazzi dei centri sociali.

Ormai era nella merda e l'unica via per uscirne, a questo punto, era stare un paio d'ore alla festa e poi andarsene a casa e scrivere un bell'articolo infuocato. Si avviò verso la passerella con la giacca unta di olio e pomodoro. Decise che era meglio levarsela e tenerla con nonchalance appesa a una spalla.

Davanti all'ingresso della Villa la situazione era completamente diversa. Macchinoni eleganti continuavano a sputare fuori attori, calciatori, politici, veline fra gli applausi e le urla degli spettatori schiacciati sulle transenne come polli alla griglia. Una roba del genere non l'aveva vista nemmeno al festival di Venezia. I vip salutavano e le donne si lasciavano fotografare nei loro abiti firmati. Una ragazza riuscí a superare le transenne e si lanciò su Fabio Sartoretti, il comico di *Bazar*. Ma le guardie del corpo la inchiodarono a terra e la rigettarono nella folla, che se la risucchiò.

Ciba prese il coraggio a due mani e si avviò a testa bassa, sperando di non essere riconosciuto, verso il tappeto rosso. Ma vedendo che i fan lo salutavano cosí calorosamente non riuscí a trattenersi e cominciò a sventolare la mano.

In quel momento una Bmw con i vetri neri frenò davanti alla passerella. Dall'auto uscirono un paio di gambe abbronzate che sembravano non finire mai. Poi uscí il resto di Simona Somaini. La miss Italia 2003, che aveva intrapreso con successo la carriera di attrice con *Sms dall'aldilà*, addosso aveva un fazzoletto di strass che le lasciava scoperta la schiena e una buona porzione di culo e davanti le velava appena i seni ma non il ventre liscio e abbronzato. Accanto a lei riconobbe la famosa agente dello spettacolo Elena Paleologo Rossi Strozzi che sembrava, in confronto alla diva, un pigmeo con il verme solitario. Ciba, nonostante fosse ancora scosso dall'incidente, alla vista di quella puledra di razza pensò che la giornata in fondo non era da buttare via. E soprattutto pensò che non se l'era mai scopata, e questa mancanza andava colmata.

Fabrizio spalancò il torace, cacciò in dentro lo stomaco e mise su la sua ineffabile espressione da scrittore maledetto. Si accese una sigaretta, se la piazzò all'angolo della bocca e le passò accanto distratto.

– Fabri! Fabri!

Ciba contò fino a cinque, poi si girò e la guardò perplesso, come se davanti avesse un'opera di Mondrian. – Aspetta… Aspetta…? – Poi scosse la testa. – No… Scusami…

L'attrice non era proprio offesa, era, piuttosto, disorientata. Negli ultimi anni non l'avevano riconosciuta solo quando era andata a trovare suo zio Pasquale in un istituto per ciechi a Subiaco. Poi pensò che lo scrittore soffrisse di miopia. – Fabrizio? Sono Simona. Non dirmi che non ti ricordi di me?

– A Recanati, forse? – Fabrizio buttò lí il primo nome che gli venne in testa. – Per il seminario su Leopardi?

– *Porta a Porta* un mese fa! – La Somaini avrebbe voluto fare il broncio, ma il botulino glielo impedí. – La triste storia del piccolo Hans...

Ciba si diede un colpetto sulla fronte. – Cazzo, l'Alzheimer... Come si fa a dimenticare la venere di Milo! Ho pure il tuo calendario in bagno.

La Somaini emise un verso simile al richiamo del chiurlo in amore: – Non dirmi che tu hai il mio calendario! Uno scrittore come te con quel calendario da camionisti.

Fabrizio mentí spudoratamente. – Adoro Febbraio.

Lei si diede un colpo alla chioma. – Ma che ci fai qui? Non pensavo che tu fossi tipo da queste feste.

Ciba alzò le mani. – Non lo so... Una forma congenita e mai riconosciuta di masochismo? Un'insostenibile voglia di socialità?

– Fabrizio, ma non senti come... un odore buono di sugo, di pomodoro e mozzarella? – L'ultimo arancino che la Somaini aveva assaggiato era stato per la sua cresima.

– Boh... No, non mi pare, – disse Ciba odorando l'aria. Rita Baudo del Tg4 lo tolse dall'impaccio. Arrivò con un microfono seguita da un cameraman.

– Ma ecco qui l'attrice Simona Somaini come sempre in splendida forma con lo scrittore Fabrizio Ciba! Non mi dite che ho beccato lo scoop!

La Somaini con un riflesso pavloviano si appolaiò al braccio di Ciba. – Ma che dici, Rita? Siamo amici!

– Non volete svelare niente agli ascoltatori di *Varietà*? – Rita Baudo piazzò il microfono sui denti di Ciba, che lo allontanò infastidito. – Hai sentito cosa ha detto Simona? Solo vecchi amici.

– Un saluto ai nostri telespettatori ce lo fai?

Fabrizio agitò una mano davanti alla telecamera: – Ciao –.
E si allontanò con la Somaini al braccio.

La Baudo si girò verso l'operatore e guardò sorniona in
macchina: – Secondo me questi due non ce la raccontano
giusta!

Un urlo disumano si levò dal girone infernale oltre le
transenne. La Baudo cominciò a correre. Da una Hummer
stava scendendo Paco Jiménez de la Frontera e Milo Serinov, il centroavanti e il portiere della Roma.

27.

A circa trecento metri dal parterre dei vip, nel piazzale dietro la Villa Reale le Belve di Abaddon erano state
messe sotto. Zombie smadonnava e scaricava casse di Fiano d'Avellino da un furgone. Mantos era finito in cucina
a fare lo sguattero. A Murder e Silvietta invece avevano
dato il compito di lucidare sei casse di posate d'argento
per la cena indiana.

La vestale strofinava ad occhi bassi una forchetta con
un panno. – Sei il solito.

Murder sbuffò. – Senti, possiamo lasciare perdere per
una volta…

– No, non lasciamo perdere proprio per niente. Avevi
promesso che glielo avresti detto in macchina. Perché non
lo hai fatto?

Murder gettò spazientito un coltello da lucidare tra
quelli lucidati. – Ci ho provato… Ma alla fine non mi
ha retto, dopo quel discorso che ha fatto come facevo?
E poi scusa, perché tocca sempre a me dire le cose difficili?

Silvietta scattò in piedi. Certe volte non sopportava il

suo fidanzato. – Guarda che sei stato tu a dirmi che glielo avresti detto. Che non c'era problema.

Murder aprí le braccia. – E infatti che problema c'è?
Appena posso glielo dico.

La fidanzata lo afferrò per un polso. – No, adesso glielo
andiamo a dire subito! Cosí stiamo piú tranquilli. Va bene?

Murder si alzò controvoglia. – Va bene. Però che noia
che sei… Sai come s'incazza…

I due attraversarono il piazzale facendo attenzione a
non farsi beccare da Antonio, che in piedi su una cassa dava ordini a tutti. Da uomo mite e affabile si era trasformato in un kapò.

Murder e Silvietta entrarono nelle cucine. Erano tre
stanze enormi. Piene di macchine d'acciaio inox, vapori,
profumi e aromi di tutti i tipi. Ci saranno stati almeno una
cinquantina di cuochi vestiti di bianco e con il cappello in
testa. E un esercito di sguatteri tutti indaffarati. Il rumore di pentole e voci era assordante.

Trovarono Saverio seduto su uno sgabello con un col-
tellino in mano. Pelava un mucchio di patate con cui si sarebbe potuta sfamare tutta Rebibbia.

Mantos li vide e a bassa voce sussurrò: – Che fate qui?
Siete impazziti? Se vi beccano… Ho detto a Zombie che
tra mezz'ora ci vediamo fuori per un breve briefing in cui
vi comunico il piano d'azione. Adesso, però, uscite.

Murder lo guardò e torcendosi tutto sussurrò: – Aspetta… Abbiamo una cosa importante da dirti.

Mantos si alzò e li portò in un angolo. – Cosa?

– Ecco… – Murder non riusciva ad andare avanti.

– Ecco cosa? Di', forza!

Una voce flautata con un forte accento dell'Est, alle loro spalle, disse: – A voi due chi vi ha dato il permesso di
entrare nel tempio?

Nelle cucine era calato un silenzio sepolcrale. Anche le cappe aspiratrici e i minipimer sembravano essersi zittiti. I passeri fuori erano ammutoliti.

Le Belve si girarono e si trovarono di fronte, avvolto dai vapori del bollito, un monaco. Solo che il saio era di seta nera, ricamato con degli uccelli del paradiso argentati. Teneva le dita incrociate nascoste dentro le ampie maniche del vestito ed era a piedi nudi. Da sotto il cappuccio spuntavano una barbetta bianca appuntita, due zigomi squadrati, un naso a becco e due occhi grigi e freddi come una giornata d'inverno sul Mar Caspio.

Il leader delle Belve di Abaddon ebbe la certezza che quello fosse Zóltan Patrovič, l'imprevedibile chef bulgaro.

Saverio non aveva visto il grande Rasputin, il monaco maledetto che aveva condannato con i suoi imbrogli e malefici lo zar e la sua famiglia. Ma pensò che quello davanti a lui doveva esserne la rincarnazione.

Dietro di lui tutti i cuochi e gli sguatteri erano immobili e con gli occhi bassi.

– No... È che... Non si sa... – A Saverio uscirono dalla bocca un po' di parole senza costrutto. Avrebbe voluto assumersi la colpa, ma era come se la lingua fosse intorpidita da un'iniezione di lidocaina. E non riusciva a staccare gli occhi da quelli dello chef. Due pozzi neri. Erano cosí profondi. Gli sembrò di esserci risucchiato dentro.

Zóltan gli afferrò con una mano la fronte.

Il leader delle Belve avvertí un benefico flusso di calore scorrere dai polpastrelli dello chef nella sua testa e si ritrovò a pensare alla frittata di maccheroni che gli faceva zia Imma quando da piccolo andava l'estate a Gaeta.

Mi sta ipnotizzando, pensò per un attimo, ma subito dopo rifletté che una frittata cosí buona non l'aveva piú mangiata. Era speciale perché la faceva con i resti della pasta alla puttanesca del giorno prima. Alta e compatta. Leggermente bruciacchiata. E dentro c'erano tante olive e capperi. Peccato che zia Imma era morta, sennò adesso l'avrebbe chiamata pregandola di rifargliela. Poi si disse che in fondo bastava chiedere perdono a Zóltan e sarebbe potuto correre a casa e se la sarebbe potuta fare da solo una frittata cosí buona. Chissà se in frigo c'erano le uova?

– Mi scusi. Lei ha perfettamente ragione. Abbiamo sbagliato e siamo mortificati. Adesso però dovrei scoprire se Serena ha comprato le uova, – disse serio Mantos.

– In ginocchio, – ordinò Patrovič con tono piatto.

I tre, come se fossero radiocomandati, si misero in ginocchio.

– Testa a terra.

I tre misero la testa a terra.

Il monaco gli montò sulle schiene.

Che strano, non pesa per niente, si disse Saverio. *Forse sta levitando*.

Lo chef rimase in silenzio per almeno un paio di minuti in piedi su di loro.

Saverio non poteva vedere, avendo la faccia appicciata al pavimento, ma immaginò che lo chef stesse guardando i cuochi. Alla fine Zóltan disse: – Bene. Ci siamo capiti –. E scese dalle schiene delle Belve.

Tutti fecero segno di sí e si rimisero al lavoro senza fiatare.

È telepatico, intuí Saverio.

Poi il monaco attraversò la cucina avanzando rigido come una statua di legno, quasi che sotto al saio avesse uno skateboard. I cuochi s'inchinavano e gli porgevano i piatti. Lui ci passava una mano sopra come un pranoterapeuta.

Ogni tanto sussurrava: – Meno zenzero. Piú sale. Troppo cumino. Manca il rosmarino.

E poi, cosí come c'era, non c'era piú.

Buffet di benvenuto

28.

Anche Fabrizio Ciba e gli altri invitati furono costretti a sottoporsi a una trafila simile a quella subita dalle Belve per entrare nella Villa. Lo scrittore attraversò il metal detector.

Quando toccò alla Somaini, fu costretta a lasciare il cellulare.

– Ma che è 'sta pagliacciata? – domandò lo scrittore a una hostess. La ragazza spiegò che Chiatti non voleva che la festa diventasse un evento pubblico. Quindi non si potevano mandare foto, video né tantomeno comunicare con l'esterno. Per questa ragione non erano stati accreditati i giornalisti.

– Non preoccuparti, ci stanno i fotografi di «Sorrisi & Canzoni». Chiatti gli ha dato l'esclusiva, – gli confidò a bassa voce la Somaini, che di queste cose era un'esperta.

I due uscirono dal posto di controllo e si trovarono di fronte a un piccolo treno a forma di siluro, poggiato su una monorotaia. Sopra c'era scritto: VILLA ADA ENTERPRISE.

Si sedettero su delle poltroncine di pelle nera. Gli altoparlanti della carrozza diffondevano la voce di Louis Armstrong che cantava *What a Wonderful World*. Insieme a loro montò in carrozza Paco Jiménez de la Frontera, con i lunghi capelli ossigenati e il mascellone che faceva impazzire le donne. Per l'occasione il calciatore indossava uno smoking sbrilluccicante e sotto una maglietta di raso bianca. La sua donna, la statuaria modella di Montopoli di Sabina, Taja Testari, era ricoperta da capo a piedi da un vestito di organza nera che le velava il corpo nudo.

Fabrizio, dopo il gran galà di Canale 5, se l'era fatta, ma era talmente ubriaco che si ricordava solo che mentre scopavano lei gli aveva tirato un cartone sul naso, non sapeva se per un gioco erotico o perché lui le aveva strappato il vestito.

Lo raggiunse anche il compagno di squadra Milo Serinov con un'ex velina al seguito, lasciando dietro di sé una scia nauseabonda di dopobarba.

Simona Somaini continuava a squittire stringendosi al braccio di Fabrizio Ciba e incollandogli addosso le tette. Lo scrittore sospettava facesse tutto questo perché sapeva che i diritti della *Fossa dei leoni* erano stati venduti alla Paramount e chissà cosa sperava. Non sapeva che lui non aveva alcun potere sul film. Gli americani non lo avevano nemmeno voluto incontrare. Alla sua agente avevano risposto che non lo ritenevano necessario. Gli avevano dato una paccata di soldi con il patto di non rompere i coglioni.

Lo schermo piatto sullo schienale della poltrona davanti prese vita e apparve il faccione di Salvatore Chiatti.

– Oddio è uguale a Minosse! – fece Simona mettendosi una mano sulla bocca per la sorpresa.

Fabrizio rimase stupito. Non immaginava che l'attrice fosse esperta di mitologia greca. – Minosse?

– Sí, il carlino di Diego Malara, il mio parrucchiere. È identico.

L'attrice non si sbagliava, l'immobiliarista campano aveva una rassomiglianza incredibile con il piccolo molossoide. Gli occhi esoftalmici, il naso piccolo e rincagnato, il cranio tondo che s'incastonava direttamente nelle spalle larghe. Ai lati, sopra le orecchie minute, gli cresceva una striscia di capelli argentati, ma per il resto era completamente calvo.

– Buongiorno, sono Salvatore Chiatti. Spero che questa festa possa superare ogni vostra immaginazione. Io e i miei assistenti abbiamo profuso ogni sforzo perché ciò possa accadere. Ora per favore chiudete gli occhi. Non sto scherzando, fatelo davvero –. I viaggiatori si guardarono tra loro e poi un po' imbarazzati obbedirono.

La voce di Chiatti era sempre piú zuccherosa. – Immaginate di tornare bambini. Siete soli in una piccola capanna di legno, la nonna è andata in paese. A un tratto il cielo inizia a brontolare. Aprite la finestra e che cosa vedete? In fondo alla pianura un tornado avanza verso di voi. Allora disperati cominciate a chiudere tutte le imposte, a serrare la porticina, ma la tromba d'aria in un attimo è sulla casetta e vi trascina in cielo con tutta la capanna. La casa gira, gira, gira… E il tornado vi porta in alto, sempre piú in alto, sempre piú in alto, oltre l'arcobaleno –. Di sottofondo attaccò una versione strumentale di *Over the Rainbow*. – E per finire vi deposita gentilmente in un nuovo mondo mai esplorato. In un mondo dove la natura selvaggia e incontaminata vive in armonia con gli uomini. Ora potete aprire gli occhi. Benvenuti nel paradiso terrestre. Benvenuti a Villa Ada. Reggetevi forte. Un, due, tre, si parte!

– Oddio –. Simona Somaini strinse la mano di Fabrizio Ciba mentre il treno partiva appiccicandoli agli schienali. Attraversarono a tutta velocità poche decine di metri di bosco e poi la rotaia come le montagne russe puntò in alto portandoli al di sopra delle fronde dei pini. Al loro passaggio si sollevavano stormi di pappagalli colorati, gru cenerine ed enormi avvoltoi dal collo spelacchiato. Poi lentamente ridiscesero e si trovarono in una prateria verde, passarono tra mandrie di gnu, zebre, bufali e giraffe che non sembravano turbati dal treno. Proseguirono su una piccola altura dove una colonia di leoni sonnecchiava al sole accanto a un branco di licaoni, e da lí giú per un costone su cui crescevano degli alberi bassi.

I passeggeri urlavano dall'eccitazione indicando gli animali. Tra la vegetazione a Fabrizio sembrò di intravedere delle scimmie. Il treno fece un'ampia curva che lentamente li riportò a una trentina di metri d'altezza. Da quella posizione ebbero una visione completa del parco. Era un immenso tappeto verde e i palazzi del quartiere Salario e il viadotto dell'Olimpica si scorgevano appena.

In una discesa da mozzare il respiro il treno scivolò su un grande lago dove erano ormeggiate tre case galleggianti. Il siluro s'incuneò sott'acqua in un tripudio di schizzi e urla dei viaggiatori.

Simona era entusiasta. – Nemmeno a Gardaland nelle cascate dei pirati mi sono divertita tanto.

Il treno tornò indietro puntando verso un palazzetto con una torretta e un giardino all'italiana con le siepi che formavano grandi disegni geometrici. Lí rallentò bruscamente e si fermò. Le porte si aprirono con uno sbuffo. Ad attenderli sulla piattaforma c'erano hostess che offrivano binocoli e libretti con le foto degli animali della riserva.

– Dove si beve? Ho bisogno di un bourbon, – fece Ciba, impedendosi di esprimere tutto il profondo disprezzo che provava per Chiatti e quella messa in scena dello zoo-safari. E vogliamo parlare della storiella che aveva raccontato, copiata alla cazzo di cane dal *Mago di Oz*? Quello sdegno lo avrebbe fatto crescere, l'avrebbe raffinato, reso sublime e poi lo avrebbe riversato con la potenza di una bomba nucleare sull'articolone per «Repubblica».

A questo pensiero si sentí meglio. Era ancora l'enfant
terrible di un tempo, lo scrittore acuto e tagliente come
una scheggia impazzita che avrebbe fatto a pezzi quel patetico baraccone.

29.

Nello stesso momento, dietro un capanno degli attrez-
zi, si teneva il briefing delle Belve di Abaddon.

Mantos era seduto su un trattorino per tagliare il prato. – Allora discepoli ascoltatemi bene –. Dallo zainetto
tirò fuori un vecchio Tutto Città. Si bagnò l'indice e cominciò a sfogliarlo. – Questa è Villa Ada –. Lo poggiò sul
cofano e tutti fecero capannello. – Noi siamo qui, alla Villa Reale. E da quello che ho letto sul programma tra circa
un'ora cominceranno le tre cacce. Seguiranno tre diversi
percorsi e poi ogni gruppo finirà in un accampamento per
la cena. Dopo mangiato tutti gli ospiti si riuniranno e ci dovrebbe essere il concerto di Larita –. Schioccò le dita e strinse i denti. – Peccato che in quel momento Larita sarà bella che sacrificata. Perché noi la rapiremo durante la caccia.

Silvietta alzò la mano. – Posso dire una cosa?

Mantos odiava essere interrotto quando spiegava un'a-
zione. – Prego.

– Secondo me Larita non parteciperà al safari. Io la conosco. È contro la caccia. Ha fatto pure una campagna.

Cazzo, a questa possibilità non ci aveva pensato. Mantos fece finta di nulla. – Ottimo Silvietta, questa è un'i-
potesi da prendere in considerazione. Però non possiamo
esserne sicuri. Lo scopriremo. E per farlo dobbiamo essere il piú vicino possibile agli ospiti e a Larita. Dobbiamo
travestirci da camerieri.

– Senti Mantos, c'è una cosa che non mi è molto chiara, – intervenne Zombie. – Ma durante la caccia chi ti dice che la beccheremo da sola? Ci sarà un sacco di gente.

Il leader questa volta non si fece cogliere impreparato. – Bravo. Tu sei bravo! E sai perché Zombie? Perché tu, – lo indicò, – proprio tu, ci permetterai di non essere beccati.

– Io? E come?

– Tu sei elettricista, giusto?

Zombie si grattò la nuca. – Be', sí.

– Bene. Al crepuscolo andrai alla centrale elettrica, quella che abbiamo visto appena entrati. Ti ci introdurrai di soppiatto e toglierai la corrente al parco. A questo punto senza illuminazione sarà uno scherzo agire. Con il favore delle tenebre rapiremo la stronza. E per farlo useremo questo –. Sempre dallo zainetto tirò fuori un flaconcino con un liquido trasparente. – È un anestetico veterinario potentissimo, il Sedaron. Lo usano per i cavalli. Ne bastano due gocce e sei steso. Questo qui invece l'ho trovato nelle officine –. Mostrò un tubo di plastica rigida. Poi strappò un foglio dallo stradario e ci arrotolò un cono. Dalla giacca tolse uno spillo e lo infilò sulla punta del cartoccetto. – Signori, ecco a voi una cerbottana. Gli indigeni dell'Amazzonia con quest'arma micidiale ci vanno a caccia. Io a scuola ero un asso con la cerbottana, mi chiamavano l'Indio. Stendo Larita e poi... – Mostrò sulla mappetta le alture di Forte Antenne. – La portiamo qui. Dove ci sono i resti di un antico tempio romano. E lí si compirà il sacrificio a Satana –. Li guardò uno a uno. – Bene. Mi sembra di essere stato chiaro. Ci sono domande?

Zombie sollevò la mano. – Ma io come li taglio i fili, con i denti?

– Tranquillo, anche a questo c'è una risposta. In una

scatola di posate ho visto che c'è un enorme trinciapollo d'argento. Userai quello. Altre domande?

Murder sollevò timidamente l'indice.

– Dimmi.

L'adepto prese un respirone prima di parlare. – Ecco… Mi chiedevo se per caso ci avevi ripensato al suicidio di massa.

– In che senso?

– Insomma… È proprio necessario?

Mantos strinse i pugni per non arrabbiarsi. – Ma allora non ci siamo capiti? Vuoi passare il resto della tua vita a marcire in una galera? Io no. In questo modo li fottiamo. Non ci potranno mai arrestare. Ci dobbiamo sacrificare per salvarci e renderci immortali. Volete o no diventare un mito?

– In effetti… – ammise Murder.

Gli altri, in silenzio, fecero segno di sí con la testa.

– Ottimo. Allora possiamo passare alla fase uno del nostro piano: Silvietta e Murder andate a recuperare delle divise da camerieri, tu Zombie vai a cercare il trinciapollo, io…

– Oh! Voi quattro. Che state facendo? – Uno degli uomini di Antonio gli era apparso alle spalle. – Ho bisogno di una mano. Tu –. Indicò Mantos. – Devi portare una cassa di Merlot di Aprilia nella villa, veloce.

Mantos si alzò e sussurrò ai suoi adepti: – Ci rivediamo qui tra un quarto d'ora.

30.

Dopo mille dubbi su come sarebbe stata piú efficace la sua entrata, Fabrizio Ciba decise di fare il suo ingresso insieme a Simona Somaini.

Al centro del giardino all'italiana si allargava un piazzale circolare con una grande fontana esagonale di pietra.
Sulla superficie dell'acqua galleggiavano petali di rosa. Ai
lati erano disposti dei carretti siciliani su cui era poggiato
ogni ben di Dio. Sculture di ghiaccio raffiguranti angeli e
fauni si scioglievano sotto il tiepido sole di una giornata
primaverile romana. In un angolo erano sistemati i tavoli
apparecchiati. Tra gli invitati si muovevano pavoni, fagia-
ni e tacchini addomesticati. Un gruppo di musicisti sui
trampoli suonava arie barocche.

Erano arrivati già un sacco di ospiti. Gente dello spettacolo, politici e tutta la squadra della Roma di cui Chiatti era un gran tifoso.

Fabrizio, a braccetto di Simona, si fece largo tra la folla. Si sentiva osservato e invidiato. Ripropose l'atteggiamento usato alla presentazione a Villa Malaparte. Confuso e annoiato, costretto per ragioni inesplicabili a mischiarsi tra quella gente cosí diversa da lui. Vide il carretto con
i superalcolici. – Vuoi qualcosa, Simona?

L'attrice guardò con orrore le bottiglie di alcol. – Un
bel bicchiere d'acqua naturale.

Fabrizio si fece uno dopo l'altro un paio di scotch. L'alcol lo rilassò. Si accese una sigaretta e si mise a osservare
gli invitati come fossero dentro un acquario. Tutti si guardavano, si riconoscevano, si criticavano, si salutavano con
un leggero cenno del capo e si sorridevano soddisfatti sapendo di essere parte di una comunità di Padreterni. Fabrizio non riuscí a capire se il fatto che lí non ci fosse un
pubblico ad applaudire li innervosiva o li rendeva felici.

Poi si accorse che in disparte, seduto a un tavolino, tutto solo, c'era un vecchio.

No! Non è possibile! Anche lui...

Umberto Cruciani, il grande scrittore della *Muraglia oc-*

cidentale e di *Pane e chiodi*, i capolavori della letteratura italiana degli anni Settanta.

– Ma quello…? – Stava per chiedere conferma a Simona, ma lasciò perdere.

Che ci faceva lí Cruciani? Viveva recluso in una fattoria nell'Oltrepò pavese da vent'anni.

Il maestro guardava lontano verso le colline, lo sguardo corrucciato sotto le sopracciglia folte. Sembrava che non fosse nemmeno lí, come se una bolla di solitudine lo dividesse dal tutto il resto.

– Che ti pare 'sta festa? A me pare esagerata. Chiatti ha già vinto.

Fabrizio si girò.

Bocchi stringeva un bicchierone di Mojito. Era già tutto sudato, paonazzo in volto, gli occhi eccitati.

– Sí, bella, – tagliò corto lo scrittore.

– Alla fine ci stanno tutti. Sai quanti dicevano che non sarebbero venuti nemmeno pagati, che era una burinata. Non ne manca uno.

Fabrizio gli indicò il vecchio scrittore. – C'è pure Umberto Cruciani.

– E chi cazzo è?

– Come chi cazzo è? È un maestro. Al pari di Moravia, Calvino, Taburni. Ma ti rendi conto che i suoi libri a quarant'anni di distanza sono ancora in classifica? Magari *La fossa dei leoni* vendesse la metà di *Pane e chiodi*. Starei tranquillo, potrei pure smettere di scrivere…

– Ma lui ha smesso di scrivere?

– È dal '76 che non pubblica piú. Però mi ha detto la mia agente che sta lavorando da vent'anni su un romanzo che vuole pubblicare postumo.

– Non mi pare che gli manca tanto.

– Cruciani fa parte di una generazione di artisti che non

esiste piú. Gente seria, legata alla sua terra d'origine, alla vita contadina, al ritmo dei campi. Guarda com'è concentrato, sembra quasi che si stia sforzando di trovare la fine del suo libro.

Il chirurgo diede una succhiata dalla cannuccia. – Sta cagando.

– Come?

– Non sta pensando. Sta cagando. La vedi quella borsa di Vuitton accanto ai piedi? È la sacca di contenimento delle feci.

Fabrizio ci rimase male. – Poveretto. Ed è pure un tipo strano. Pensa che nessuno ha mai letto una virgola del nuovo romanzo. Nemmeno i suoi editori.

Bocchi si mise la mano davanti alla bocca per tappare un rutto. – Dopo la morte si scoprirà che non ha scritto un cazzo, ci scommetto qualsiasi cosa.

– Ha scritto... Ha scritto... Lascialo stare. Tutto quello che scrive lo scarica su una chiavetta USB e cancella tutto. È paranoico, ha paura di perderselo. Lo vedi quel medaglione d'oro che ha al collo? È una chiavetta USB da 40 gb di Bulgari, non la molla mai.

Simona intanto aveva rimediato un piatto con un'unica, solitaria ovolina. – Non sapete quanta roba buona c'è da mangiare. C'è un carretto su cui friggono carciofi, mozzarelline e fiori di zucca. Madonna mia quanto mi piacciono i frittini. Me li mangerei tutti. Peccato che non posso...

Bocchi prese un cubetto di ghiaccio dal drink e se lo passò sul collo come fosse agosto. – Perché?

– Mi chiedi perché! Ho preso tre etti. Non lo vedi che sono obesa –. L'attrice mostrò lo stomaco piatto e senza un filo di grasso al chirurgo. – Mi puoi prenotare una lipo?

– E che problema c'è, Simo'. Ma secondo me le uniche

cellule grasse che hai ancora in corpo stanno là –. Indicò il cranio. E poi serio: – Posso prenotarti una liposuzione al cervello.

L'attrice fece una risatina svogliata. – Sei il solito cafone.

Il chirurgo si alzò e si stiracchiò. – Vabbe' io vado a fare un giro, ci si becca dopo.

Fabrizio cinse con il braccio la vitina di Simona. – Ci facciamo un giretto anche noi? Che dici?

Lei gli poggiò la testa sulla spalla. – Va bene.

Si mossero facendosi portare dalla corrente degli ospiti. Fabrizio sentiva un buon odore di shampoo nei capelli dell'attrice e l'alcol gli rendeva i pensieri leggeri e l'umore positivo. Venivano continuamente fermati da gente che li salutava e gli faceva un sacco di complimenti. Nessuno poteva esimersi dal dire che erano una coppia splendida.

Forse hanno ragione, mi potrei fidanzare con Simona.

In effetti aveva parecchie frecce al suo arco l'attrice di Subiaco. Intanto era totalmente idiota e Fabrizio adorava le donne idiote, si abbeveravano alla sua personalità come frisone a un fontanile. Il segreto era non ascoltarle quando attaccavano a parlare dei massimi sistemi. Uno dei difetti principali delle donne idiote è una innata tendenza all'astrazione, a discutere di sentimenti, carattere, senso della vita, oroscopo. E generalmente sono del tutto prive di senso pratico e ironia. Quindi non stanno lí a criticare ogni stronzata che fai. Nella vita di tutti i giorni sono gestibili. E poi Mariano Santilli, un produttore cinematografico che era stato con la Somaini per un anno, gli aveva raccontato che nell'ambiente domestico Simona si integrava perfettamente con l'arredamento. Non dava alcun fastidio. Entrava in stand-by appena varcata la soglia di casa. Bastava fornirle un telecomando e un tapis roulant e lei correva per ore. Non mangiava, lavorava come una bestia e quando non lavorava era in palestra. E, non ultimo, era la donna piú sexy d'Italia. Il suo calendario era appeso dovunque. Milioni di uomini ci si massacravano di seghe e avrebbero rosicato come iene a sapere che lui era il fortunato che se la scopava.

E questo è bello.

In fondo anche Arthur Miller si era fidanzato con Marilyn Monroe.

– Senti, Simona. Ma se ci fidanzassimo? Secondo me saremmo LA COPPIA.

– Dici? – L'attrice sembrava lusingata e nello stesso tempo disorientata. – Ma, veramente? Sei troppo carino. Però non so se andremmo d'accordo... Siamo di segni opposti... E poi tu sei un genio, scrivi libri, e io sono una tipa alla buona, non ho niente da dire. Che ci fai con una come me?

– Ti rivelo un segreto, Simona. Anche gli scrittori che sembrano cosí distanti in fondo non sono altro che la versione moderna dei cantastorie. Gente che racconta favole per non lavorare –. Fabrizio la strinse a sé. – Tu conosci Maiorca? – Poi con la coda dell'occhio vide Matteo Saporelli fare il suo ingresso nel piazzale.

– Sono...

Le altre parole della Somaini si persero, come se una turbina gli soffiasse aria nelle orecchie. Si tirò indietro e si toccò la fronte. – Credo di avere la febbre, – balbettò preoccupato a Simona. – Scusa... Scusa un attimo –. Fabrizio barcollò verso il carretto dei drink.

Che cazzata che ho fatto a venire a 'sta festa di merda.

Per comprendere la reazione di Ciba è necessario sapere chi era e soprattutto quanti anni aveva Matteo Saporelli. Mat, come veniva chiamato dagli amici, aveva ventidue anni. La metà di Fabrizio. Era lui il vero giovane talento della letteratura italiana. Era uscito dal nulla con il suo romanzo *Le miserie di un uomo di gusto*, la storia di un cuoco che un bel giorno si sveglia e scopre di aver perso il gusto, ma continua a cucinare ingannando tutti. Il libro era salito in vetta alle classifiche con la stessa violenza con cui lo Space Shuttle entra nella ionosfera, e lí era rimasto. In un solo anno il giovane era riuscito a fare il grande slam: Strega, Campiello e Viareggio.

Fabrizio non poteva aprire un giornale, cambiare un canale, che gli si parava davanti l'odiosa faccia da sbarbatello di Saporelli. Dovunque ci fosse da rispondere a domande, dare un'opinione, lui c'era. Il problema della castrazione dei gatti di Trastevere? La terza corsia sulla Salerno - Reggio Calabria? L'uso dei cortisonici nella cura delle ragadi anali? Lui aveva la risposta pronta. Ma quello che faceva veramente stare male Ciba era che le donne gli sbavavano dietro, dicevano che somigliasse a Rupert Everett da giovane. Per finire Saporelli era pubblicato dalla sua stessa casa editrice, la Martinelli. E negli ultimi anni gli aveva rotto il culo quanto a vendite.

Gli avevano raccontato che la sua redattrice (tra l'altro era anche la redattrice di Fabrizio) per festeggiare la vittoria dello Strega gli avesse fatto un pompino nei bagni del ninfeo di Villa Giulia.

Che troia. A me non me l'ha mai fatto. Anche quando ho vinto il Médicis in Francia. Che vale mille volte di piú.

Lo squadrò. Con i jeans stirati, i mocassini, la camicia bianca, un golf legato sulle spalle e le mani in tasca voleva passare per il bravo ragazzo, modesto e senza pretese. Uno che non si era montato la testa.

Che ipocrisia! Quell'essere subdolo gli dava il voltastomaco.

Ma a me non mi freghi. Ti aspetto al prossimo romanzo.

Fabrizio era cosí concentrato a schifarlo che ci mise un po' a rendersi conto che Saporelli stava parlando con Federico Gianni. L'amministratore delegato della Martinelli diede una pacca sulla spalla al giovane scrittore e cominciarono a sganasciarsi dalle risate.

Sono pappa e ciccia.

Gli tornarono alla mente le parole che aveva detto quel falsone di Gianni alla presentazione dell'indiano. Vide che ai due si era aggiunto quel vecchio trombone di Tremagli con la moglie, un troll con le tette. Chiaramente il critico si era sperticato in elogi parlando del romanzo di Saporelli. «La letteratura italiana riprende il volo sulle ali di Saporelli», aveva avuto il coraggio di scrivere.

Fabrizio si fece fuori un altro scotch.

Era arrivato il momento di affrontare Gianni. Cominciò a scaldarsi pensando al grande Muhammad Ali. Fece due passi ma si fermò di colpo. Che diavolo stava facendo?

Regola numero uno: Mai mostrare che rosichi.

Molto meglio levare le tende portandosi dietro la piú figa della festa. Si avvicinò a Simona Somaini, che era al centro di un capannello di attori della serie *Delitti in carrozza.*

– Scusatemi. Ve la porto via un attimo, – fece agli altri sorridendo a denti stretti, poi prese l'attrice per un polso e, paonazzo in volto, le disse sottovoce: – Ti devo parlare. È importante.

Lei sembrò un po' scocciata. – Che succede, Fabrizio?

– Ascoltami. Andiamocene. Tra poco c'è un aereo che parte per le Baleari…

– Le Baleari?

– Ah, giusto. Allora… Sono delle isole spagnole nel mare. A Maiorca, una delle isole Baleari appunto, ho una casa nascosta sulle montagne. Un nido d'amore. Partiamo subito. Se facciamo presto riusciamo a prendere ancora un aereo.

L'attrice lo guardava perplessa. – Ma ora stiamo alla festa. Perché dobbiamo andarcene? È bellissimo. Ci stanno tutti.

Lui le prese il braccio e si abbassò come se dovesse rivelarle un segreto. – Per questo, Simona! Noi non dobbiamo stare dove stanno tutti. Noi due siamo speciali. Siamo LA COPPIA. Non ci dobbiamo confondere con gli altri. Ci facciamo notare mille volte di piú se ce ne andiamo.

Simona non era tanto convinta. – Dici?

– Ascoltami. Non è difficile da cap… – Ma le parole gli morirono sulla lingua.

Simona Somaini stava subendo una trasformazione somatica. I capelli le si stavano gonfiando e diventavano piú lucidi e vaporosi, come nella pubblicità di un balsamo. Le tette le si arrampicavano sul torace quasi infastidite dall'inutile vestito che le velava. Guardava fissa davanti a sé come se ci fosse stato il Messia che camminava sulle acque della fontana. Poi posò di nuovo lo sguardo su Fabrizio e tirò su con il naso. Era commossa. – Non ci credo! Quello è… Quello è Matteo Saporelli… Oddio… Dimmi che lo conosci, ti prego. Certo che lo conosci, siete scrittori tutti e due. Io lo stimo e ci devo andare a parlare ora, subito. Morin sta facendo un film dal suo romanzo.

Fabrizio fece due passi indietro inorridito, come se si trovasse davanti un'indemoniata. Se avesse avuto a portata di mano dell'acqua santa gliel'avrebbe gettata addosso. – Tu sei un mostro! Non ti voglio vedere mai piú –. A grandi falcate attraversò il piazzale e il giardino all'italiana e arrivò praticamente correndo alla stazione.

Il treno non c'era.

Si avvicinò a una hostess. – Dov'è? Tra quanto arriva?

La hostess guardò l'orologio al polso. – Tra un quarto d'ora circa.

– Tra cosí tanto? Non c'è un altro modo per andarsene?

– A piedi. Ma non glielo consiglio, è pieno di animali selvatici.

Un cameriere lo raggiunse di corsa. Prima di parlare riprese fiato. – Signor Ciba! Signor Ciba! Mi scusi, il dottor Chiatti le vorrebbe parlare. Potrebbe seguirmi?

31.

Zombie si guardò attorno e si avvicinò alle casse di legno che contenevano l'argenteria per i bivacchi. Cominciò a leggere le etichette sui coperchi. *Forc... Forc... Colt... Colt... Cuc...*

– Queste so' tutte posate –. Si diresse verso un'altra pila di contenitori. Aprí una scatola e custodito da un panno di velluto blu trovò il trinciapollo d'argento. Era cosí grande che sembrava un trinciastruzzo. Lo prese e tornò tutto contento verso il capanno, quando vide Murder e Silvietta dietro una toilette da campo che si stavano vestendo da camerieri. – Ragazzi, trovato... – disse e s'azzittí.

I due, mentre indossavano le divise, discutevano, anzi sembrava proprio che litigassero. Erano cosí presi che non si erano nemmeno accorti di lui. Zombie si avvicinò piano piano, senza farsi vedere, e si nascose dietro una Land Rover ad ascoltare.

– Sei pessimo! Nemmeno questa volta gliel'hai detto, – stava dicendo Silvietta.

– Lo so... Però un po' gliel'ho detto, è che mi sono bloc-

cato. Guarda che non è facile in questa situazione, –
bofonchiava Murder.

– E infatti glielo dovevi dire questa mattina, a Oriolo.
Poi hai detto che glielo dicevi in macchina... E ora, come
si fa?

Murder ebbe un moto di stizza. – Scusa, ma perché non
glielo dici tu? Non mi è chiaro perché lo devo fare io.

– Sei impazzito? Sei stato tu a dirmi che era meglio se
gliene parlavi tu. Che conosci da un pezzo Saverio e sai
come prenderlo.

Lui addolcí la voce. – Non è mica facile, patatina. Sono cose delicate, lo sai meglio di me.

La Belva sentí Silvietta sbuffare. – E che ci vorrà mai?
Vai lí è gli dici: senti, perdonaci, io e Silvietta abbiamo deciso di sposarci e quindi non possiamo suicidarci. Fine. È
tanto difficile?

A Zombie cadde di mano il trinciapollo.

Nell'ex residenza reale Mantos, con una cassa di vino
tra le braccia, attraversò l'ingresso di servizio e si ritrovò
nel salotto. Rimase a bocca aperta. Altro che le cagate del
Mobilificio dei Mastri d'Ascia Tirolesi. La commistione tra
antico e moderno era di un gusto sopraffino. Era questo
che intendeva quando ai brainstorming cercava di sgrez-
zare il vecchio Mastrodomenico e avvicinarlo al mondo
dell'Interior Decoration. Passò attraverso un disimpegno
e si ritrovò in uno studio tappezzato di librerie altissime.
Tutti i volumi erano rivestiti di carta da pacchi e il titolo
era scritto in una bella grafia. L'effetto era una stanza mar-
roncina. Al centro c'era un unico blocco di legno massel-
lo, cosí grande che doveva essere o un baobab o una se-
quoia. Sopra, un telefono nero.

Lo guardò.

Non farlo.

Poggiò la cassa e prese la cornetta.

Sto facendo una stronzata.

Non importava, prima di buttarsi in quella missione suicida doveva sentire ancora una volta la voce di sua moglie.

Trattenendo il respiro compose il cellulare di Serena.

– Tesoro... Sono io...

La risposta fu un: – Dove cazzo sei?

– Amore, aspetta... Fammi spiegare...

– Che devi spiegare? Che sei un povero coglione, – lo aggredí Serena.

Saverio si sedette sulla poltrona. Poggiò i gomiti sul tavolo.

Si era scordata tutto. Come se la notte passata non fosse mai esistita. Era tornata ad essere la crudele Serena.

Chissà cosa mi aspettavo? Che sarebbe cambiata?

Nessuno cambia. E Serena era tale e quale da quando era stata messa al mondo. Il miraggio che con il tempo si sarebbe addolcita lo aveva incastrato nel matrimonio con quella strega. Questo meccanismo perverso li aveva tenuti legati. E lei se ne era approfittata, facendolo sentire un deficiente senza palle.

Con un groppo in gola allontanò la cornetta dall'orecchio, ma anche cosí la sentiva sbraitare: – Ma ti sei bevuto il cervello? Sono ore che ti chiamo al cellulare ed è sempre spento. Papà è fuori dalla grazia di Dio. Ti vuole licenziare. Oggi comincia la settimana delle camerette. Qui ci stanno duemila bambini che urlano. E tu dove sei? Con quei quattro mentecatti. Ma quant'è vero Iddio questa te la faccio pagare salata...

Saverio guardava fuori dalla finestra. Un pettirosso si puliva le penne su un albero di ciliegie. La visione sfocò, velata dalle lacrime.

Per farsi rispettare da quella donna avrebbe dovuto violentarla ogni notte. Prenderla a calci come una cagna, ma quella non era la sua idea di amore.

Almeno ora sono certo di aver fatto la scelta giusta.

Una strana calma si impossessò di Saverio. Si sentí tranquillo. Non aveva piú dubbi.

Avvicinò la cornetta alla bocca. – Serena ascoltami bene. Ti ho sempre amata. Ho provato in tutti i modi a renderti felice ma tu sei una brutta persona e rendi brutto pure quello che ti sta intorno.

Serena aveva una voce rauca, da posseduta. – Come ti permetti! Dimmi dove sei? Vengo lí e ti spacco la faccia. Saverio te lo giuro sulla testa di mio padre.

Il leader delle Belve di Abaddon gonfiò la cassa toracica e con la voce ferma disse: – Io non sono Saverio, io sono Mantos –. E attaccò.

– Che diavolo stai facendo qui? Chi ti ha detto di prendere il trinciapollo?

Zombie non ebbe nemmeno il tempo di girarsi, capire, che fu acchiappato per un orecchio e trascinato in mezzo al piazzale. Cominciò a urlare cercando di liberarsi da quella morsa. Con la coda dell'occhio riuscí a vedere Antonio che gli stritolava il padiglione.

Il capocameriere aveva le vene del collo gonfie e gli occhi iniettati di sangue e sputacchiava urlando a Murder e Silvietta: – Ehi! Ehi! Voi due perché siete vestiti da camerieri?

Zombie riuscí a liberarsi e si massaggiò l'orecchio bollente.

– Voi dovete essere impazziti. Credete forse di stare alla sagra del coregone a Capodimonte? Ma vi aggiusto io –. Antonio diede uno spintone a Murder. – Ditemi perché siete vestiti da camerieri.

– Pensavamo di essere utili. Qui non c'è molto da fare... – provò a buttare là Murder senza troppa convinzione.

Antonio gli si avvicinò a un palmo dal naso. Aveva l'alito che sapeva di mentolo. – Utili? Voi pensate che stiamo giocando? E che gioco è? Un, due, tre, stella? Buzzico rampichino? Voi belli belli avete deciso che volete fare i camerieri? Voi cazzeggiate e io perdo il posto. Non avete capito dove siamo? Di là ci sono camerieri dell'*Harry's Bar*, dell'*Hotel de Russie*, gente che ha fatto l'alberghiero, ho rifiutato personale del *Caffè Greco* –. Antonio era cianotico, dovette fermarsi un istante per riprendere fiato. – Adesso fate una bella cosa, vi spogliate e uscite da qui. Non vi do una lira e quella faccia di merda di Saverio se ne va via con voi! Mai fidarsi dei parenti. A proposito dove sta quel... – Antonio si portò una mano al collo come se lo avesse pizzicato un tafano. Si strappò qualcosa da sopra il colletto della camicia e aprí la mano.

Sul palmo si trovò un cono di carta con uno spillo sulla punta.

– Ma che...? – riuscí solo a dire, poi le palle degli occhi rotearono in su mettendo in mostra la sclera bianca e la bocca gli si paralizzò in un ghigno. Fece un passo indietro e, rigido come una statua, crollò a terra.

Le Belve lo guardavano stupite, poi da un cespuglio apparve Mantos con la sua cerbottana. – Cagava il cazzo, eh? Non sapete quanto lo cagava a scuola...

Murder diede il cinque al suo capo. – L'hai steso. Questo Sedaron è una bomba.

– Ve l'avevo detto. Bravo Zombie, hai trovato il trinciapollo.

– E di questo? – Silvietta si abbassò sul corpo di Antonio. – Che ne facciamo?

– Lo leghiamo e lo imbavagliamo. E poi lo nascondiamo da qualche parte.

32.

Mentre seguiva il cameriere verso la Villa Reale, Fabrizio Ciba imprecava tra sé. Non aveva tempo da perdere, aveva un aereo da prendere e dover parlare con Sasà Chiatti lo innervosiva. Assurdo, era stato al cospetto di Sarwar Sawhney, un premio Nobel, senza provare particolari emozioni e ora che doveva incontrare un tipo insignificante come Chiatti gli batteva il cuore? La verità era che gli uomini ricchi e di potere lo rendevano insicuro.

Entrò nella villa e rimase stupito. Tutto si aspettava tranne che la residenza fosse arredata in stile minimalista. Il grande salone era una semplice spianata di cemento. In un camino di pietra grezza bruciava un grosso ciocco di legno. Vicino, quattro poltrone degli anni Settanta e un tavolo in acciaio lungo una decina di metri su cui pendeva un lampadario antico. Due esili sculture di Giacometti. In un altro angolo, come se fossero state dimenticate lí, quattro uova di Fontana e sui muri intonacati a calce dei cretti di Burri.

– Di qua… – Il cameriere gli indicò un lungo corridoio. Lo fece entrare in una cucina coperta di maioliche marocchine. Da uno stereo Bang & Olufsen uscivano le note romantiche di *Lezioni di piano* di Michael Nyman.

Un donnone tarchiato, con un casco di capelli color mogano, spiattellava sui fuochi. Al centro della stanza, intorno a un tavolo di legno rustico, erano seduti Salvatore Chiatti, una silfide albina, un vecchio decrepito con addosso una tenuta coloniale tarlata, un monaco e la cantante Larita.

o, le spalle né troppo grandi
ili, le mani magre e aggrazia-
eri le nascondeva la fronte. Il
colo e quella bocca un po' trop-
primevano una simpatia timida
gli occhi grandi, color nocciola e
uel momento sembravano un po'

ste, presentazioni, concerti, salotti,
to quasi tutti, eppure mai una volta
o la cantante. Aveva letto da qualche
ragazza riservata e si faceva gli affari
apparire.

ia della conversione religiosa a Fabrizio
nche lui negli ultimi tempi sentiva forte il
fede. Larita era mille volte superiore a quel-
isperati dei cantanti italiani. Se ne stava in
l'Appennino tosco-emiliano a creare...
come dovrei fare io.

ta visione gli si materializzò nella mente. Loro
me in una baita rustica. Lei suonava e lui scrive-
cazzi loro. Forse un figlio. Sicuramente un cane.
ta si diede un colpo alla frangetta. – Non c'è nien-
ringraziare. Se una cosa è bella, è bella e basta.
*no un pazzo. Me ne stavo andando via e qui c'è la don-
ella mia vita.*

Chiatti applaudí divertito. – Bene. Ha visto Ciba che
ella fan le ho trovato? Adesso per ringraziarmi mi deve
are un favore. Ce l'ha una poesia?

Fabrizio aggrottò le sopracciglia. – In che senso?

– Una poesia, da recitare prima del mio discorso. Mi
piacerebbe essere introdotto da una sua poesia.

Stavano mangiando quelli che avevano tutta l'aria di
essere rigatoni all'amatriciana con parecchio pecorino grat-
tato sopra.

Fabrizio ebbe la presenza di spirito di dire: – Salve a
tutti.

Chiatti indossava una giacca di velluto beige con le top-
pe sui gomiti, una camicia di flanella scozzese e un fazzoletto rosso legato intorno a quel poco di collo che la natura gli aveva concesso. Si pulí la bocca e allargò le braccia
come se lo conoscesse da cento anni. – Ecco il grande scrittore! Che piacere averla qui. Si sieda con noi. Stiamo mangiando alla buona. Spero che non abbia mangiato al buffet.
Quella roba noi la lasciamo ai nostri ospiti vip, vero mammà? – Si girò verso la chiattona ai fornelli. La donna, im-
pacciata, si pulí le mani sul grembiule e accennò un saluto con la testa. – Noi siamo persone semplici. E mangia-
mo la pastasciutta. Prenda una sedia. Che aspetta?

Di primo impatto a Fabrizio parve che Chiatti fosse
una persona affabile, con un gran sorriso gioviale, ma si
percepiva che i suoi erano ordini e che non amava essere
disubbidito.

Lo scrittore prese una sedia accostata al muro e sedette in un angolino tra il vecchio e il monaco, che gli fecero
spazio.

– Mammà, fai un piatto come Dio comanda al signor
Ciba, che mi sembra un po' sbattuto.

In un istante Fabrizio si ritrovò davanti una porzione
gigantesca di rigatoni fumanti.

Chiatti afferrò un fiasco di vino e gli riempí il bicchiere. – Togliamoci di mezzo le presentazioni. Lui... – indicò
il vecchio rinsecchito. – ... è il grande cacciatore bianco
Corman Sullivan. Lo sa che quest'uomo ha conosciuto lo
scrittore... Come si chiama?

– Hemingway... – disse Sullivan e prese a tossire e a scuotersi tutto. Dal vestito uscivano nuvole di polvere. Quando si riprese strinse senza forza la mano di Fabrizio. Aveva le dita lunghe, coperte di macchie depigmentate.

A Ciba il cacciatore bianco ricordava qualcuno. Ma certo! Era tale e quale a Ötzi, l'uomo del Similaun, il cacciatore che avevano trovato congelato in un ghiacciaio delle Alpi.

Chiatti indicò la silfide. – Lei è la mia fidanzata Ecaterina –. La ragazza abbassò la testa in segno di saluto. Somigliava alla Regina delle nevi di una saga nordica. Era cosí bianca che sembrava morta da tre giorni. Attraverso la carne si intravedeva il sangue scorrerle scuro nelle vene. I capelli, rossi come fuoco, formavano una criniera intorno al volto piatto. Non aveva sopracciglia e il collo era sottile come quello di un levriero. Doveva pesare una ventina di chili.

Fabrizio sentendo il nome ricordò. Era la famosa modella albina Ecaterina Danielsson. Una che un mese sí e un mese no era sulle copertine delle riviste di moda di tutto il mondo. Era in assoluto l'essere morfologicamente piú distante da Chiatti che la natura avesse creato.

– E questo qui... – indicando il monaco. – Dovrebbe conoscerlo. È Zóltan Patrovič!

Certo che Fabrizio lo conosceva. Chi non conosceva l'imprevedibile chef bulgaro, proprietario del ristorante *Le regioni*? Ma da vicino non l'aveva mai visto.

Questo invece chi gli ricordava? Ecco, Mefisto, il nemico giurato di Tex Willer.

Fabrizio dovette abbassare lo sguardo. Gli occhi del cuoco sembravano penetrargli dentro e intrufolarsi tra i pensieri.

– E per finire, la nostra Larita, che stanotte ci farà il grande onore di cantare per noi.

Fina...
Carina...
Chiatti...
Fabrizio...
Larita sorrise...
e disse: – È il p...
leoni. Bellissimo...
L'ho riletto tre vo...
me una bambina.

Fu come se un dar...
brizio Ciba. Le gambe,...
poco non si accasciò sull...

Finalmente qualcuno c...
suo libro migliore, per finir...
mone. Ogni singola parola, og...
ri con fatica. Quando pensava...
va un'immagine. Era come se u...
cielo e i resti dell'apparecchio si...
gio di migliaia di chilometri su un...
le. A lui toccava cercare i pezzi e rime...
linga dell'aeroplano. Tutto il contrario...
ni, che era uscito fuori senza sofferen...
scritto da solo. Eppure lui era certo che *I...
re* fosse la sua opera piú matura e comple...
glienza tra i suoi lettori era stata, a essere g...
da e i critici glielo avevano stroncato. Quind...
la cantante dire quelle cose non poté che pro...
profonda gratitudine.

– Sei gentile. Mi fa piacere. Grazie, – le disse qua...
barazzato.

Difficilmente avresti notato Larita incrociandola p...
strada, ma se la osservavi con attenzione non potevi no...
ammettere che era molto carina. Ogni parte del suo cor...

Larita accorse in suo aiuto. – Lui non scrive poesie, almeno credo.

Fabrizio le sorrise poi, serio, a Chiatti: – Esatto. Io non ho mai scritto una poesia in vita mia.

– E non ne potrebbe scrivere una, anche brevissima? – L'imprenditore si guardò il Rolex. – In una ventina di minuti non riesce a buttarne giú una? Bastano un paio di righe.

– Sarebbe magnifico un piccolo poema sui cacciatori. Mi ricordo che Karen Blixen... – intervenne Corman Sullivan, ma non riuscí a continuare perché fu sopraffatto da un attacco di tosse.

– No. Mi dispiace. Non scrivo poesie.

Chiatti allargò le narici e strinse i pugni, ma la voce continuò ad essere cordiale. – Allora ho un'idea. Potrebbe leggerne una di qualcun altro. Dovrei avere in casa un libro di poesie di Pablo Neruda. Cosí le andrebbe?

– Perché dovrei leggere una poesia di un altro autore? Ci sono qua fuori centinaia di attori che si scannerebbero per farlo. La faccia leggere a uno di loro –. Fabrizio cominciava a farsi girare i coglioni.

Zóltan Patrovič improvvisamente batté il coltello sul bicchiere.

Fabrizio si voltò e rimase catturato dal suo sguardo magnetico. Che fenomeno singolare, sembrava che gli occhi dello chef si fossero ingranditi occupandogli tutto il volto. Sotto il cappuccio nero era come se ci fossero solo due enormi globi oculari che lo fissavano. Fabrizio provò a spostare lo sguardo, ma non riuscí. Allora provò a chiudere gli occhi per spezzare l'incantesimo, ma fallí di nuovo.

Zóltan posò la mano sulla fronte dello scrittore.

Di colpo, come se qualcuno glielo avesse spinto a forza nella memoria, a Fabrizio tornò in mente un episodio della sua infanzia che aveva dimenticato. I suoi genitori, d'estate, partivano in barca a vela e lo lasciavano con la cugina Anna in una baita di Bad Sankt Leonhard, in Carinzia, da una famiglia di contadini austriaci. Era una zona bellissima, con montagne ricoperte di pini e prati verdi su cui pascolavano beate le mucche pezzate. Lui indossava i pantaloncini di pelle con le bretelle caratteristici di quella zona e gli scarponcini con i lacci rossi. Un giorno, mentre cercava i funghi insieme ad Anna, si erano persi nel bosco. Non riuscivano piú a raccapezzarsi. Avevano continuato a girare in tondo, mano nella mano, sempre piú impauriti mentre la notte allungava i suoi tentacoli tra gli alberi tutti uguali. Per fortuna, a un certo punto, si erano ritrovati di fronte a un piccolo chalet nascosto tra i pini. Dal camino usciva il fumo e le finestre erano illuminate. Avevano bussato e una donna con uno chignon biondo li aveva fatti sedere a un tavolo insieme ai suoi tre figli e gli aveva dato da mangiare gli Knödel, delle grandi palle di pane e carne immerse nel brodo. Mamma mia com'erano buone e morbide!

Fabrizio si accorse che non desiderava niente di piú nella vita che un paio di Knödel nel brodo. In fondo non gli costava niente dire di sí a Chiatti, dopo poteva sempre trovare un ristorante austriaco.

– D'accordo, la leggo. Non c'è problema. Scusate, sapete se in zona c'è un ristorante austriaco?

33.

Ad ogni gradino la testa di Antonio rimbalzava e il rumore sordo riecheggiava contro la volta di una scala che si perdeva nelle viscere della terra. Murder e Zombie trascinavano il capocameriere per le caviglie.

Il leader delle Belve, in testa al drappello, faceva luce con una torcia elettrica illuminando il soffitto della galleria scavata nel tufo. Si vedevano muffe verdastre e ragnatele. L'aria era umida e sapeva di terra bagnata.

Mantos non aveva la minima idea di dove portasse quella scala. Aveva aperto una vecchia porta e ci si era infilato prima che qualcuno li potesse vedere.

Silvietta si fermò a guardare Antonio. – Ragazzi, ma non gli faranno male tutte 'ste botte in testa?

Saverio si girò. – Ha la testa dura. Siamo quasi arrivati. Mi pare che laggiú finisce.

Murder era stanco. – Meno male. È un'ora che scendiamo. Sembra una miniera.

Finalmente raggiunsero una grotta. Zombie accese due torce fissate ai muri. E parte dell'ambiente si rischiarò.

Non era una grotta, ma un lungo stanzone dal soffitto basso con file di botti marcite e mucchi di bottiglie impolverate. Su ogni lato della camera una grata arrugginita chiudeva uno stretto cunicolo che portava chissà dove.

– Questo posto è perfetto per un rituale satanico –. Murder sollevò una bottiglia spolverando l'etichetta «Amarone del '43».

– Saranno le cantine reali, – buttò là Silvietta.

– I rituali satanici non si fanno nelle cantine. Al massimo nelle chiese sconsacrate o all'aria aperta. Comunque alla luce della luna –. Mantos indicò un angolo sotto le torce: – Dài, molliamo mio cugino e andiamo, non abbiamo tempo da perdere.

Zombie, in disparte, osservava una grata. Silvietta gli si avvicinò. – Che strano! Quattro cunicoli identici –. Allungò una mano oltre le sbarre. – Arriva aria calda. Da dove verrà?

Zombie sollevò le spalle. – Chi se ne frega.

– Dici che è sicuro lasciarlo qua? Non è che poi si risveglia?

– Non lo so... E nemmeno mi interessa granché –. Zombie si allontanò tutto sostenuto.

Silvietta lo guardò perplessa. – Ma che hai? Ti rode il culo?

Zombie s'incamminò sulla scalinata senza rispondere.

Mantos lo seguí. – Muoviamoci.

Le Belve avevano risalito un centinaio di gradini quando sentirono provenire dal basso un rumore smorzato.

Murder si fermò. – Che è stato?

– Si sarà risvegliato Antonio, – fece Silvietta.

Mantos scosse la testa. – Non credo proprio. Quello un paio di orette se le fa. Il Sedaron è potentissimo.

E proseguirono.

Se invece fossero tornati indietro avrebbero scoperto che il corpo di Antonio Zauli era scomparso.

Discorso di Salvatore Chiatti agli ospiti

34.

Fabrizio Ciba, con in tasca il libro di poesie di Neruda, girava in tondo dietro un carrozzone che per l'occasione era stato trasformato in palco. Gli avevano messo un microfono e spiegato che entro un paio di minuti sarebbe salito su a recitare la poesia. Non riusciva a capacitarsi di aver detto sí. Lui diceva no a chiunque. Agli uffici stampa piú aggressivi. Ai capi di partito. Ai pubblicitari che gli promettevano barche di soldi.

Che cazzo gli era preso? Era come se qualcuno lo avesse costretto a dire sí. E poi a lui Pablo Neruda faceva cagare.

– Sei pronto?

Fabrizio si girò.

Larita gli si avvicinò stringendo in mano una tazzina di caffè. Aveva un sorriso che ti faceva venire voglia di abbracciarla.

– No. Per niente, – ammise disperato.

Lei cominciò a grattare lo zucchero appiccicato al fondo della tazzina e senza guardarlo gli confessò: – Lo sai che una volta sono venuta a Roma a sentirti leggere dei brani della *Fossa dei leoni* alla basilica di Massenzio?

Fabrizio non se l'aspettava. – Ma dài. Perché non sei venuta a salutarmi?

– Non ci conoscevamo. Io sono una ragazza timida e poi c'era una fila lunghissima di gente che ti chiedeva l'autografo.

– Hai fatto molto male. È una cosa grave.

Larita rise facendosi piú vicina. – Vuoi sapere una cosa? A me 'sto genere di feste non mi piace. Non sarei mai venuta, se Chiatti non mi avesse offerto un cachet cosí alto. Sai, – continuò la cantante, – con questi soldi vorrei mettere le basi per un santuario dei cetacei a Maccarese.

Fabrizio rimase spiazzato e tentò un affondo un po' fiacco. – Avresti fatto male a non venire, non ci saremmo mai incontrati.

Lei prese a giocherellare con la tazzina del caffè. – Questo è vero.

– Senti, ma tu sei mai stata a Maiorca?

Larita rimase interdetta. – È assurdo che mi fai questa domanda. Conosci Escorca, nel nord dell'isola?

– È vicino casa mia.

– Ci andrò sei mesi per registrare il nuovo disco.

Fabrizio si mise una mano sulla bocca emozionato. – Io ho una casetta di campagna a Capdepera…!

Sfiga volle che proprio in quel momento arrivasse il tipo che gli aveva messo il microfono. – Dottor Ciba, deve salire sul palco. Tocca a lei.

– Un istante, – gli disse Fabrizio facendogli segno di restare indietro, poi posò una mano sul braccio di Larita. – Senti, fammi una promessa.

– Cosa?

Lui la guardò dritta negli occhi. – In queste feste tutti recitano una parte, la gente si sfiora appena. A noi non è successo cosí. Tu prima mi hai detto che ti è piaciuto *Il sogno di Nestore*. Ora mi dici che vai a Maiorca proprio dove io andrò a scrivere e a cercare un po' di pace. Mi devi promettere che ci rivedremo.

– Mi scusi, dottor Ciba, dovrebbe proprio salire.

Fabrizio fulminò con lo sguardo il tipo e poi disse a Larita: – Me lo prometti?

Larita fece sí con la testa. – Va bene. Te lo prometto.

– Aspettami qui... Vado, faccio una figura di merda e torno –. Fabrizio tutto contento salí, senza piú guardarla, le scalette che portavano sul carrozzone. Si ritrovò su un piccolo palcoscenico, di fronte al piazzale del giardino all'italiana gremito di invitati.

Ciba salutò con una mano, si infilò le dita nei capelli, fece un mezzo sorrisetto, cacciò fuori il libretto di poesie e stava per mettersi a leggere, quando vide Larita che si faceva spazio fra la folla e si avvicinava al palco. La bocca gli divenne secca. Gli sembrava di essere tornato ai tempi delle recite scolastiche. Rimise a posto il libretto e disse imbarazzato: – Avevo pensato di leggervi una poesia del grande Pablo Neruda ma ho deciso di recitarne una mia –. Pausa. – La dedico a una principessa che non tradisce le promesse –. E cominciò a recitare:

Il mio ventre sarà il forziere
dove ti nasconderò al mondo.
Colmerò le mie vene
con la tua bellezza.
Del mio petto farò la gabbia
per i tuoi dispiaceri.
Ti amerò come il pesce pagliaccio ama l'anemone.
Canterò il tuo nome qui, ora, adesso.
E strillerò la tua dolcezza tra i sordi
e dipingerò la tua bellezza tra i ciechi.

Ci fu un attimo di silenzio, poi partí un applauso fragoroso. Sentí alcuni che urlavano. – Bravo Ciba! – Sei proprio un grande poeta. – Sei meglio di Ungaretti!

Larita batteva le mani e gli sorrideva.

Fabrizio abbassò la testa e fece segno di smettere, come farebbe una persona timida e modesta, mentre l'immobiliarista saliva sul carro e sollevava le braccia incitando il pubblico. La platea cominciò a spellarsi le mani. Mancava poco che facesse la ola.

– Grazie Fabri'. Non potevo avere introduzione migliore –. Chiatti lo abbracciò come se fossero vecchi amici e lo spinse fuori dal palcoscenico.

Lo scrittore scese dal carrozzone con il cuore che gli batteva forte e la certezza di aver sbagliato tutto.

Ho esagerato con la poesia. A Larita ha fatto cagare sicuramente. Ti amerò come il pesce pagliaccio ama l'anemone. I ciechi... I sordi... Che orrore!

E poi, a dirla tutta, quella poesia non era proprio originale. Aveva rielaborato a modo suo, *di schifo*, una poesia del poeta libanese Kahlil Gibran che si era imparato a memoria a sedici anni, durante una settimana bianca, per conquistare una barista di Bormio.

Ho rovinato tutto.

L'aveva vista che applaudiva, ma si sa, un applauso non si lesina a nessuno.

E domani quel bastardo di Tremagli scriverà sul «Messaggero» che ho plagiato Gibran. Faranno i confronti tra la mia poesia e quella vera.

Doveva bere qualcosa e cercare di calmarsi prima di tornare da Larita. Andò al carretto dei superalcolici e si fece versare un doppio Jim Beam.

Sasà Chiatti, sul palco, si faceva grande raccontando i capitali che aveva speso per rimettere a posto la Villa. La folla lo applaudiva con regolarità ogni due minuti.

– Fabrizio… Fabrizio…

Si girò, sicuro che fosse Larita, e invece si trovò davanti Cristina Lotto.

Cristina Lotto aveva trentasei anni ed era la moglie di Ettore Gelati, proprietario di un consorzio di acque minerali e di diverse case farmaceutiche sparse per il globo. Avevano due figli adolescenti, Samuel e Ifigenia, che frequentavano un collegio in Svizzera.

Cristina conduceva un programma di bricolage su una rete satellitare. Insegnava a comporre originali centrotavola con i bastoni raccolti sulla spiaggia, e colorati copriwater all'uncinetto.

Era una biondina ossuta, con due gambe lunghe e snelle, un culo tosto e un paio di piccole tette a palloncino macchiate di efelidi. Aveva la faccina da ragazza di buona famiglia, educata dalle suore. Gli zigomi alti e lentigginosi e due occhi azzurri incorniciati da capelli dorati e liscissimi. Una bocca con poche labbra e il mento puntuto.

Cristina era, senza dubbio, una bella donna, con un fisico atletico. Sempre vestita con gonne, golfini di angora e fili di perle, aveva una vocina lamentosa che non trasmetteva alcuna sensualità. Era arrapante come una foglia di lattuga scondita. Ciò non aveva impedito a Ciba di far-

sela un paio di volte al mese negli ultimi due anni. Le ragioni? Erano abbastanza oscure anche a lui. Sicuramente
c'entrava il fatto che era la moglie di un uomo che si sentiva il padrone dell'universo. L'idea infantile che, mentre
l'imprenditore si faceva un culo come un paiolo per diventare l'uomo piú ricco d'Italia, lui gli trombava la moglie,
a Fabrizio risultava eccitante e spassosa nello stesso tempo. Godeva quando Cristina, dopo l'amplesso, gli poggiava la testa sul torace e gli raccontava che razza di pallone
gonfiato era il signor Gelati, con la sua passione per il volo in aliante e le sue pretese di nobiltà. O quando Cristina si dilungava, con una certa ironia, sulle frustrazioni di
un'esistenza all'ombra di un uomo egotico e insensibile.
Fabrizio si faceva raccontare per filo e per segno tutti i fatti piú meschini che alla fine trasformavano questo padrone dell'universo in un povero miserabile.

C'era un'altra cosa da non sottovalutare. Fabrizio viveva nella sua casa a via Mecenate in un totale degrado e
si alimentava esclusivamente nei ristoranti. I Gelati invece possedevano un attico di cinquecento metri quadri sopra piazza Navona, con un bagno di marmo bianco che
sembrava l'Ara Pacis e un frigo grande come un forziere
colmo di ostriche freschissime, prosciutto Serrano e specialità provenienti da tutte le parti del mondo. Cristina
era sempre sola e Fabrizio quando voleva rilassarsi andava da lei. Si immergeva nella piscina riscaldata, guardava
le partite nella saletta cinema e si faceva preparare delle
cenette sfiziose.

– Cristina? – fece Ciba sorpreso. Non era mai successo che lei gli parlasse in pubblico. Lo evitava accuratamen-
te, terrorizzata che qualcuno li potesse notare insieme. L'i-
ra del padrone dell'universo, se avesse scoperto la loro re-

lazione, poteva essere furiosa e distruttiva come quella di un dio babilonese.

Cristina, per l'occasione, indossava un tubino nero con una scollatura sulla schiena che le arrivava alle chiappe e un cappello con la veletta. Era sconvolta. – Fabrizio! Ti devo parlare...

Allo scrittore salí una nausea terribile. – Che succede?

– Una cosa gravissima...

35.

Un pianista accennò il tema del film *La mia Africa*. Sasà Chiatti, al centro del palco, chiese al pubblico un attimo di silenzio. – Per favore vorrei un applausone per Corman Sullivan...

Due modelle nere salirono sul palco portando a braccetto il vecchio cacciatore.

Silvietta poggiò il vassoio con le tartine al salmone e cominciò ad applaudire insieme agli ospiti.

Forse è il Dalai Lama.

La vestale delle Belve era emozionata. Non avrebbe mai immaginato in vita sua di poter partecipare a un party cosí esclusivo. Era sicura che neanche a Hollywood arrivassero a tanto. Bastava buttare un occhio e subito ti appariva un vip. Non che lei amasse particolarmente i vip, ma a vederli cosí da vicino un po' di impressione ti facevano. E poi aveva appena sentito Fabrizio Ciba recitare una poesia d'amore cosí dolce che si era commossa... Doveva essere una persona eccezionale. Cosí timido e introverso. Forse poteva chiedergli un autografo. Una sua poesia ci sarebbe stata benissimo sul biglietto di partecipazione al matrimonio. Poteva provare a chiedergliela. Sembrava uno che nonostante il successo non si era montato la testa.

Silvietta si disse che da quella festa poteva trarre degli spunti originali per il pranzo del suo matrimonio. Quelle sculture di ghiaccio, ad esempio, non dovevano essere difficili da fare. E pure i pavoni e i tacchini che si aggirano tra gli invitati era una bella idea. E i carretti con il cibo sopra. Ma la cosa che le dava alla testa era quella vecchia Apecar che offriva i gelati e le grattachecche.

Non ci basteranno mai i soldi che abbiamo, per tutte queste cose.

Murder aveva chiesto un mutuo alla banca per il matrimonio. Ventimila euro che bastavano appena ad affittare il *Vecchio cantinone* di Vetralla, a pagare il catering e gli addobbi floreali per la chiesa.

Sarà una cosa piú semplice, ma verrà bene lo stesso.

Vide Zombie che si aggirava come uno spettro tra gli invitati, con un piatto di tramezzini in mano. Non ci provava neanche a fare il cameriere.

Peccato che sarà morto quando ci sposiamo.

Il fatto che non fosse presente al matrimonio la faceva stare troppo male. Era il suo migliore amico, il suo biscottino, e aveva sperato che le facesse da testimone. Lo osservò. Era ridotto uno schifo. Come se gli fosse passato sopra un tram. Forse anche lui non aveva voglia di suicidarsi. Se era cosí doveva parlarci.

Mollò il vassoio di tartine e corse da Zombie, che si era seduto a un tavolo e beveva un bicchiere di prosecco.

– Biscottino, che succede?

Lui la guardò assente.

Silvietta gli si inginocchiò di fronte e gli afferrò la mano. – Ohi, che hai? Sei strano.

Lui si liberò: – Vi ho sentiti.

Lo stomaco le si strinse e balbettò: – Cosa? Di che parli?

– Vi ho sentiti. Vi sposate. Non mi hai detto nulla.

– Te lo volevo dire, ma mi... – Silvietta non riuscí ad andare avanti. Abbassò la testa.

– Bene. E da quanto tempo state facendo i preparativi? Che aspettavate a dircelo? Ci hai messo nella lista degli invitati? Cancellaci perché non ci saremo.

– Senti, ma perché non molliamo tutti quanti?

Zombie si prese un altro calice di vino. – Mollare? Sei fuori di testa? Forse voi due pensate che questo è un gioco, che siamo venuti a una festa, a giocare ai satanisti. Ti sbagli. Qui si va fino in fondo. Io non abbandonerò mai Mantos. Lui ha dato un senso alle nostre vite, ci ha mostrato quanto è ipocrita questa società di merda. Ci ha indicato la Via del Male. Ci ha insegnato a indirizzare il nostro odio. Mantos ha lasciato moglie, figli, mobilificio e ha deciso di immolarsi per farci diventare la setta numero uno in Italia. E voi lo tradite cosí? – Si alzò in piedi e si finí in un sorso il prosecco. – Fai come cazzo vuoi, ma sappi che il mio ultimo pensiero prima di morire sarà rivolto a voi due. I piú infami che ho mai incontrato in vita mia –. E se ne andò.

Silvietta si accasciò a terra e scoppiò a piangere.

36.

– Ma che è successo, me lo vuoi dire? – Fabrizio Ciba seguiva Cristina Lotto nella folla e intanto si guardava intorno cercando Larita, ma in quel bordello era difficile scovarla.

– Non parlarmi. Seguimi e basta. Mio marito potrebbe vederci, – gli disse la donna parlando a testa bassa come se fosse pedinata. – Andiamo in casa.

S'intrufolarono tra i carretti del buffet ed entrarono nella villa.

Cristina si guardava intorno. Gli ospiti avevano invaso pure i salotti. – Dove sarà un bagno?

Per un attimo lo scrittore pensò che quella era tutta una scusa per farsi una sveltina nel cesso. Ma era troppo agitata. E poi Cristina, nonostante fosse una vecchia ninfomane, era sempre stata molto attenta a pianificare con cura i loro incontri amorosi. Proprio per questo Fabrizio aveva continuato a frequentarla. Non avrebbe mai combinato casini, teneva tantissimo alla sua famiglia e se venivano scoperti ci rimetteva piú di lui.

– Senti, non ne possiamo parlare domani? Adesso io avrei un po' da fare.

– No –. Cristina aprí una porta. – Eccolo.

Il bagno era uno stanzone di una settantina di metri quadrati. Tutto ricoperto di doghe di rovere e travoni di legno, neanche fosse uno chalet di Cortina. Anche qui era pieno di invitati che ridevano e chiacchieravano con le loro facce paonazze e i cravattoni. Donne di fronte agli specchi si rifacevano il trucco. Una fila si snodava tra le colonne per entrare nei gabinetti dove sicuramente si stavano tirando qualsiasi cosa. Si respirava un'atmosfera di eccitazione assolutamente inusuale per una festa romana.

Due tizi in smoking facevano conversazione urlando.

– Ho comprato un trullo in Piemonte.

– Non sapevo ci fossero i trulli in Piemonte.

– Sí. Sono originali. Te li smontano mattone per mattone in Puglia e te li rimontano vicino Alessandria. C'è un vero e proprio comprensorio residenziale di trulli.

– E costano tanto?

– Posso dirti? No. Assolutamente.

Cristina avvicinò la bocca all'orecchio di Fabrizio. – Qui non va bene. Seguimi.

Trovarono una piccola stanza, arredata con semplicità. Poteva essere la camera di un domestico. Cristina chiuse la porta a chiave e sedette sul letto.

Fabrizio si accese una sigaretta. – Ora mi dici per favore che è successo?

Lei si tolse il cappello. – Samuel ci ha beccati.

– Chi cazzo è Samuel?

– Mio figlio. Ci ha beccati.

Fabrizio non capiva. – In che senso?

– Ci ha beccati... – Cristina prese aria come se facesse fatica a parlare. – ... mentre facevamo l'amore in cucina.

– Cazzo! – Anche Fabrizio si sedette sul letto.

E se il ragazzino lo raccontava a Gelati? Ci metteva una mano sul fuoco che quel pezzente avrebbe messo tutto a tacere pur di non passare per cornuto. Per certi versi era meglio cosí. Quella storia doveva finire. Non avrebbe neanche dovuto inventare una palla per troncarla. E poi ora la sua mente funzionava come un missile teleguidato che ha un solo obbiettivo da colpire: Larita e il loro trasferimento a Maiorca.

Fabrizio si mise le mani nei capelli cercando di apparire costernato. – Porca miseria... Mi dispiace tanto... Poverino, si deve essere traumatizzato.

Cristina fece un sorrisino a labbra strette. – Traumatizzato? Quello? Vuole un sacco di soldi se no la nostra scopata finisce su internet.

Forse Fabrizio non aveva capito bene. – Cosa hai detto?

– Ci ha ripreso con il telefonino.

– Ma scusa... Come cazzo si chiama... Tuo figlio non sta in collegio in Svizzera?

– Di solito sí. Solo che quel weekend era a Roma. Mi aveva detto che stava a casa di un amico al mare. Deve essere rientrato in casa e…

– Ma tu l'hai visto 'sto video?

– Me l'ha mandato per email.

– Ma che si vede?

– Io e te. Ci si vede benissimo. Sembra un film porno. La fine poi è terribile, tu mi scopi da dietro mentre io sto mantecando le pennette ai quattro formaggi.

– Pure quello ha ripreso?

– Sí.

Fabrizio si accorse che le ascelle erano bagnate e fredde e gli sembrò che non ci fosse aria nella stanza. Aprí la finestra e cominciò a respirare cercando di calmarsi. – Che figura di merda –. Non bisognava farsi prendere dal panico. – Dài, è un bravo ragazzo, non lo farebbe mai.

– Lo fa sicuro –. Cristina non aveva dubbi.

– Secondo me è solo arrabbiato perché lo trascuri. È la classica dimostrazione di un adolescente che cerca l'attenzione materna.

Cristina fece no con la testa.

– Quanto vuole?

– Centomila euro.

Ciba spalancò gli occhi. – Non ho capito bene. Hai detto centomila euro? Ma è completamente fuori di testa?

– Ne vuole cinquanta da me e cinquanta da te. Dobbiamo fargli un bonifico sulla sua banca Svizzera. Mi ha dato l'IBAN.

– Da me? E perché da me?

– Cosí impari a scoparti sua madre, ha detto. E ha aggiunto che ci sta facendo un prezzo da amico. Se lo vende a un giornale si fa molto di piú. Tu sei la prima star della letteratura a essere beccata in un filmino porno. Samuel sostiene che potresti tranquillamente rivaleggiare con Paris Hilton e Pamela Anderson.

– Ma è proprio un figlio di puttana?

Cristina sollevò le spalle. – Esattamente.

– Non possiamo contrattare? Farlo scendere un po'? Cinquanta in due. Che dici?

– Non credo proprio. È molto determinato, tale e quale suo padre. Sai, da grande Samuel vuole fare il regista... Il video ha persino i titoli di testa con i nostri nomi e la colonna sonora del *Gladiatore*.

Fabrizio cominciò a girare in tondo per la stanza. – Questa cosa è tremenda. Tuo figlio è una vera merda. E poi chi ci assicura che non si terrà una copia e continuerà a ricattarci?

– No! Questo non lo farebbe mai. Samuel è un bravo ragazzo. È onesto, mi fido della sua parola.

– Onesto? È uno squalo travestito da ragazzino... Se esce su internet è una figura di merda esagerata. Sono rovinato per sempre. E se lo facciamo picchiare da qualcuno?

– Ci avevo pensato. Il cognato del mio carrozziere per pochi spicci gli darebbe una bella bussata. Solo che sono sicura che mi si incattivisce ancora di piú. Ma non mi dire che ne fai una questione di soldi. Non è da te. È cosí di cattivo gusto.

Ciba odiava passare per spilorcio. – No, no. È che buttare i soldi cosí... Ma dimmi una cosa, io come mi comporto?

Cristina lo guardò senza capire. – In che senso?

– Dico... Ecco... – Non trovava le parole per esprimersi. – Ci faccio almeno una bella figura? La pancia si vede? Ho fatto una buona prestazione?

– Non male...

– Almeno questo –. Fabrizio afferrò la maniglia della porta. – Mandami il numero per il bonifico e speriamo bene. Che ti devo dire.

– E noi due?

– E noi due mi pare che possa bastare cosí –. Uscí e si chiuse la porta alle spalle.

37.

Mantos, con un vassoio di coppe di Champagne, si aggirava come un perfetto cameriere tra gli invitati cercando Larita. Sembrava di stare alla premiazione dei Telegatti. C'era mezza televisione, mezza serie A. Ma soprattutto c'era una densità di figa per metro quadrato che quasi stuccava.

Da piccolo a Mantos lo zucchero non piaceva. I gelati, i semifreddi, gli affogati al caffè non facevano per lui. Preferiva il salato, anche per la prima colazione. E fra pizzette, panini, toast, su tutti svettava il tramezzino. Gli piacevano tutti, anche se il primo posto se lo contendevano quello al pollo e quello ai gamberetti e rucola. Al *Bar Internazionale* di Fiano Romano ne avevano pochi tipi ed erano pure secchi. E facevano il grave errore di scaldarli nel fornetto elettrico e non dentro la piastra. Anche se, va detto per inciso, solo in presenza di prosciutto o prodotti caseari quali mozzarella e formaggio dolce si richiede l'utilizzo della piastra rovente.

Tutti gli raccontavano che a Roma i tramezzini erano un'altra cosa. Ti si scioglievano in bocca ed erano sempre freschi. Li tenevano nascosti sotto fazzoletti bagnati che ne mantenevano il giusto grado di umidità. Saverio immaginava la capitale come una città dove le case erano a forma triangolare e dovunque per la strada c'erano dei lunghi espositori di tramezzini.

Per il suo compleanno aveva chiesto a suo padre di portarlo a Roma a mangiare quelle delizie. E suo padre, per una volta, lo aveva accontentato. Anzi aveva esagerato. Sotto consiglio dello zio Aldo, che lavorava al ministero della Pubblica istruzione, lo aveva portato alla *Casa del Tramezzino* su viale Trastevere, angolo piazza Mastai.

Quando il piccolo Saverio Moneta aveva fatto il suo ingresso in quel tempio culinario si era commosso. Davanti a lui si paravano muraglie di tramezzini custoditi dietro teche di cristallo. Si andava dal semplice prosciutto e mozzarella a quello con salsiccia, maionese e indivia belga. Pesce persico, rucola e stracchino. Carpaccio di agnello, salsa rosa e capesante. A uno, a due, a tre strati. Fino al Club Sandwich Ambassador Gran Royal. Una belva a dodici piani in cui venivano stipati sessantacinque ingredienti.

«Hai tremila lire a disposizione. Non le sprecare. Scegli bene», gli aveva detto suo padre.

Il ragazzino correva impazzito da un capo all'altro del locale senza riuscire a prendere una decisione. Le mani gli sudavano e lo stomaco gli si chiudeva. Alla fine era uscito fuori con le banconote intatte.

E cosí anche adesso, in mezzo a quegli stacchi di coscia vertiginosi, quelle labbra tumide come totani in umido, quei seni tondi come cupole del Brunelleschi, Mantos arretrò nauseato e si accorse di una brunetta che si aggirava un po' sperduta tra quei supereroi.

Larita...

Sembrava una studentessa universitaria, con quella gonna scozzese, la giacca nera e la camicetta bianca.

Mantos iniziò una manovra di avvicinamento mentre

Sasà Chiatti continuava a parlare dal palco. – ... Abbiamo voluto strafare per farvi divertire... Ci sono tre cacce diverse. Alla volpe, alla tigre e al leone. La caccia alla volpe però è riservata a chi sa montare bene a cavallo. E sarà eseguita secondo le antiche regole del duca di Beaufort. Una muta di trenta beagle è pronta nei canili. Per questa caccia la divisa è di rigore: giacca rossa, nera, in tweed o in pied-de-poule, cravatta bianca, guanti bianchi, pantaloni chiari e ovviamente stivali e cap.

Dal pubblico si levò un brusio. Gli invitati si osservavano a vicenda scuotendo la testa. – Ma come facciamo? – È una follia. – Non abbiamo i vestiti.

L'immobiliarista li rassicurò. – Tranquilli, guaglio'! È tutto a posto, non vi agitate. Lo stilista Ralph Lauren ha generosamente offerto l'abbigliamento per le cacce. Dietro la villa c'è un accampamento dove le gentili signore e i gentili signori potranno trovare tutto l'occorrente per prepararsi. Le tende rosse sono quelle per la caccia alla volpe, quelle arancioni per la caccia alla tigre e quelle beige per la caccia al leone. Dopo, se desiderate, i vestiti potete portarveli a casa.

– Chiatti, sei un signore! – urlò qualcuno. – Ralph sei un grande! – fece un altro.

Mantos era arrivato a pochi metri dalla cantante. A braccia incrociate Larita guardava il palco un po' annoiata. Era piccoletta, ma era ben proporzionata. E sembrava che non c'entrasse nulla là in mezzo.

Uno spilungone con una barba nera e gli occhiali da sole, vestito con un giubbotto di pelle consunto, gli stivali da cowboy di pitone, i jeans logori e una camicia a quadri di flanella, le si era appiccicato e continuava a ridere e mollarle gomitate, come se si conoscessero da una vita. Lei però non sembrava divertirsi altrettanto.

Mantos era certo che il cowboy fosse uno famoso. Lí dentro non c'erano molte possibilità: o eri vip o eri cameriere. Aveva tutta l'aria del musicista rock.

I gusti del leader delle Belve di Abaddon spaziavano tra generi musicali diversi: dai *Carmina Burana* di Orff a Wagner, dai Popol Vuh ai Dead Can Dance e non ultimo Billy Joel. La musica italiana non la tollerava.

Quando il cowboy si tolse il cappelletto per sventolarlo verso Chiatti, Mantos vide la bandana con la bandiera della pace.

Era il distintivo di Cachemire, il cantante del gruppo anconetano di rock metal Animal Death. Gli idoli di Murder e Zombie.

Cachemire fece un segno a Mantos. – Ohi! Cameriere, vieni qui.

Mantos fu costretto a girarsi. – A me?

– Sí, a te. Vieni qui.

Il leader delle Belve si avvicinò a testa bassa. Porse il vassoio con l'ultimo bicchiere di Champagne.

– Ce l'hai una birretta?

– No, mi dispiace.

– E non è che me ne vai a prendere una? Anzi fai una bella cosa, portami direttamente una cassa.

Mantos fece segno di sí.

Larita diede una pacca sulla spalla al cantante. – Io vado a fare un giretto. Ci vediamo dopo.

Il leader delle Belve si sorprese della voce di Larita. Era rauca e profonda. Sulla nuca, sotto i capelli corti, aveva tatuate due piccole ali d'angelo.

È lí che cadrà la Durlindana.

– Va bene, – fece il cowboy. – A che caccia vai tu? Io sono indeciso.

– Non ci vado. Odio queste cose –. Larita si allontanò,

seguita a qualche metro da Saverio che bestemmiava in silenzio.

La stronza non partecipava alle cacce. Questa proprio non ci voleva. La sfiga continuava ad accanirsi su di lui.

La cantante, di colpo, gli si avvicinò: – Scusi, non ha visto Ciba... Fabrizio Ciba?

Chi cazzo è Ciba?

Mantos aveva la lingua paralizzata e l'unica cosa che riuscí a fare fu sollevare le spalle.

Larita sembrava stupita della sua ignoranza. – Lo scrittore! Non lo conosce? Quello che prima ha letto la poesia sul palco.

– No, mi spiace.

– Non importa. Grazie lo stesso –. Larita si allontanò tra gli invitati.

Silvietta aveva ragione, quella troia era un'animalista. E ora come la rapivano?

Mantos buttò giú l'ultima coppa di Champagne.

38.

Anche Fabrizio Ciba si stava scolando un doppio scotch, seduto a un tavolino appartato. Non ci poteva pensare che c'era il rischio che il filmino porno girasse su internet.

– Frate'! – Paolo Bocchi avanzava verso il tavolino con un altro Mojito in mano. Da come barcollava doveva essere già ubriaco. Gli occhi iniettati di sangue, sudato come se avesse appena finito una partita di basket. Sotto le maniche della giacca si erano formati due aloni scuri. Si era slacciato la cravatta e sbottonato la camicia, si intravedeva il bordo della canottiera di lana. La patta dei pantaloni era aperta.

Il chirurgo acchiappò il collo a Fabrizio. – Che stai a fa' solo soletto?

Lo scrittore non ebbe nemmeno la forza di reagire. – Niente.

– Mi hanno detto che hai letto una poesia grandiosa. Peccato, ero al cesso, me la sono persa.

Ciba si accasciò sul tavolo.

– Ti vedo abbattuto. Che è successo?

– Rischio di fare una figura di merda planetaria.

Bocchi si sedette sulla sedia accanto alla sua e si accese una sigaretta, prendendo grandi boccate.

I due rimasero in silenzio per un po'. Poi il chirurgo sollevò la testa verso il cielo e cacciò fuori una nuvola di fumo. – Che palle, Fabrizio. Ancora con 'sta storia?

– Quale storia?

– Quella delle figure di merda. Da quanto ci conosciamo?

– Da troppo tempo.

Bocchi non si offese. – Dal liceo non sei cambiato di una virgola. Sempre ossessionato da 'ste figure di merda. Come se ci fosse qualcuno che sta sempre a giudicarti. Te lo devo spiegare io? Tu fai lo scrittore e a certe cose dovresti arrivarci da solo.

Fabrizio si girò spazientito verso il suo compagno di scuola. – Cosa? Di che parli?

Bocchi sbadigliò. Poi gli prese la mano. – Allora non hai capito. Il tempo delle figure di merda è finito, morto, sepolto. Se n'è andato per sempre con il vecchio millennio. Le figure di merda non esistono piú, si sono estinte come le lucciole. Nessuno le fa piú, tranne te, nella tua testa. Ma non li vedi a questi? – Indicò la massa che applaudiva Chiatti. – Ci ricopriamo di letame felici come maiali in un porcile. Guarda me, per esempio –. Si alzò in piedi barcollando. Allargò le braccia come a mostrarsi a tutti, ma gli girò la testa e si dovette sedere di nuovo. – Io mi sono specializzato a Lione con il professor Roland Château-Beaubois, ho la cattedra a Urbino, sono un primario. Guarda come sto ridotto. Secondo i vecchi parametri sarei una figura di merda ambulante, un essere infrequentabile, un cafone impaccato di soldi, un tossico, un personaggio spregevole che si fa ricco sulle debolezze di quattro carampane, eppure non è cosí. Sono amato e rispettato. Vengo invitato pure alla festa della Repubblica al Quirinale e in ogni cazzo di trasmissione medica. Scusa, ma andando sul personale... Quel programma che hai fatto in televisione non era una grezza?

Ciba provò a difendersi. – Veramente...

– Lascia perdere, era una grezza.

Fabrizio fece un cenno d'assenso.

– E quella storia con quella, la figlia... Non mi ricordo, vabbe' era una figura di merda.

Ciba fece una smorfia di dolore. – Vabbe' adesso basta.

– E che ti è successo? Nulla di nulla. Quante copie in piú hai venduto con tutte queste teoriche figure di merda? Una cifra. E tutti dicono che sei un genio. Quindi, lo vedi che vieni a me? Quelle che tu chiami figure di merda sono sprazzi di splendore mediatico che danno lustro al personaggio e che ti rendono piú umano e simpatico. Se non esistono piú regole etiche ed estetiche le figure di merda decadono di conseguenza –. Bocchi si allungò verso Ciba e lo abbracciò affettuosamente. – E poi lo sai chi è l'unico che non ha mai fatto figure di merda in vita sua? Nemmeno una?

Lo scrittore fece no con la testa.

– Gesú Cristo. In trentatre anni non ne ha fatta nemmeno una. E con questo ho detto tutto. Adesso, però, tu mi fai un piacere. Ti prendi questa caramellina –. Bocchi tirò fuori dalla tasca della giacca una pillola ovale viola.

Fabrizio la osservò sospettoso. – Cos'è?

Bocchi sgranò gli occhi, i globi oculari gli sporgevano dalle orbite come quelli di un rospo delle canne, e con il tono di un vecchio mercante di spezie rare spiegò: – Fenoloidrocloruro Benjorex. Questo non è un allucinogeno qualsiasi, non si trova in giro –. Si diede una pacca sul petto. – È speciale. Solo zio ce l'ha 'sta mercanzia. Hai presente i funghi magici, peyote, ecstasy, MDMA? Sono, piú o meno, l'equivalente della Dolce Euchessina, a confronto con questa pillolina. È un farmaco schedato dall'associazione Human Rights Watch come arma chimica. È stato usato da neuropsichiatri sperimentali nelle carceri russe per far regredire all'infanzia i terroristi ceceni, e dall'ente della ricerca spaziale russa nelle ricerche sugli effetti psicotropi in assenza di gravità. Adesso ce ne facciamo una per uno e vedrai che 'sto baraccone improvvisamente diventerà il mondo di Oz e io e te ci divertiremo alla grande –. Cacciò la pillola nel taschino della giacca di Ciba, che si alzò di scatto, inorridito, e fece tre passi indietro. – Bocchi, tu stai veramente male. Tu, oltre che un tossico, sei anche uno psicopatico. Tu mi vuoi fare morire, di' la verità. Tu mi odi. I ceceni… l'assenza di gravità… La fine delle figure di merda… Ti chiedo un favore. Ti imploro. Lasciami stare. Io e te non abbiamo avuto mai nulla in comune. Nemmeno al liceo. Non siamo mai stati amici, fratelli, un cazzo di nulla. Non abbiamo niente a che spartire, quindi, ti chiedo la cortesia, lasciami in pace e se mi incontri cambia strada.

Bocchi gli sorrise. – Occhei –. Tirò fuori un'altra pillola, se la cacciò in bocca e si finí il Mojito.

39.

Sasà Chiatti era passato a spiegare la caccia alla tigre.
– Come ci insegna la tradizione vittoriana, la caccia alla
tigre si fa con gli elefanti. Ho trovato quattro magnifici
esemplari provenienti da un circo di Cracovia e vi ho fatto montare sopra delle ceste di vimini fatte a mano a Torre Annunziata, che possono contenere fino a quattro cacciatori. Ogni bestia è condotta da un mahut indiano, che
conosce il suo animale come se stesso. La tigre si chiama
Kira, ha cinque anni. L'ho comprata dopo lunghe trattative dallo zoo di Bratislava. È una splendida femmina albina, come la mia dolce metà, che ci sono volute anche piú
trattative per convincerla a stare con me. Questa caccia
durerà circa tre ore e alla fine ci sarà una cena sulle case
galleggianti. Lí è stato allestito un self-service con piatti
della cucina indiana.

A poche decine di metri, dietro le baracche delle cuci-
ne, le Belve di Abaddon si erano riunite per una riunione
straordinaria.
– Siamo nella merda! – esordí Mantos.
Murder, con la bocca piena di bruschetta allo storione,
bofonchiò: – Che succede?
– Larita non partecipa alla caccia.
– Ve l'avevo detto io! Quella è un'animalista, – fece
Silvietta tutta contenta.
A Mantos iniziavano a girare le palle, ma cercò di man-
tenere la calma. – Brava! Lo sapevi! E ora? E ora mi toc-
ca mettere in atto il piano B.
Zombie, che se ne stava da una parte immusonito, scattò
in piedi. Aveva gli occhi gonfi e quasi tremava. – Ora ba-

sta! Non ne posso piú, – sbottò. – Adesso te ne esci pure con un piano B? Come se esistesse un piano A? Questa, caro Mantos, è la dimostrazione palese che tu non sarai mai un Kurtz Minetti o un Charles Manson. Tu... tu improvvisi. Questa non è una setta satanica, questa è una setta di poveracci. 'Sti due che... – indicò Murder e Silvietta. – Lasciamo perdere che è meglio. La verità è che non siete dei professionisti. Doveva finire in pizzeria 'sta storia di merda. Che errore mettermi con voi. Pure tu Mantos mi hai deluso. Sei arrivato qua e ci hai fatto vedere Villa Ada sulla piantina del Tutto Città. Ma ti rendi conto? La Durlindana... La rapiamo nei boschi... Ci suicidiamo... Diventiamo la setta satanica numero uno d'Italia. Ma sparate con la cerbottana! Sai che vi dico? Andate a fare in culo tutti quanti! – E si avviò verso la strada.

Saverio guardò stravolto i due adepti: – È impazzito? Che gli è successo?

– Lo so io che ha, – fece Silvietta, e corse dietro a Zombie.

Murder, con la bruschetta in mano, guardò il suo leader. – Ma che sta succedendo?

– E che ne so? È la tua fidanzata. Muoviti.

Murder sbuffò e si allontanò di corsa, seguendola.

Il leader delle Belve si accasciò sulla sedia coprendosi il volto con le mani.

Come dargli torto? Non esisteva nessun piano B. E anche il piano A faceva acqua da tutte le parti.

Perché non ho accettato la proposta di Kurtz Minetti? Non avrò mai la stoffa del leader. E adesso che faccio?

Aveva tagliato i ponti con tutto e non poteva piú tornare indietro. E quando Antonio avrebbe ripreso conoscenza se lo sarebbe inculato.

L'unica era una missione kamikaze. Correre verso Larita e, recitando velocemente le Tavole del Male, conficcarle la Durlindana nel cuore.

– Silvietta! Silvietta, amore, fermati. Mi fa male la milza, – ansimava Murder, tenendosi una mano premuta sul ventre mentre inseguiva la fidanzata nel bosco. – Dove vai? Ci sono le bestie feroci... È pericoloso.

La vestale fece ancora qualche passo e poi, come se avesse finito la carica, si fermò e si lasciò cadere a terra sotto un grande fico selvatico che piegava i suoi rami pesanti verso il basso.

Murder le si avvicinò, si inginocchiò e tese una mano senza toccarla, come timoroso. – Che succede, ciccina? Che hai?

Lei parlò con il volto coperto dalle braccia. – Zombie ci ha sentiti.

– Cosa?

Silvietta si girò. Aveva le guance rigate dalle lacrime. – Il matrimonio. Ha scoperto tutto. È molto arrabbiato.

– Che ti ha detto?

– Che siamo due traditori. Due infami. Che li stiamo abbandonando. E ha ragione.

Murder strinse i pugni, si mise in piedi. – Vabbe', adesso però non esageriamo... D'accordo, non ci siamo comportati benissimo, ma infami traditori è un po' troppo.

Lei gli prese una gamba e lo guardò, il viso illuminato per metà da un raggio di sole che filtrava attraverso le foglie. – Ascoltami, ci ho pensato. Non possiamo mollarli. Non me la sento e non è giusto. Abbiamo fatto il patto satanico. Nel bosco di Sutri abbiamo giurato di lottare insieme, uniti, contro le forze del Bene. Ti ricordi?

Murder, a malincuore, fece segno di sí.

– Quindi ci dobbiamo suicidare.

Lui la guardò negli occhi. – Dici?

– Vieni qua, dài.

Lui si abbassò. Silvietta con l'indice gli mise a posto una ciocca di capelli che gli cadeva sulla fronte. – Sí, dico di sí.

Murder cominciò a dondolare la testa e a sbuffare. – Però che palle! E ora come facciamo? – Provò ad alzarsi, ma lei lo trattenne. – Ho già dato la caparra per il *Vecchio cantinone*, per non parlare della prenotazione del viaggio a Praga. A saperlo non facevo il mutuo. E i miei stanno organizzando tutto.

Silvietta sorrise. Aveva gli occhi lucidi, ma sereni. – Murder chi se ne frega… Tanto moriamo.

– Certo… Ma lo sai come sono fatto. Odio avere conti in sospeso.

– Che importa del matrimonio. Noi ci amiamo e insieme moriremo. Uno accanto all'altra. Rimarremo uniti per l'eternità. Come Romeo e Giulietta.

Quel ragazzone se la strinse forte fin quasi a soffocarla e le poggiò la testa contro la spalla. – Ma io ho paura… Non mi va…

Silvietta gli sfiorò il collo con le labbra. – Tranquillo, tesoro. Ci sono io con te. Ci terremo per mano. Vedrai, sarà bellissimo.

Ci fu il lungo canto stridulo di un uccello sconosciuto.

Silvietta sollevò la testa. – Hai sentito? Sembrava un pappagallo.

– Dici che è un pappagallo?

Lei gli sussurrò in un orecchio. – Ti amo.

Murder la baciò.

Organizzazione dei gruppi-caccia
Vestizione e assegnazione delle armi

40.

Dopo il discorso di Chiatti tutti gli invitati si mossero in branco dal buffet alla zona di preparazione per la caccia. Si respirava un'atmosfera eccitata e alcolica. I drink nello stomaco e la droga nella testa avevano reso tutti gioviali e di buonumore. Come aveva promesso l'immobiliarista, trovarono le tende per cambiarsi. Su un lato c'era un'armeria. Decine di fucili erano poggiati sulle rastrelliere. Le hostess segnavano su dei fogli i partecipanti ai diversi safari e facevano firmare una dichiarazione di non responsabilità. Se qualcuno si faceva male, si sparava, non erano affari di Sasà Chiatti.

Fabrizio Ciba si aggirava nell'accampamento ripensando alle parole di Bocchi. Quel balordo non aveva tutti i torti. Il filmino porno alla fine poteva portare un mucchio di pubblicità e forse le vendite dei suoi romanzi sarebbero ripartite alla grande. E senza considerare che poteva diventare un idolo del sesso, cosa che non fa schifo a nessuno.

In quel momento l'amministratore delegato della Martinelli insieme a Matteo Saporelli e al critico Tremagli uscirono da una tenda vestiti in abbigliamento coloniale. Pantaloncini corti, camicia cachi e cappello di sughero da esploratore. Tra le mani stringevano dei grossi fucili guardandoli come manufatti alieni.

La caccia al leone è da escludere.

Simona Somaini sbucò dalla tenda della caccia alla volpe con un paio di pantaloni che le fasciavano le gambe e il culo come una seconda pelle e la giacchetta rossa aperta quel giusto da mostrare le tette strizzate. La seguiva un bestione con il pizzetto e il codino, vestito con una mimetica militare, un fucile a pompa sottobraccio.

Fabrizio aveva già visto il bestione. Doveva essere uno sportivo.

Lo scrittore fece due passi e si ritrovò Larita davanti. Gli venne voglia di abbracciarla, ma si trattenne.

Anche la cantante sembrava contenta di averlo ritrovato. – Ti ho cercato dappertutto. Ma dove eri finito?

Ciba fece quello che gli veniva piú naturale. Mentí. – Ti stavo cercando. Senti, ma che facciamo? Non mi dire che vuoi partecipare a 'sta pagliacciata?

– Io? Mai sei matto? Io sono animalista.

– Brava! – Ciba era sollevato. – Allora scappiamocene.

Lei lo guardò stupita. – Io non posso andarmene, devo cantare… Sono venuta qui per questo.

Fabrizio cercò di mascherare la delusione. – Hai ragione. Non ci avevo pensato, però… – Non riuscí a finire la frase perché un lipizzano bianco gli si parò davanti, sollevandosi sulle gambe posteriori. Sasà Chiatti in groppa al destriero cercava, tirando le redini, di tenere fermo l'animale, che scartava a destra e a sinistra. – Che fate qua voi due? Perché non vi siete cambiati? Ho un elefante che mi parte mezzo vuoto.

Larita gli fece segno di no con la mano. – Io sono contro la caccia. Non sparerò mai a una tigre.

L'immobiliarista si chinò sul collo lucido del cavallo per non farsi sentire dagli altri invitati. – Ma chi spara a chi? È un momento ludico. La tigre poi ha un cancro al colon. Ha un mese di vita se le dice bene. Le fate solo un favore. È una gita. Ma quando vi ricapita un'occasione del genere? Su… – Si voltò indietro e lanciò un fischio da pecoraro.

Un barrito riecheggiò nel giardino all'italiana. Dalle fronde dei lecci si sollevarono pappagalli e cornacchie. Poi la terra cominciò a sussultare. Un elefante spuntò dal boschetto sparando intorno raggi di luce abbagliante. Lo avevano dipinto di arancione e azzurro e ricoperto di drappi su cui erano cuciti centinaia di piccoli specchietti rotondi. La lunga proboscide strappava rami dagli alberi e se li portava alla bocca. Gli avevano legato sulla groppa un cesto di vimini intrecciati. Dentro c'era un signore anziano con gli occhiali, un loden verde e un buffo cappello di feltro. Stringeva un fucile tra le mani. Accanto a lui un adolescente con gli occhi coperti da una frangetta scura. I due si tenevano ai bordi della cesta beccheggiando a ogni passo dell'animale. Seduto sul collo un piccolo filippino con il perizoma bianco e il turbante conduceva la bestia, sferzandola con una canna.

– Ecco il vostro elefante –. Chiatti alzò una mano e il filippino fermò il pachiderma. Poi si rivolse all'uomo nel cesto. – Dottor Cinelli, per cortesia, tiri giú la scaletta. Ci sono altri due passeggeri.

Il vecchio puntava il fucile verso gli alberi, cercando la tigre.

– Nonno! Nonno! Hai sentito? Il signore ha detto di buttare giú la scala. Sí, vabbe', buonanotte –. Il ragazzo si chinò, prese la scaletta di canapa e la calò giú: – Scusatemi, è un po' sordo.

Larita guardò Fabrizio, combattuta. – Che facciamo?

Ciba sollevò le spalle. – Decidi tu.

Larita, a bassa voce, imbarazzata: – Mi sa che ci tocca andare. Forse è scortese rimanere qua. Ma non spariamo, però.

– E chi spara.

41.

Murder si sedette accanto al suo leader, che stava con
il capo chino sulle ginocchia e gli mise un braccio intorno
alle spalle. – Non tutto è perduto, maestro.

– Tranquillo Mantos, ce la faremo, – fece Silvietta.

Saverio li guardò commosso. – Vi ho deluso. Mi dispiace tantissimo. Non ho carisma.

Silvietta gli prese una mano. – No Mantos, tu hai un
grande carisma e non ci hai mai deluso. Hai dato un senso alla nostra vita. E noi non ti tradiremo mai, ti saremo
sempre accanto.

Murder si inginocchiò e domandò. – Chi è il padre carismatico?

Mantos scosse la testa imbarazzato. – Dài... Piantala.

Murder allora si alzò in piedi. – Chi ha scritto le Tavole del Male?

– Tu! – Silvietta indicò il leader.

– Chi ci ha insegnato la Liturgia delle Tenebre?

Mantos prese un respirone e disse: – Io.

Zombie correva in mezzo alle tende.

Era un caos. Gente che, digrignando i denti, cercava
di infilarsi gli stivali da equitazione. Una vecchia, in debi-
to d'ossigeno, si era arrotolata in un sari di seta viola come una trota salmonata nel Domopak. Il vicepresidente
della regione Lazio, con gli scarponi coloniali piú piccoli
di tre numeri, avanzava come un automa imbracciando un
enorme fucile. Il comico Sartoretti, mattatore indiscusso
del venerdí sera di Italia 1, non riusciva a chiudersi i pantaloni alla zuava e urlava alla hostess: – Questa è una 46.
Io ho una 52.

La Belva con un salto superò Paolo Bocchi che, steso a terra, pallido e sudato, guardava il cielo come se parlasse con il Creatore e ripeteva come un mantra: – Te prego... Te prego... Te prego...

Zombie continuò a correre a perdifiato fino al giardino all'italiana.

Silvietta e Murder, seduti a un tavolino, si stavano mangiando una pizza rustica ripiena di ricotta e spinaci.

Il satanista si fermò piegato in due dalla fatica. – Che ci fate voi due ancora qua?

Silvietta si alzò in piedi. – Non ci sposiamo piú. Partecipiamo alla missione fino in fondo.

Anche Murder si alzò. – Perdonaci. Abbiamo capito.

A Zombie mancava il respiro. – Con voi... non ci voglio... parlare. Dov'è Mantos?

– È andato a farsi un piatto al buffet.

Silvietta lo prese per le braccia. – Hai capito? Non vi lasceremo soli. Ci suicidiamo anche noi.

– Sí vabbe'... Non ci credo.

Silvietta si mise una mano sul petto. – Te lo giuro. Avevi ragione tu, ci stavamo comportando da bastardi. Ma tu mi hai fatto ragionare.

In quel momento apparve Mantos con un piattone di ravioli all'astice. – Zombie! Sei tornato?

L'adepto voleva parlare, ma era ancora a corto di fiato. – Larita... Larita...

– Cosa? – domandò il leader delle Belve. – Larita cosa?

– È partita... per la caccia... alla tigre!

Partenza dei safari

42.

Fra una cosa e l'altra, le cacce erano partite con due ore di ritardo sul programma.

Il sole calava dietro i boschi di Forte Antenne portandosi via tutti i colori, ma grazie alla sapiente arte del direttore della fotografia coreano Kim Doo Soo i boschi e le praterie del parco si erano trasformati in una foresta incantata. Proiettori da diecimila watt mimetizzati nella vegetazione allagavano di una luce innaturale i tronchi ricoperti di licheni argentati, i funghi e le rocce verdi di muschio. Una nebbia bassa e densa, creata dalle macchine fumogene, copriva il sottobosco e i prati dove branchi di gnu, stambecchi e alci brucavano. Migliaia di led luminosi sparpagliati sulla prateria si accendevano e si spegnevano come sciami di lucciole. Dodici giganteschi ventilatori nascosti sulle alture producevano una brezza leggera che muoveva le distese erbose su cui una famiglia di orsi marsicani e un vecchio rinoceronte cieco riposavano, tra le altalene e gli scivoli ricoperti di edera.

Cani e cavalieri della caccia alla volpe erano già spariti dietro le colline a est.

I battitori africani, seguiti dai cacciatori a piedi, setacciavano la prateria alla ricerca del leone.

Gli elefanti stavano lasciando la villa. In fila indiana i pachidermi intrecciavano le proboscidi con le code, e a passo lento ma inarrestabile puntavano dritti verso le paludi a nord ovest dove si diceva fosse nascosta Kira, la tigre albina.

Sasà Chiatti, sul terrazzo di Villa Reale, osservava col binocolo le comitive che si inoltravano nella sua immensa proprietà.

Tutto lí era suo. Dai pini secolari alle edere infestanti, fino all'ultima formica.

Lo avevano insultato, deriso, gli avevano dato del pazzo megalomane, del cafone arricchito, del ladro, ma lui non aveva dato retta a nessuno. E alla fine aveva vinto. Erano tutti venuti a corte a rendergli onore.

Ecaterina Danielsson lo raggiunse sul terrazzo. Si era cambiata e indossava un corsetto di pelle marrone che le stringeva la vita esile. Le spalle avvolte in una stola di volpe argentata. Le gambe fasciate da stivali. Portava due calici di cristallo.

La modella gli porse il vino. – Vuoi?

Sasà chiuse gli occhi e annusò. Il profumo fine, gradevole, etereo era quello giusto. Si bagnò le labbra. Secco, caldo e lievemente tannico. Sorrise soddisfatto. Era proprio lui, il Merlot di Aprilia. Se lo tracannò.

Ecaterina, da dietro, gli cinse la vita. – Come ti senti?

Lui finí il bicchiere e se lo gettò alle spalle. – Come l'ottavo re di Roma.

43.

Mantos, Murder, Zombie e Silvietta, vestiti da camerieri, marciavano su un terreno sabbioso e molliccio costellato da pozzanghere e acquitrini. Era un brulicare di zanzare, moscerini, vermi, mosche, libellule e un sacco di animaletti schifosi nascosti tra le canne, i papiri e i loti.

Mantos si guardava intorno smarrito. – Io non me la ricordo 'sta palude... E voi?

– No, nemmeno io, – fece Murder, guardandosi le scarpe infangate.

– Io ci sono stato qualche volta da piccolo. Mi ci portava mio padre la domenica dopo che andavamo a sentire il papa. Mi ricordo che c'erano le giostre, ma la palude no.

– Sarà la direzione giusta? – chiese Silvietta. In realtà non gliene importava granché. Doveva fare la pace con Zombie. Era in fondo alla fila e camminava a testa bassa.

– Penso di sí. Ho visto che andavano verso nord –. Mantos superò Murder e si mise a capo della fila. Sullo zainetto si era legato la Durlindana. – Ma che alberi sono quelli? Come sono strani.

Alberi con i tronchi contorti affondavano centinaia di dita lunghe e scure nella sabbia. Sopra c'erano colonie di cercopitechi che li osservavano.

Murder scacciò una mosca metallizzata. – Mah... Saranno olivi.

– Ma che dici? Quelle sono mangrovie. Non le hai mai viste nei documentari? – sbuffò Silvietta.

Mantos cominciava ad avere il fiatone. – Aspettate... Ma che le mangrovie crescono nei climi continentali?

Murder si mise a ridere. – Se le cose non le sai non dirle. Questo non è un clima continentale, è temperato.

Mantos lo indicò con la mano a paletta. – Sentilo. È arrivato The Professor. Hai appena scambiato le mangrovie con gli olivi.

– La smettete di litigare voi due? Muoviamoci che le zanzare mi stanno mangiando viva, – fece Silvietta e si allontanò per raggiungere Zombie. Cominciò a camminargli accanto. – Biscottino, lo so che sei arrabbiato forte forte, ma ora non puoi tenermi il muso fino a quando ci sui-

cidiamo. Sono le nostre ultime ore e stiamo facendo la cosa piú importante della nostra vita e dobbiamo essere uniti e volerci bene. Ti chiedo perdono, ma tu un sorriso me
lo devi fare. Sono o non sono la tua migliore amica?

Lui bofonchiò una cosa che poteva essere un sí come
un no.

– Dài, ti prego. Lo sai quanto ti voglio bene.

Lui strappò una canna dal fango. – Mi hai ferito.

– Ti ho chiesto perdono.

– Perché non mi hai detto che vi sposavate?

– Perché sono un'idiota. Te lo avrei detto, ma mi ver-
gognavo. Se non ci fosse stata la missione ti avrei chiesto
di farmi da testimone.

– E io non te lo avrei fatto.

Lei rise. – Lo so… Ti prego, non dire a Mantos che ci
volevamo sposare, ci rimarrebbe troppo male.

– Va bene.

– Ora mi fai un sorriso? Uno solo, piccolino piccolino?

Per un secondo Zombie voltò la testa verso Silvietta e
un sorriso veloce come un battito d'ali gli balenò sulla faccia e fu subito coperto dai capelli.

Caccia

44.

Fabrizio Ciba da giovane era stato un discreto velista.
Aveva attraversato l'Adriatico su un catamarano e con un
due alberi era arrivato fino a Ponza. Durante queste cro-
ciere aveva affrontato buriane e tempeste e mai, nemmeno una volta, aveva sofferto il mare. Ora invece, dentro
quella cazzo di cesta in groppa all'elefante, aveva una nau-

sea furibonda. Si teneva ai bordi della portantina e sentiva nello stomaco le tartine alla granseola e i rigatoni navi-
gargli nel Jim Beam.

Non ci voleva. Proprio adesso che poteva stare un po'
con Larita si sentiva uno schifo.

La cantante lo scrutò. – Ti vedo un po' pallido. Ti senti bene?

Lo scrittore ingoiò un rutto acido. – No, nulla, solo un
po' di mal di te… – Non riuscí a finire la frase perché gli
arrivò sulla nuca la canna del fucile del dottor Cinelli.

Ciba si girò verso il vecchio. – E basta! È la terza volta che me lo dà in testa. Stia un po' attento.

Il vecchio, nella sua perfetta sordità, non se lo filò di
pezza e continuò a sventolare l'arma a destra e sinistra pun-
tandola contro la boscaglia che premeva sulla carovana.

Che stronzata abbiamo fatto a dar retta a Chiatti.

Non solo erano stipati in quattro in quel metro quadrato basculante con un rincoglionito, ma il loro elefante era
anche in testa alla carovana e quindi bisognava stare attenti pure ai rami bassi. Ma c'era un tormento piú sottile
che angustiava lo scrittore. Aveva la sensazione di avere
perso un po' di smalto e di non essere brillante come al solito. Forse la promessa di rivedersi, Larita l'aveva fatta per
gentilezza, cosí come aveva accettato di partecipare alla
caccia per non essere scortese con Chiatti. Incredibile, gli
pareva di essere tornato l'adolescente imbranato del liceo.
A quei tempi non era il Ciba intraprendente e sfrontato
di oggi, il vecchio pattinatore, il cecchino, ma un ragazzetto maldestro con un cespo di capelli arruffati e gli occhiali da vista, che si nascondeva dentro enormi maglioni
slabbrati e pantaloni impataccati. Ogni volta che cercava
di rimorchiarsi una ragazza era una tragedia. Costruiva
piani complicatissimi per arrivare a conoscerla nel modo

che sembrasse piú naturale possibile. Odiava mostrare i suoi sentimenti, apparire debole, quindi voleva che fossero sempre loro a fare la prima mossa. Si appostava sotto il portone della preda e faceva finta di essere lí per caso. La ignorava di proposito o la trattava male sperando di attirare la sua attenzione. Immaginava dialoghi brillanti alla Woody Allen dove lui sarebbe risultato un adorabile sfigato.

Adesso, di fronte a Larita, si sentiva impacciato e maldestro come ai tempi della sua adolescenza.

– Abbassati! – urlò la cantante.

Ciba piegò la testa ed evitò per un pelo un ramo che tagliava in due il sentiero. Cinelli lo prese in pieno volto, perse gli occhiali e roteò su se stesso infilando la punta del fucile sotto l'ascella di Fabrizio.

– Ahia porca… La deve fare finita con 'sto coso! – Lo scrittore glielo strappò dalle mani. – È pure carico. Se le parte un colpo mi ammazza!

Il ragazzo prese le difese del nonno. – Chi si crede di essere lei? Bel coraggio! Se la prende con una persona anziana?

Larita offrí un fazzoletto al nipote. Il ragazzo cominciò a tamponare i graffi sulla faccia del vecchio che, stoico, non si lamentava.

Da dietro qualcuno urlò: – Ahò! E dateve 'na mossa! Pare di stare a un corteo funebre.

Ciba si girò verso l'elefante che li seguiva. Sul cesto c'erano Paco Jiménez de la Frontera e Milo Serinov con le loro donne.

Fabrizio fece segno di stare calmi. – E che è colpa nostra? È l'indiano che guida.

– Ma quale indiano, è filippino. E comunque digli di darsi una mossa, – disse Mariapia Morozzi, l'ex velina fidanzata del portiere russo.

Larita si girò. – Non lo vedete che è un elefante? Se volevi correre dovevi fare la caccia alla volpe.

– ¡Yo te quiero, señorita! ¡Por la virgen de Guadalupe! Movete quel culone! – urlò il calciatore argentino. Aveva lo sguardo fisso e il sorriso stirato di chi fa abuso di cocaina.

Ciba intervenne a difendere l'onore della ragazza: – Ahò bello! Stai buono. Non essere maleducato!

– Desculpe es un gioco… – Paco Jiménez si fece una risata nervosa baciando la sua fidanzata Taja Testari.

Dal terzo elefante una voce gridò: – Scusate? Qualcuno ha una Travelgum? – Era Fabiano Pisu, il famoso attore di fiction. Verde come un fagiolino, teneva gli occhi sgranati. Con lui c'erano il fidanzato, lo stilista magrebino Khaled Hassan, il capo della fiction Rai Ugo Maria Rispoli e l'agente cinematografico Elena Paleologo Rossi Strozzi. – Allora? Qualcuno ha una Travelgum?

– No… Ho un Mars, – fece Milo.

Nella cesta del quarto pachiderma dovevano esserci Cachemire e i suoi Animal Death, il gruppo rock metal di Ancona rivelazione del festival di Castrocaro. Ma la cesta sembrava vuota. Sbucava solo un anfibio. I quattro erano sottocoperta, cotti dall'alcol e da una miscela di psicofarmaci.

Vi odio tutti, si disse Fabrizio Ciba.

Si sentiva vulnerabile e confuso come un extracomunitario nell'ufficio permessi della questura. Era in una gabbia, in groppa a quell'elefante. Il suo segreto era starsene abbastanza vicino alla vita, in modo da poter osservare l'orrore dell'umanità con sarcasmo, ma mai dentro. Ora invece era in mezzo a quel circo e non si sentiva diverso da quei pagliacci. Stava pure facendo una pessima figura con Larita. Era meglio rimanere zitto, in un atteggiamento riflessivo da scrittore.

Si mise a osservare con aria pensosa la nuca del filippino che continuava a scudisciare il collo della bestia. Il viottolo era sempre piú stretto e buio, tracce della tigre non se ne vedevano. Gli ultimi raggi di sole tagliavano il sottobosco e si sentivano strani richiami, non si capiva nemmeno se fossero uccelli o scimmie.

Un lamento flebile arrivò dal terzo elefante. Il volto di Pisu aveva assunto un colore terra di Siena. – Dài, vi prego, datemi una… Travelgum… un cerotto… una banana… sto morendo.

– Aridanghete! – gli rispose spazientita la fidanzata del russo. – Sei duro eh? Non ce l'abbiamo.

– Voi scherzate ma io… – Il disgraziato non riuscí a finire la frase perché dalla bocca gli uscí un fiotto di vomito giallo che si rovesciò sul collo del conducente dell'elefante. Il filippino si girò. – Mortacci tua! – disse e scrollò dal turbante l'insalata di totanelli e fasolari. – Che schifo! – E con uno scatto di polso mollò una scudisciata in faccia all'attore di fiction.

– Ahhhh! – urlò Fabiano mentre caracollava fuori dalla cesta andandosi a schiantare in un'enorme pozzanghera ai piedi dell'elefante.

– Hombre in mare! – urlò Paco Jiménez de la Frontera.

A parte Khaled Hassan, che si sbracciava verso il compagno atterrato, a nessuno fregava piú di tanto del destino del povero Pisu. Gli elefanti intanto, nella loro antica saggezza, continuarono la lenta marcia abbandonando alla mercé delle bestie del parco l'interprete della *Marchesa di Cassino*.

45.

Il leader delle Belve di Abaddon era carico d'energia, stava andando dritto verso la morte e aveva di nuovo le sue Belve con sé. Si voltò per dirgli di intonare un canto propiziatorio a Satana e vide Murder e Silvietta che avanzavano sereni, mano nella mano, come se stessero partecipando a una scampagnata.

Murder è proprio fortunato, si disse Mantos.

A Saverio Moneta, in quarant'anni di vita, non era mai successo di essere amato in quel modo. Prima di Serena il leader delle Belve aveva avuto solo un paio di avventure negli anni bui di ragioneria. Storie cosí, roba di un paio di settimane, in cui ci si mette insieme perché se stai con una sei meno sfigato agli occhi dei compagni di scuola. Piú che di fidanzamenti si trattava di associazioni di mutuo soccorso.

Serena Mastrodomenico invece l'aveva notata appena era stato assunto al mobilificio. Cosí scura e magra gli ricordava tantissimo Laura Gemser, l'attrice di *Emanuelle nera*. Un topos onanistico della sua pubertà.

Era pazzo di Serena, ma non vedeva modo di poterla avere. Lui era l'ultimo dei ragionieri e lei la figlia del padrone. Sfilava come una dea in minigonna attraverso i corridoi del mobilificio e Saverio sognava solo di poterle parlare, di invitarla a cena sul lago di Bracciano. Lei però non lo degnava di uno sguardo. Anche se gli passava davanti tutti i giorni, non lo aveva nemmeno mai notato. Ed era giusto cosí. Perché una donna raffinata e di mondo doveva essere interessata a una nullità come lui? Uno che non aveva nemmeno la macchina per tornarsene a casa. Uno che aveva perso la vista leggendo tomi sui misteri dei Templari e del Triangolo delle Bermude?

Una sera Saverio era in ufficio a ricontrollare per l'ennesima volta il bilancio semestrale. I suoi colleghi erano andati via e lui era solo nel mobilificio. Aveva comprato un trancio di pizza con funghi e gamberetti e ogni tanto gli dava un morso, stando attento a non macchiare i registri. Aveva le cuffie e sentiva a tutta forza la *Cavalcata delle Valchirie*.

A un tratto aveva sollevato gli occhi. Dall'altra parte del corridoio la porta dell'ufficio di Egisto Mastrodomenico era aperta e la stanza illuminata.

Il vecchio non poteva essere. Era partito per la Fiera del mobile rustico di Vercelli.

Un ladro si era introdotto e lui non se n'era accorto? Stava per chiamare la sorveglianza, quando dalla stanza era uscita Serena con un sacco di buste dello shopping in mano. Il cuore di Saverio Moneta era esploso. Tremando si era tolto le cuffie e aveva sollevato timidamente una mano per salutare, ma lei nemmeno aveva risposto. Però poi era tornata indietro e aveva piegato la testa per osservarlo meglio. – Tutto solo?

– Be'… sí… – era riuscito a dire cercando di tenersi dritto sulla sedia.

Lei era entrata nell'ufficio contabilità e si era guardata intorno come a controllare che veramente non ci fosse nessuno. Saverio non l'aveva mai vista cosí in forma. Doveva essere andata dal parrucchiere e aveva una tutina rosa aderente come una pelle di serpente, la zip bene aperta sul décolleté e stivali di pelle bianca che le arrivavano alle ginocchia. Alle orecchie le pendevano due cerchi d'oro grandi come cd. – Ti annoi?

– No, – aveva risposto Saverio di getto, poi aveva pensato che nessuno sano di mente si diverte a controllare i bilanci semestrali e aveva corretto: – Un po'... Ma tanto tra poco finisco.

Lei si era data una ravviata ai capelli e gli aveva chiesto: – Ti va un pompino?

A Saverio era sembrato che gli avesse chiesto se voleva un pompino. Ma doveva aver capito male. Doveva avergli chiesto se voleva un cappuccino.

– Il distributore è rotto... Dovrebbero ripararlo in settimana.

– Ti ho domandato se ti va un pompino.

Saverio non poteva credere alle sue orecchie. Forse i funghi della pizza erano allucinogeni.

Continuava a guardarla a bocca spalancata, come un idiota.

– Allora? – Lei, masticando la gomma, aveva ripetuto la domanda proprio come se gli chiedesse se voleva un cappuccino.

– Come?

– Lo vuoi o no? – Serena cominciava a stufarsi.

– Come? – La mente di Saverio era in stallo.

– Non lo conosci? Il pompino è una pratica sessuale per cui io ti prendo in bocca l'uccello e lo ciuccio.

Perché gli stava facendo questo? Che le aveva fatto di male?

Era ovvio. Era una trappola per poterlo accusare di molestie sessuali come nei film americani.

– Vabbe' ho capito –. Serena era passata intorno alla scrivania, si era accucciata, si era data un'aggiustata ai capelli, si era tolta di bocca la gomma da masticare e gliel'aveva consegnata. – Tienila, per favore.

Saverio aveva stretto il chewing-gum tra le dita mentre la figlia del suo principale, con la stessa fredda abilità di un'infermiera che leva i vestiti a un ferito, gli slacciava la cinta e sbottonava la patta dei pantaloni.

– Potrebbe piacerti –. Gli aveva abbassato le mutande e osservato l'uccello senza fare commenti. Poi con la destra glielo aveva afferrato, lo aveva soppesato e lo aveva strizzato come si farebbe con la mammella di una vacca. Con la sinistra invece gli aveva preso lo scroto e cominciato a far roteare i testicoli nel palmo della mano come fossero due palline cinesi antistress.

Saverio, a gambe larghe, stringeva i braccioli della poltrona con un'espressione di paura dipinta sulla faccia. Era strabiliante ciò che stava combinando quella donna col suo apparato riproduttore.

Ma lo spettacolo non era ancora finito. Serena aveva spalancato la bocca, con la lingua piccola e appuntita si era umettata le labbra e poi lo aveva ingoiato tutto quanto, fino alle palle. Saverio era talmente terrorizzato da non provare neppure piacere, ma poi era bastato capacitarsi che Serena Mastrodomenico custodiva nella sua bocca tutto il suo cazzo per strappargli un orgasmo esplosivo e imbarazzante.

Lei si era passato il dorso della mano sulla bocca, lo aveva guardato negli occhi e gli aveva domandato con una vocina soddisfatta: – Senti, domani, mi accompagneresti da Ikea?

Lui aveva risposto un solo e semplice: – Sí.

Quello era stato il primo sí. Il primo di una sequela infinita.

Saverio Moneta, da quel giorno, da oscuro ragioniere si trasformò in sherpa durante le razzie che Serena compiva nei centri commerciali, in autista del suo Suv, fattorino, facchino, pony express, idraulico, riparatore di antenne paraboliche, marito e padre dei suoi figli.

Ah, quello fu il primo e ultimo pompino che ricevette in dieci anni di convivenza con Serena.

Mantos osservò Murder e Silvietta.

Lui grande e grosso e lei cosí piccola. Lei che gli dava dei finti calcetti per farlo muovere. Lui che rideva e s'inchiodava apposta.

Saverio cercò nella memoria una passeggiata con Serena. Mai fatta. Forse da Ikea. Lui che spingeva il carrello, lei avanti che parlava al telefonino.

Quei due invece, guardandoli, capivi che erano complici. Da quando si erano conosciuti in treno parlando della loro passione per l'heavy metal e la Lazio, non si erano piú lasciati. Se uno leggeva un libro, anche l'altra doveva leggerlo. Quel modo di toccarsi, di sfiorarsi che avevano. Sapevano di poter contare l'uno sull'altra.

Come se gli avessero tolto una benda dagli occhi vide l'orrore. Aveva convinto dei ragazzi che si amavano ad ammazzarsi per un suo problema.

Tu non credi nell'amore, loro sí. Tu odi, loro no.

Un artiglio gli si conficcò nella gola e scese giú fino al cuore. Rallentò la marcia. Si tolse dalle spalle lo zainetto che sembrava pieno di pietre.

– Li hai visti? – Zombie gli camminava accanto.

Mantos non riuscí a tirare fuori una parola. In gola gli si era formato un groppo. Spalancò la bocca e guardò smarrito il suo adepto.

– Lasciali andare. Loro sono diversi da noi. Loro vivono nella luce, noi nelle tenebre.

Mantos deglutí, ma il groppo non se ne andò. Si guardò attorno spaesato. Gli mancava l'aria. L'artiglio ora gli stava lacerando i polmoni.

– Sei ancora in tempo. Lasciali andare.

Saverio si aggrappò al braccio di Zombie come se non ce la facesse a stare in piedi. Strizzò gli occhi umidi e lo guardò. – Grazie.

Li chiamò con quel poco di fiato che gli restava: – Voi due, venite qui.

Murder e Silvietta gli si avvicinarono. – Che c'è? Ti senti male?

Saverio si mise le mani nelle tasche, cercò di pensare una scusa sensata, ma era troppo agitato, fece un respiro e riuscí solo a dire: – Andatevene a casa, forza.

Murder allungò il collo, come se non avesse capito. – Cosa?

– Andatevene a casa. Senza tante storie.

– Perché?

Cattivo. Tu sei un figlio di Satana.

– Voi non siete degni di essere Belve di Abaddon.

Murder era impallidito. – Che abbiamo fatto di male?

Il leader delle Belve strinse i pugni nelle tasche. – Siete disgustosi. Vi amate. Vi volete bene. È l'odio che vi deve nutrire e voi invece siete pieni di amore. Mi fate vomitare.

Silvietta scosse la testa e guardò Zombie. – Gli hai detto del matrimonio… Ma perché? Ti avevo chiesto di non dirglielo.

Mantos guardò Zombie senza capire. Di che stava parlando? Stava per chiederglielo, ma l'adepto si precipitò a dire: – Sí, gli ho detto che vi volevate sposare. Non potevo nascderglielo.

Oddio si volevano sposare. Perché non mi hanno detto niente?

Murder lo guardò con due occhi colpevoli. – Ho provato a dirtelo…

Non hanno avuto il coraggio.

– ... ma... ci abbiamo ripensato, te lo giuro. Non ci vogliamo sposare piú. Era una stronzata, una cosa cosí. Vogliamo rimanere con voi, fino alla fine.

Mantos avrebbe voluto abbracciarli. – Voi avete rotto il patto satanico. Quindi io, leader delle Belve di Abaddon, vi espello dalla setta –. Lo disse con tutta la cattiveria che aveva in corpo, ma nel farlo si strappò via anche un brandello di cuore.

– Non puoi fare cosí. Non è giusto –. Silvietta scoppiò a singhiozzare e cercò di prendergli la mano.

Mantos fece tre passi indietro e la ragazza cadde in ginocchio. – Quello che è giusto lo decido io. Vi ordino di andarvene –. Si rivolse a Zombie. – Forza, muoviamoci.

Murder abbracciò Silvietta. – Non piangere anima mia.

Quel che restava delle Belve di Abaddon si incamminò verso i boschi senza piú voltarsi indietro.

46.

– Nemmeno sulla prospettiva Nevskij alle otto di sera si va cosí lenti, – disse Milo Serinov a Paco Jiménez.

– Tienes ragione hombre. Ora te mostro –. Il centroavanti si sporse dalla cesta, verso il conducente – Oh... niño...

Il filippino si girò e guardò in su. – Eh?

– ¡Descánsate! – Il centroavanti mollò uno spintone al poveraccio, che perse l'equilibrio, sparendo senza un grido in un cespuglio di more. Con la sua proverbiale agilità Paco saltò sul collo dell'elefante e cominciò a menare cazzotti sulla testa del pachiderma. La bestia roteò l'occhio grosso come una padella e squadrò il calciatore, che però non smetteva. Allora sollevò la proboscide emettendo un barrito potente e partí al galoppo.

Paco, Milo e le fidanzate urlavano eccitati.

Ciba vide l'elefante dietro di loro venirgli addosso come una locomotrice senza freni e poi i due animali cominciarono a prendersi a spallate. Le ceste ondeggiavano paurosamente.

– Che cazzo fate? – urlò lo scrittore, che per poco non cadde di sotto.

– Spostatevi, lumache! – Milo Serinov si stava proprio divertendo. – Fatece passa', – strillò Taja Testari, ma il ramo di una quercia secolare la colpí sul setto nasale e uno schizzo di sangue imporporò il vestito di Mariapia Morozzi. – Ahhh! Che dolore! – urlò la modella afflosciandosi dentro il cesto.

– Meno uno! – strillò Ciba, che aveva perso il suo aplomb intellettuale e si stava eccitando.

Anche Paco sembrava un invasato. Niente poteva fermarlo. – ¡Ándale! ¡Ándale con juicio! – E li stava superando quando, a una decina di metri, veloce come una freccia rossa gli tagliò la strada la volpe, che chissà come era riuscita a farla ai suoi cacciatori.

Al suo passaggio tutti urlarono: – La volpe! La volpe!

– Questa è la caccia alla tigre. Che ci fa qui la volpe? – domandò Larita.

Il vecchio Cinelli si ridestò dal coma e con un colpo di mano afferrò il fucile dal fondo del cesto urlando anche lui: – La volpe! La volpe! – E cominciò a sparare a caso nella boscaglia.

I proiettili fischiavano da tutte le parti.

La cantante si rannicchiò con le mani sulle orecchie mentre Ciba acchiappò la canna del fucile cercando di strapparlo al vecchio rincoglionito, che continuava a premere il grilletto senza sosta. Un proiettile colpí la fibbia di metallo della cesta dell'elefante di coda. Il cinturone si aprí e il gruppo rock metal di Ancona si ribaltò. I musicisti finirono in un campo di ortiche.

Finalmente il fucile di Cinelli si scaricò. Il vecchio si guardò intorno. – L'ho presa, eh? L'ho presa?

La corsa degli elefanti continuava e travolgeva tutto. Rami, alberi abbattuti, cespugli.

Un urlo agghiacciante si levò dal bosco alla loro sinistra. In sella a uno stallone Paolo Bocchi galoppava roteando una sciabola come un ussaro alla battaglia di Marengo. Sfilò accanto agli elefanti e li superò gridando: – Savoia o morte! – Indossava solo i pantaloni da cavallerizzo. Il petto nudo era sfregiato dai rami e dalle spine. Al passaggio del destriero i due elefanti si imbizzarrirono ancora di piú e accelerarono la corsa. Il chirurgo, veloce come il vento, saltò una siepe e sparí nel bosco. Un istante dopo una muta ululante di cani schizzò sotto le zampe dei pachidermi inseguendo Bocchi e la volpe. L'elefante guidato da Paco Jiménez inchiodò terrorizzato. Il centroavanti della Roma e la cesta schizzarono come proiettili e scomparvero nella vegetazione.

Un suono di corno inglese si levò dalle tenebre del bosco. E uno scalpiccio di zoccoli si fece sempre piú vicino. Contromano si materializzarono trentotto cavalieri in giubba rossa assetati di sangue di volpe. Videro troppo tardi gli elefanti che gli sbarravano la strada. Tra le file dei cavalieri caddero in molti, altri furono trascinati con il piede incastrato nelle staffe per chilometri. Pochissimi ne uscirono illesi.

L'elefante con l'agente cinematografico Elena Paleologo Rossi Strozzi, lo stilista magrebino e il direttore della fiction Rai cappottò come una A112 Abarth sul curvone di Monte Mario.

Fabrizio Ciba ancora in groppa all'elefante si accorse che il guidatore filippino era sparito. Provò a fermare l'a-

nimale colpendolo con il calcio del fucile, ma la bestia
scartò di lato e partí verso il folto del bosco. Il vecchio Cinelli roteò su se stesso, volò indietro, rimbalzò su una
chiappa dell'elefante e rimase appeso alla coda. Il nipote
tentò un gesto eroico e disperato nello stesso tempo. Uscí
dalla cesta e reggendosi con una mano al bordo cercava
con l'altra di afferrare il nonno. Il vecchio prese la mano
del nipote. – Tira, tira!

I due ruzzolarono a terra tra i cespugli di pungitopo.

Ciba e Larita erano soli in groppa alla bestia impazzita.

47.

Sollievo e dolore si fondevano nell'anima tormentata
di Mantos mentre si faceva largo tra le canne che crescevano ai bordi della palude. Zombie lo seguiva in silenzio.

Da quando avevano abbandonato Murder e Silvietta
nessuno dei due aveva piú aperto bocca.

Il leader delle Belve continuava a vederli lí, abbraccia-
ti, che li guardavano mentre loro andavano via.

Gli tornarono in mente le parole profetiche di Kurtz
Minetti. «Le Belve di Abaddon sono una realtà insignificante nel mondo del satanismo. Siete finiti». Non si era
sbagliato, la situazione era disperata. Erano senza due ele-
menti fondamentali del team e il piano per assassinare Larita faceva acqua da tutte le parti. E c'era un'altra cosa
che non gli tornava. Perché Zombie si voleva suicidare?
Perché non era andato con i suoi amici? Non stavano sempre insieme quei tre? Gli si era avvicinato come un serpente a sussurrargli di mollare i due.

*Non è che il simpatico Zombie, zitto zitto, è passato nel-
le file di Kurtz Minetti?*

Il sacerdote dei Figli dell'Apocalisse poteva averlo corrotto e incaricato di boicottare l'assassinio di Larita, per fargli fare una figura di merda con la comunità dei satanisti. E vendicarsi del suo no. Pure quella scenata che aveva fatto prima alla villa era strana.

Mantos si fermò facendo finta di riprendere fiato. – Tutto bene?

Zombie, spossato dalla fatica, poggiò le mani sui fianchi e annuí. Il volto era piú olivastro del solito.

Il leader delle Belve lo guardò dritto negli occhi. – Senti, vogliamo lasciar perdere? – Era una domanda trabocchetto per cercare di capire se il suo adepto era un infame traditore. – Forse dovremmo mollare pure noi... Stiamo facendo una stronzata. In due non ce la possiamo fare. E se poi, alla fine, non abbiamo il coraggio di suicidarci? Rischiamo solo di finire in galera. Se ce ne torniamo a casa ora, siamo salvi.

Zombie riprese a camminare a testa bassa. – Io non mollo. Se vuoi fallo tu.

– Ma perché? Non capisco perché improvvisamente ci tieni tanto a 'sta cosa. Di solito non te ne va bene una. Mi spieghi perché ora ti vuoi suicidare a tutti i costi?

– Non mi va di parlarne.

Mantos gli prese un braccio e lo fissò minaccioso. – No, invece ora me ne parli.

– Lasciami –. L'adepto cercò di divincolarsi dalla stretta.

– Dimmelo. Sono il tuo capo. Te lo ordino.

Zombie deglutí e poi parlò con una voce distante. – Qualche notte fa mi sono svegliato di soprassalto, come se qualcuno mi avesse scosso un braccio. Pensavo fosse mio padre che mi diceva che mamma stava male. E invece tutti dormivano. Come al solito mi ero addormentato con la televisione accesa. E c'era una cosa di teatro, in bianco e nero. Roba vecchia. Quelle cose che mandano su Rai Tre alle quattro di notte. Ho preso il telecomando e stavo per spegnere quando l'attore, un vecchio con degli occhi in fuori e la frangetta, ha detto una cosa. Non avevo mai sentito niente del genere in vita mia e da quella notte tutto è cambiato, niente ha avuto piú senso per me.

Mantos era spiazzato. – E che ha detto?

Zombie sembrava indeciso se rispondere, ma poi: – Lo vuoi sentire?

– Sí. Certo.

– L'ho imparato a memoria. Ho comprato il libro. Ma non l'ho mai recitato a nessuno.

– Dài fammi sentire.

– D'accordo –. Zombie allargò le gambe, come se ondate di dolore si stessero frangendo contro il suo corpo. Chiuse gli occhi, li riaprí, guardò verso il cielo e cominciò a recitare con la voce rotta e zoppicante. – Da qualche tempo, non so perché, ho perso tutto il mio buonumore e ho abbandonato ogni esercizio. E in realtà son cosí giú d'umore che questo bell'edificio, la terra, mi sembra un promontorio sterile, questa volta d'aria stupenda, quello straordinario firmamento lassú, quel tetto maestoso trapuntato di fuochi d'oro, ebbene a me non pare che una massa lurida e pestifera di vapori. Che opera d'arte è l'uomo, com'è nobile nella sua ragione, infinito nelle sue capacità, nella forma e nel muoversi esatto e ammirevole, come somiglia a un angelo nell'agire, a un Dio nell'intendere: la beltà del mondo, la perfezione tra gli animali, eppure, per me, cos'è questa quintessenza di polvere? L'uomo non mi piace e nemmeno la donna.

Mantos rimase in silenzio e poi gli domandò: – Ma chi lo ha scritto?

Zombie tirò su con il naso. – William Shakespeare. È

Amleto. Io sto peggio di lui. E per come sto potrei pure
fare qualcosa di buono… Ci ho pensato… Ma è mille volte
piú difficile che fare qualcosa di malvagio. E francamente non me ne frega un cazzo di aiutare che ne so… i bambini africani. Mi stanno sulle palle come il resto dell'umanità e quindi preferisco farla finita ed essere ricordato come quel bastardo psicopatico che ha ammazzato Larita. E
non ti dimenticare che questa cosa l'hai detta te per primo. È tutto molto semplice e… – Fece un respirone. – Triste. Comunque, se anche tu vuoi mollare non c'è problema, l'ammazzo io la cantante. Però, per favore, decidilo
in fretta, le zanzare mi stanno dissanguando.

Mantos si vergognò di aver pensato che Zombie potesse essere un traditore. Certo stava ridotto uno schifo, doveva aver smesso gli antidepressivi. – Zombie, ascoltami
bene. Tra noi due non ci saranno piú gradi. Non c'è piú
un capo e non c'è piú un adepto. Uguali. Le Belve siamo
io e te. Un duo. Tipo Simon & Garfunkel, per intenderci.

Gli occhi di Zombie divennero lucidi. – Io e te. Uguali e insieme. Fino alla fine.

– Uguali e insieme. Fino alla fine, – ripeté Mantos.

Zombie guardò il cielo. – Ormai è notte. Io vado a sa-
botare la centrale elettrica.

– Va bene. Io rapisco Larita e ci becchiamo al tempio
di Forte Antenne. Stanotte c'è la luna giusta per farla finita.

48.

Con un boato assordante un enorme pino secolare si
abbatté sul bosco. Sotto il peso dell'albero si schiantaro-
no lecci, querce, arbusti di alloro, e da terra si sollevò una

nuvola di polvere e foglie da cui emerse, come un incubo primordiale, il grande elefante. Sotto le zampe della bestia lanciata al galoppo la terra tremava. Niente poteva fermarlo. Il suo cervello era ridotto a un semplice e primitivo impulso, correre. La sua famosa memoria era azzerata, e nella scala evolutiva era sprofondato negli abissi dove le sardine fuggono inseguite dai tonni.

Non ricordava piú la sua infanzia passata in una gabbia ambulante. Non ricordava piú gli esercizi sulla pista del circo. Non ricordava piú gli inchini, gli spruzzi ai pagliacci, non ricordava nemmeno le frustate e le patate. Non ricordava piú nulla, il terrore lo aveva sopraffatto. Cos'era quel posto buio e inospitale? Cos'erano quei pali che sbucavano da terra? Quegli odori? Doveva solo fuggire, e rovi, tronchi caduti, cespugli, erbacce, nulla poteva fermare la sua corsa. Ogni tanto ripiegava la lunga proboscide e lanciando uno straziante barrito strappava un tronco da terra e lo gettava lontano. La gualdrappa colorata che lo copriva era ridotta a brandelli e da un lungo squarcio su un fianco colava sangue sugli arti posteriori. Un ramo gli si era conficcato come un arpione nella spalla destra. Sbatteva la testa, un occhio pesto e l'altro spalancato che roteava la pupilla pazza, si faceva largo nel muro della vegetazione.

La cesta, semidistrutta, era ancora legata alla groppa ma pendeva sbilenca su un fianco. Dentro, Fabrizio e Larita, aggrappati alle cinghie dell'imbracatura, urlavano altrettanto spaventati.

La bestia scartò una quercia e per poco non inciampò su una radice spessa quanto un anaconda, ma si riprese e ricominciò a galoppare gettandosi dentro un roveto. Saltò un fosso, fece un passo, un altro ancora e improvvisamente sentí la terra mancarle sotto i piedi. L'occhio folle smise di roteare, spalancò la bocca per la sorpresa e agitando le zampe e la proboscide cadde in silenzio per un precipizio coperto di vegetazione. Volò verso il fondo del burrone per una ventina di metri, sbatté con la testa su una guglia di roccia, rimbalzò, si ribaltò e s'incastrò fra due alberi che spuntavano come una forchetta sopra il baratro.

L'animale, con la colonna vertebrale spezzata, a pancia all'aria, si dibatteva cacciando terribili strilli di dolore, sempre piú deboli.

Fabrizio fu sbattuto fuori dalla cesta e si ritrovò anche lui a cadere nel buio tutto scomposto, rimbalzando tra rami, liane e cordoni d'edera e si schiantò tra le radici ritorte di una quercia appesa al muro di roccia.

Un istante dopo Larita gli finí addosso e scivolò verso il precipizio.

Lo scrittore allungò un braccio e la afferrò per il bavero della giacca un istante prima che finisse di sotto. Il peso lo tirò giú e una fitta di dolore al tricipite gli strappò il fiato dai polmoni.

Larita, sospesa in aria, si agitava e guardava in basso urlando: – Aiuto! Aiuto!

– Stai ferma! Stai ferma! – implorava Ciba. – Se ti muovi non ti reggo.

– Aiutami! Ti prego, aiutami. Non mi mollare.

Ciba chiuse gli occhi cercando di riprendere fiato. I bicipiti vibravano per la tensione. – Non ce la faccio. Aggrappati a qualcosa.

Larita allungò una mano verso un fascio di edera che serpeggiava fra le rocce. – Non ci arrivo! Non ci arrivo, cazzo!

– Ti devi allungare, non ce la faccio piú… – Ciba aveva la faccia paonazza e il cuore gli rimbombava nei timpani. Non doveva guardare giú, c'erano almeno trenta metri di caduta libera.

Non sono un uomo. Sono una cima da ormeggio. Non ho dolore e non ho cervello, cominciò a ripetersi. Ma i muscoli delle braccia gli tremavano. Con orrore sentí che le dita aggrappate alla stoffa della giacca perdevano la presa. Per la disperazione addentò la radice urlando: – Non ti mollo. Non ti mollo.

E invece mollò.

Con la faccia contro la liana rimase fermo, quasi paralizzato. Troppo scosso per riuscire a pensare, a piangere, a guardare giú.

Ma poi una vocina flebile: – Fabrizio. Sono qui sotto.

Lo scrittore si sporse e nel chiarore lunare vide Larita sotto di lui, a un paio di metri, aggrappata all'edera che cresceva contro la parete.

Rimasero in silenzio boccheggiando. Quando Fabrizio trovò il fiato per parlare le chiese: – Come va…? Stai bene?

Larita era avvinghiata alla pianta. – Sí. Ce l'ho fatta… Ce l'ho fatta.

– Non guardare in giú Larita –. Ciba si adagiò sulla radice massaggiandosi il braccio destro indolenzito.

Un sassolino gli rimbalzò sulla fronte. Poi un altro. Poi cominciò una pioggia di sassi, terra e rami secchi. Ciba guardò sopra di sé. La palla della luna era in mezzo al cielo. Piegò la testa e al centro del satellite si dipinse, come un'ombra cinese, la sagoma nera dell'elefante adagiato sulla quercia.

Era proprio sopra di lui.

Mentre si metteva una mano sugli occhi per ripararsi dalla terra, sentí il rumore del legno che si spezzava. L'albero oscillava.

– Oh Madonna! – mormorò.

– Che succede? – domandò Larita.

– L'elefante! Sta per…

Con un boato il tronco cedette di schianto. Il pachiderma lanciò un ultimo disperato grido e precipitò giú insieme alla quercia e una cascata di pietre.

Ciba, d'istinto, si strinse la testa fra le braccia. Chiuse gli occhi. Le budella gli finirono in gola.

Ora volava nel nero. Il buio lo avvolgeva come una madre misericordiosa impedendogli di vedere sotto di lui il terreno che si avvicinava. Quante volte si era chiesto se i suicidi che si buttano dai palazzi o dai ponti avessero il tempo per comprendere la loro fine prima di schiantarsi al suolo. O se il cervello, pietosamente, di fronte a una morte cosí terribile avesse un blackout e ottenebrasse i sensi.

Ora lo sapeva. Il cervello funzionava benissimo e urlava: «Stai per morire!»

49.

La luna, una palla in mezzo al cielo, tingeva l'erba d'argento ma Edo Sambreddero detto Zombie attraversava la savana a testa bassa senza degnarla di uno sguardo. In una mano stringeva il trinciapollo.

Un venticello leggero, abbastanza freddo da farlo rabbrividire, gli s'infilava nella giacca. Il satanista si sfregò le braccia per cercare di togliersi di dosso quel gelo che non lo abbandonava piú.

Davanti gli passò un branco di gazzelle seguite da un gruppo di canguri. Nemmeno quello spettacolo catturò la sua attenzione.

Come diceva Amleto? «Questo bell'edificio, la terra, mi sembra un promontorio sterile, questa volta d'aria stupenda, quello straordinario firmamento lassú, quel tetto maestoso trapuntato di fuochi d'oro, ebbene a me non pare che una massa lurida e pestifera di vapori».

Sí, la terra era un posto veramente schifoso.

Solo in un posto schifoso come questo Silvietta si può sposare con uno come Murder.

Quando aveva sorpreso i due innamoratini parlare del loro matrimonio, sulle prime aveva pensato che fosse uno scherzo. *Non può essere vero*, continuava a ripetersi mentre i due parlavano della chiesa, del ricevimento e delle altre puttanate. Poi aveva visto Silvietta piangere di commozione e aveva capito che era tutto vero e qualcosa si era seccato per sempre dentro di lui.

Quando era bambino suo nonno lo portava nell'orto, un piccolo appezzamento sotto il viadotto di Oriolo, e gli dava una boccetta di veleno per eliminare le erbacce infestanti. «Ne basta una goccia», si raccomandava suo nonno, e Edo con il contagocce faceva cadere una sola goccia nera come petrolio sulla cima della pianta, e quella, in meno di mezz'ora, perdeva tutti i suoi colori e si trasformava in uno sterpo secco.

La stessa cosa è successa a me. Silvietta gli aveva seccato il cuore per sempre.

Quante volte si era lamentata con lui di Murder, che era rozzo e distratto, che si scordava sempre il loro mesiversario?

«Non ci riesco a parlare come con te. Tu sei diverso. Tu mi capisci...»

Quante notti avevano passato al telefono guardando *Amici* alla tele e odiando quei piccoli mostri senza talento che litigavano, o a parlare di musica, dei Motorhead e dell'importanza storica di *Denim and Leather* dei Saxon? Quante volte il sabato pomeriggio si erano fatti via del Corso avanti e indietro dimenticandosi del tempo che passava, dei saldi nei negozi, della gente intorno a loro, della corriera che li riportava a casa?

D'accordo, non erano fidanzati. Lei stava con Murder. Ma che aveva piú di lui quel ciccione con la forfora?

Va bene, lui era affetto da alitosi congenita, però aveva letto su internet che esisteva una cura definitiva con le cellule staminali. In Italia era vietata, ma appena sua madre fosse morta, avrebbe ricevuto in eredità le monete d'oro di papa Luciani e avrebbe avuto i soldi per andarsi a curare in America.

Una volta Murder era andato a trovare la zia a Follonica e loro due erano andati a cena alla pizzeria *Jerry 2*. Era stata una serata speciale, si era creata un'intimità unica. Lei gli aveva raccontato delle paure che aveva da piccola, del sogno di diventare una regina del death metal.

Dopo l'aveva accompagnata a casa e l'aveva salutata con il solito rispettoso bacio sulla guancia, ma lei con le labbra gli aveva sfiorato l'angolo della bocca. Era stato solo un attimo, eppure la pelle, lí dove Silvietta aveva poggiato il bacio, gli era rimasta sensibile come quando ti bruci con una forchetta incandescente.

Per mesi ci aveva ripensato a quel bacio. Se lui, come un idiota, non avesse spostato la testa, probabilmente si sarebbero baciati in bocca.

Si poggiò il dito sull'angolo scottato. Provò un brivido e strinse i denti per non mettersi a piangere. Ripensò alla notte del sacrificio nel bosco di Sutri. Gli altri si erano limitati a scoparsela e a venirle addosso come un branco di cani arrapati. Lui no, per lui era stato diverso, lui ci aveva messo amore e quando finalmente era venuto si era adagiato sui suoi piccoli seni bianchi con le lacrime agli occhi, con la voglia di prenderla e portarla via.

E dopo che l'avevano seppellita viva, senza farsi vedere dagli altri aveva smosso la terra in modo che Silvietta potesse riemergere dalla fossa. Quando l'aveva rivista, tre giorni dopo, seduta su una panchina davanti al cinema, aveva capito che quella ragazza incredibile era la donna della sua vita.

E ora aveva scoperto che quei due si sposavano.

Biscottino.

Non c'era molto da aggiungere, se non che non aveva piú senso vivere.

50.

La fortuna non abbandonò Fabrizio Ciba nemmeno questa volta. Finí sul ventre flaccido dell'elefante, che era adagiato su un fianco in un rigagnolo che scorreva tra sassi e felci. Larita, aggrovigliata in una matassa di edera, gli cadde accanto un secondo dopo. I due rimasero lí, immobili, escoriati, doloranti e senza parole, increduli di essere ancora vivi.

Poi Fabrizio si tirò su, aiutò Larita a scendere dall'elefante e si guardò intorno. Si trovavano in fondo a una stretta gola ricoperta di vegetazione. Proprio al centro si allungava un viottolo di ghiaia, punteggiato da lampioni che formavano piccole cupole luminose. Tutto il resto, ai loro lati, sopra le loro teste, era avvolto dalle tenebre.

Non ci poteva pensare a quello che gli era appena successo. Se non ci fosse stato l'elefante ad attutire la caduta a quest'ora era bello che morto.

Si può organizzare un safari a Villa Ada? Solo un pazzo megalomane come Chiatti può concepire un'idea cosí idiota.

Ma la colpa non era di Chiatti se per poco non ci aveva rimesso la pelle.

È mia. È colpa mia che sono venuto a 'sta festa. Io non ci dovevo venire. Che cazzo ci faccio io qui? Come cazzo mi sono fatto convincere a salire su quell'animale? In mezzo a questi mostri? Io sono uno scrittore, cazzo... Io... Io devo scrivere il mio romanzo. Il mio romanzo...

Si tastò il braccio. Lo piegava a fatica.

Se mi sono slogato una spalla non potrò mai piú scrivere...

Era troppo per Fabrizio Ciba. Nello stomaco cominciò a ribollirgli una rabbia aspra come aceto che risaliva in su, verso l'esofago. Piú ripensava a quello che gli era accaduto e piú s'incazzava. Era cosí pieno di rabbia che rischiava di esplodere come un pallone. Cominciò a dondolare su è giú la testa come un piccione che beccetta le granaglie e poi, a denti stretti, prese a parlare da solo e a gesticolare. – Fanculo! Io me li inculo tutti. Uno per uno. Li metto in riga e me li inculo uno per uno –. Le narici gli si erano allargate per la furia. – Per cominciare m'inculo quel buffone di Chiatti... Scrivo l'articolo e lo rovino. Ha finito di farci il re quel pallone pieno di merda. Mi sa proprio che non ha capito con chi ha a che fare...

Si girò di scatto verso Larita cercando sostegno. – E mi spieghi che cazzo ci facevano i cacciatori alla volpe...? – Ma si azzittí vedendola immobile, paralizzata accanto all'animale morto.

Sembrava di vedere la scena finale di *King Kong*. Quando la ragazza sta accanto allo scimmione caduto dal grattacielo.

Larita era veramente piccina vicino all'elefante. Da morto, poi, il pachiderma sembrava ancora piú grande che da vivo. La proboscide allungata come un serpente tra le pietre del rigagnolo. Le zampe raccolte contro il ventre, una zanna spezzata. L'occhio spalancato rifletteva la luce del lampione. Dalla bocca gli colava un rivolo di sangue che si stemperava nell'acqua del fiumicello.

Larita improvvisamente, come liberata da un incantesimo, spalancò la bocca cercando di inspirare, ma qualcosa, un groppo forse, glielo impedí. Allora lentamente allungò la mano e la poggiò sulla fronte rugosa dell'elefante. Come se le avessero tagliato i fili che la reggevano in piedi, andò giú e si accucciò contro la groppa e cominciò a piangere scossa dai singhiozzi.

Fabrizio si mise una mano sulla bocca. Come aveva fatto a dimenticarsi di Larita? Era lei l'unica cosa preziosa in tutta quella merda. Era lei l'angelo che lo avrebbe salvato. Lui e lei erano diversi. Lui e lei non c'entravano niente con quella festa. E lui doveva prendersi cura di quella creatura e portarla in salvo.

Corse da lei e l'abbracciò forte sentendo quel corpicino squassato dai singhiozzi. Era cosí piccola. Cosí indifesa.

Larita con gli occhi immersi nelle lacrime, la faccia infuocata, ingoiando aria provava a parlargli: – Po… Po… Poverino…

Di chi sta parlando?

– Non… Non è giusto… non aveva fatto niente di ma…le –. E fu di nuovo afferrata dal pianto.

Dell'elefante, idiota.

Le strinse la testa e se la poggiò sulla spalla. – Non piangere. Ti prego… Non piangere, – le sussurrava nell'orecchio accarezzandole i capelli. Ma lei non smetteva. Appena il ritmo rallentava, prendeva respiro e ricominciava.

Fabrizio provò a dire qualcosa. Un borbottio di frasi con poco senso. – No… Non ha sofferto tanto… Si è spezzato la schiena, non ha sentito niente… È stato liberato… Una vita in catene.

Ma nulla, lei continuava a piangere, sembrava alimentata da una batteria. Disperato, non sapendo piú che fare per calmarla, le afferrò il collo, le tolse i capelli dalla faccia e con una naturalezza che non aveva mai conosciuto in vita sua schiuse le labbra e la baciò.

51.

Zombie arrivò alla centrale elettrica stanco, ma ancora determinato.

Dei faretti alogeni creavano una bolla di luce intorno alla costruzione, che brillava nel nero come una stazione sottomarina. La centrale era circondata da una rete metallica alta tre metri. Per accedere si passava attraverso un cancelletto su cui era appeso un cartello giallo. Sopra era disegnato un teschio e una scritta avvertiva: ALTA TENSIONE. PERICOLO DI MORTE. Nel piazzale intorno alla casetta di mattoni erano disposti in due file dei grandi trasformatori metallici che ronzavano come alveari. Un sacco di cavi si avvolgevano su degli elettrodi di ceramica e da lí entravano nel terreno.

Zombie, nella sua breve carriera di aiuto elettricista, aveva affrontato al massimo l'impianto di Villa Giorgini a Capranica, 9 kWh trifase, uso domestico con pannello salvavita e contatore.

Ora aveva davanti una vera e propria centrale in miniatura. Ricordava di aver letto qualcosa nei corsi per corrispondenza della Scuola Radio Elettra. C'erano le centrali termoelettriche, quelle idroelettriche e quelle nucleari. Idroelettrica non poteva essere non essendoci fiumi o dighe. Nucleare la scartava. Probabilmente era termoelettrica e comunque chi se ne fotteva, lui doveva solo sabotarla.

Per fortuna non c'era nessuno a guardia dell'impianto. Il cancello era chiuso con un lucchetto e una catenella.

Zombie poggiò su una maglia il trinciapollo d'argento e strinse. Il metallo non cedeva. Digrignò i denti e strinse piú forte. La faccia gli divenne paonazza per lo sforzo. Lentamente l'anello cominciò a piegarsi. Aumentò ancora la pressione e con un colpo saltò sia la catena che il trinciapollo. Gli rimasero stretti nei pugni i manici dell'attrezzo. Lo buttò via ed entrò.

Si avvicinò alla costruzione. La porticina di metallo ovviamente era chiusa a chiave. Diede una pedata e quella si spalancò su una piccola stanza ricoperta di pannelli elettrici. Amperometri, interruttori, cursori, led luminosi, leve. Zombie osservò perplesso tutte quelle apparecchiature. Sembrava di stare dentro la cabina di comando di un aereo. Provò a spingere dei bottoni, ad abbassare un paio di leve, ma non successe niente di significativo. Smanettando forse riusciva a spegnerla, ma poteva sempre essere rimessa in funzione. Lui doveva distruggerla e lasciare il parco al buio.

Dentro una teca di vetro vide una grossa ascia con il manico rosso. La ruppe e impugnò l'attrezzo. Si accorse che in mezzo a tutta quella apparecchiatura, su un muro, era imbullonata una grande placca di metallo. Tre cavi spessi come cime d'ormeggio di un traghetto entravano all'interno di un enorme interruttore d'acciaio. Al centro c'erano una leva e una serratura che impediva di sollevarla. Era quello il cuore di tutta la centrale.

Doveva tagliare uno di quei cavi e...

Che tensione avranno?

Non ne aveva idea. Ma abbastanza per abbrustolirlo.

Sarebbe morto e cosí avrebbe portato a compimento la sua missione. Anche se oramai, a dirla tutta, non gliene fregava piú un cazzo della missione, del Diavolo, di Mantos, delle stronzate sataniste.

Si sentiva triste da morire, ma aveva la strana sensazione che ci fosse una platea a osservarlo compiere gli ultimi gesti. Era l'eroe maledetto del suo stesso, tragico, film.

Sul banco c'era un bloc-notes. Strappò un foglio e senza pensarci troppo buttò giú due righe. Lo ripiegò e ci scrisse sopra: «A Silvietta».

52.

Mantos, nudo, stava in piedi su una roccia e osservava la luna e i suoi crateri. Il vento gli accarezzava la pelle.

Le braccia tese. Le gambe leggermente piegate. La Durlindana tra le mani, puntata in avanti. Inspirando ed espirando fece piazza pulita dei pensieri inutili. Serena si dissolse, il vecchio bastardo si dissolse, Silvietta e Murder si dissolsero e Mantos si concentrò sul miracolo di coordinazione che era il suo corpo. Con ogni movimento diventava sempre piú cosciente dell'energia che scorreva nelle fibre dei suoi muscoli, della micidiale potenza racchiusa nella Durlindana.

Sentiva arrivare il dolore per la separazione dalla vita terrena. Lo accolse, gli diede il benvenuto. Abbassò la Durlindana, portò l'impugnatura contro il ventre e sollevò la gamba sinistra. Isolò ogni tendine, ogni muscolo, godendo della sensazione che gli dava. Il freddo gli afferrava lo scroto.

Mantos era finalmente a suo agio. Riusciva a sentire tutto. Il fruscio del vento tra gli alberi, i grugniti gutturali dei facoceri vicino alla palude, i versi dei grappoli di pipistrelli del Siam appesi ai rami dei pini, il traffico sull'Olimpica, le televisioni accese nei soggiorni, il mondo ammalato.

Poi qualcosa lo fece soprassalire. La trachea gli si serrò e un brivido gli attraversò la spina dorsale. La percezione che qualcuno, nascosto nelle tenebre, lo stesse spiando.

Non era un animale. Ma non era neppure umano. Cos'era?

Allungò la spada in avanti e cominciò a muoversi su se stesso. Non vide nessuno. Il leader delle Belve di Abaddon saltò giú dalla roccia e, tenendo sempre l'arma puntata, prese dallo zainetto la torcia e l'accese. Il fascio di luce si dipinse sui cespugli di alloro, sui rovi di more, sui tronchi degli alberi, su un cestino dei rifiuti arrugginito.

Non c'era nessuno. Forse i suoi sensi si erano sbagliati. Eppure l'impressione che qualcuno lo stesse osservando rimaneva. Occhi carichi di odio.

Mantos si infilò in fretta i pantaloni, le scarpe e la tunica nera. Si caricò lo zainetto e si allontanò di corsa.

53.

Zombie si sfiorò con il medio l'angolo della bocca, lí dove lo aveva baciato Silvietta, attaccò la lettera al pannello, si sputò sulle mani, afferrò l'ascia e a gambe larghe si piazzò di fronte al cavo.

Era arrivato il momento di mostrare il coraggio che aveva sempre nascosto a tutti.

– L'uomo non mi piace. E nemmeno la donna –. Sollevò il manico e con tutta la forza e la disperazione che aveva nel suo esile corpo mozzò il cavo.

In quel filo di rame viaggiava una tensione di ventimila volt, circa dieci volte quella usata nelle sedie elettriche. Il flusso di elettroni attraversò la lama e il manico dell'ascia che, sebbene fosse di legno, si incenerí all'istante.

Stessa sorte toccò alle mani e alle braccia dell'adepto. Il resto del corpo prese fuoco con una vampata spettacolare.

La torcia umana cominciò a sbattere e a rimbalzare contro le pareti della stanzetta, poi si fermò, allargò le braccia come un angelo caduto che voglia spiccare il volo e crollò a terra e si consumò fino a che di Edo Sambreddero detto Zombie non rimase che un tronco incenerito.

Le turbine della centrale si fermarono. Il ronzio si azzittí. Le luci del parco e della villa si spensero. Anche i computer che controllavano le cascate, i flussi d'acqua nei laghi, le mangiatoie per gli animali e tutto il resto si spensero.

Un generatore si mise in funzione. Accese le luci di emergenza nella casa e attivò le pompe pneumatiche dei cancelli d'acciaio dei varchi, che si chiusero lasciando Villa Ada al buio e separata dal resto della città.

Arrivo ai bivacchi e cena

54.

Fabrizio Ciba e Larita si stavano baciando accanto al cadavere dell'elefante, quando i lampioni del sentiero si spensero. Lo scrittore aprí gli occhi e si ritrovò immerso nel buio completo. – Le luci! Le luci si sono spente!

– Oddio –. Larita abbracciò impaurita Fabrizio. – E ora? Che facciamo?

Lo scrittore ci mise un po' a capire l'entità del problema. Quel bacio appassionato lo aveva stordito. La rabbia era sbollita e una strana sensazione di benessere lo illanguidiva tutto. Adesso che, finalmente, aveva trovato l'a-

more, tutto il resto gli sembrava cosa di poco conto. Desiderava solo lavarla, curarla, disinfettarle le ferite e farci
l'amore. La corsa sull'elefante nel bosco, il volo, la certezza della morte e la sorpresa di essere vivo, quella miscela
di paura, di rabbia e di morte, lo avevano parecchio eccitato.

– E adesso come facciamo? – Lei gli si strinse addosso.
Fabrizio sentí il cuore di Larita che batteva deciso dietro le tette. – Non lo so... Scusa ma... Non possiamo rimanere qua? Che ci importa? – Si era scordato l'antico
piacere di sentire la consistenza di un paio di tette non ri-
fatte.

– Sei impazzito?

– Perché? Aspettiamo l'alba. Ci potremmo nascondere nelle fratte e come esseri primitivi e senza regole... –
Se quella non fosse stata la vita reale, ma un suo romanzo, il protagonista ora avrebbe preso Larita e senza troppe chiacchiere l'avrebbe denudata e poi l'avrebbe posseduta sulla carcassa dell'elefante e il sangue, lo sperma e le
lacrime si sarebbero confuse in un'orgia ancestrale. Sí, nel
nuovo romanzo avrebbe messo una bella scena di sesso di
questo genere. In Sardegna, da qualche parte vicino Ori-
stano.

Larita interruppe i suoi pensieri. – Il parco è pieno di
animali feroci. La tigre... I leoni...

Si era completamente dimenticato delle bestie selvati-
che. Le strinse la mano. – Sí, hai ragione, dobbiamo muo-
verci. Ma non si vede nulla. Speriamo che il guasto venga
riparato presto.

– Dobbiamo andare sul sentiero.

– Ma da che parte è la villa? A destra o a sinistra?

– A sinistra, penso. Spero...

– Va bene. Andiamo sul sentiero. È a pochi metri –.

Fabrizio tirò fuori un tono deciso. Nonostante la paura delle fiere, avere vicino quella donna da proteggere lo faceva sentire forte e impavido. Si alzò e aiutò Larita a tirarsi su. – Attaccati alla cinta e stammi dietro –. Allungò le braccia come un sonnambulo, e barcollando tra le rocce fece qualche passo incerto nel buio. – Cosí però ci facciamo male. È meglio a quattro zampe.

E cosí, carponi, i due avanzarono fino a che non sentirono la ghiaia sotto le palme delle mani.

Lí al centro della gola, dove non arrivavano gli alberi, il cielo rifletteva le luci della città e si riusciva a scorgere una staccionata che delimitava il fosso in mezzo alla strada.

– Eccoci! – Fabrizio si rimise in piedi. – Reggiamoci alla staccionata e proseguiamo. Ma prima voglio una cosa, se no non so se riesco ad andare avanti.

– Cosa?

– Un altro bacio.

Aprí la bocca e sentí la lingua di lei che scivolava sulla sua e si muoveva lambendogli il palato e le tonsille. Lui la strinse, se la premette addosso, ma si trattenne dal farle sentire l'erezione.

Sí, erano veramente una bella coppia.

Io questa me la sposo…

Che fortuna averla incontrata. Ed era merito di quel buffone di Salvatore Chiatti e della sua merdosa festa.

Vabbe' Sasà ti salvo. Non ti scrivo contro.

55.

– Vai! Zombie, sei un grande! – aveva urlato il leader delle Belve di Abaddon sollevando i pugni quando sulla Villa erano calate le tenebre.

Era ora che qualcosa girasse per il verso giusto. Adesso doveva beccare la cantante.

Mantos puntò la torcia intorno a sé per capire dove si trovava. La strada che stava percorrendo si inoltrava in una specie di gola che divideva in due il bosco. Dallo zaino tirò fuori la mappetta di Villa Ada e la studiò attentamente.

– Perfetto! – Era nella direzione giusta, doveva percorrere tutto quel canyon e sarebbe arrivato dritto dritto al lago dove avevano organizzato il bivacco per i partecipanti alla caccia alla tigre. Lí avrebbe trovato la cantante insieme agli altri ospiti, tutti spaventati. Nella confusione e con il favore delle tenebre sarebbe stato uno scherzo anestetizzarla e rapirla.

Tutto contento cominciò a correre, la Durlindana nella sinistra, la torcia nella destra e l'adrenalina che gli ingolfava le arterie. Che fenomeno singolare, ora che stava per morire si sentiva vivo come non si era sentito in tutta la vita, capace di fare qualsiasi cosa. Satana era finalmente dalla sua parte. Lui era un battitore libero, uno spirito anarchico, un segugio del caos. E Zombie era il suo naturale partner satanico. Uno che come lui non temeva la morte e dava il suo meglio dove regnava il caos.

Vedrai con chi hai a che fare, caro il mio Kurtz Minetti.

Mentre faceva un salto per superare una pozzanghera, un bagliore alle sue spalle rischiarò la stradina. Il leader delle Belve spense la torcia, si gettò a lato della strada e si nascose dietro una quercia.

Stava arrivando un'automobile. Vedeva le luci anteriori farsi piú vicine, ma non sentiva rumore. Doveva essere una di quelle macchinette elettriche che usavano per spostarsi nella Villa.

Si immobilizzò e aspettò che passasse. Sopra la decapottabile c'era solo il guidatore.

E se mi prendessi la macchina? Potrei usarla per caricare Larita e portarla sul luogo del sacrificio.

Senza starci troppo a pensare si lanciò, a testa bassa, all'inseguimento della macchinetta.

56.

Fabrizio Ciba, felice, pensò che tra qualche giorno sarebbe stato con la sua bella a Maiorca, a Capdepera, a casa sua. Ma poi ricordò l'umidità, i ragni morti nella vasca da bagno, i termosifoni spompati. E il tavolo con il romanzo che lo aspettava. Doveva reimpostare tutta la trama, tagliare pers...

Il cervello dello scrittore andò per un istante in stallo e si resettò, cancellando l'ultimo pensiero.

Come si chiamava quell'albergo cinque stelle con la spa...?

Dovevano farsi una vacanza come Dio comanda, partire per un posto lontano dove staccare con la testa e vatiutta versi la loro storia d'amore. Poggiò un braccio sulle spalle di Larita come se fossero vecchi compagni. – Senti, ma una bella vacanzetta per riprenderci? Che ne so, alle Maldive? Sai quei bungalow sul mare, le notti afose circondati da una cupola di stelle, i letti con le zanzariere.

– Certo che mi piacerebbe –. Larita rimase un attimo in silenzio. – Senti, Fabrizio...

– Dimmi.

Ci mise qualche secondo di troppo a fargli la domanda. – Tu sei fidanzato?

– Io? Ma che scherzi! – si affrettò a rispondere Ciba.

– Ti fa schifo?

– No, assolutamente. È che sono uno scrittore... Be' tu sei una musicista, forse mi puoi capire. Ho un po' pau-

ra dei sentimenti, se sono troppo forti temo che mi pro-
sciughino. È una paura irrazionale, lo so, ma ho la sensazione che vivendo un amore non me ne resti abbastanza
da dare ai personaggi dei miei libri –. Le stava rivelando
una cosa che non aveva mai raccontato a nessuno. – Con
questo non voglio dire che non sono pronto a provarci. E
tu? – Avrebbe voluto guardarla, ma il buio lasciava intravedere solo la sua sagoma.

– Sono uscita da una storia difficile con un tipo che si
voleva male. In altre parole, uno stronzo. E io dietro a lui
ho rischiato di morire. Mi hanno salvato la comunità di
don Toniolo e la fede.

Mentre Larita parlava, Fabrizio si ricordò di aver letto da qualche parte che lei era stata fidanzata con un cantante tossico e che per poco non erano morti di overdose.

– E poi una volta tornata alla vita non ho avuto il coraggio di farmi altre storie. Ho paura d'incontrare un altro stronzo. Anche se stare soli, alle volte, è un po' triste.

Fabrizio la tirò a sé e le cinse la vita. – Noi due potremmo stare bene insieme. Me lo sento.

Larita rise. – Chissà perché, ma ero sicura che fossi fidanzato. Dopo il pranzo nella villa ho cercato il mio agente per scoprirlo, ma aveva il cellulare staccato. Senti, ma
tu ci credi al destino?

– Credo ai fatti. E i fatti dicono che siamo due so-
pravvissuti. E dicono che dobbiamo provarci –. Lui la
strinse con forza, come se potesse scappare via, e la baciò. Che peccato essere al buio, avrebbe voluto guardarla negli occhi.

Lei, improvvisamente, si staccò. – E se invece ce ne andassimo a Nairobi?

– Vuoi andare in Kenya? Ci sono stato una volta. A Ma-
lindi. Il mare non è male, ma vuoi mettere con le Maldive?

Ripresero a camminare.

– No... No... Che hai capito? Nelle baraccopoli di Nairobi a vaccinare i bambini. Io lo faccio ogni anno. È una cosa importante. Se ci venissi pure tu, uno scrittore famoso, gli faresti un grande regalo. Aiuteresti i missionari a gettare luce su una situazione terribile.

Fabrizio tirò su gli occhi al cielo. Ma porca la puttana, lui voleva farsi una tranquilla settimana di riposo e lei, per risposta, gli proponeva un incubo umanitario. – Be' sí... Certo... Si potrebbe... Però... – balbettò.

– Però cosa?

Fabrizio non riuscí a non essere sincero. – Ecco... Io pensavo a una vacanza. Cinque stelle. Colazione a letto. Quelle cose cosí.

Lei lo carezzò sul collo. – Vedrai, sarà mille volte meglio... Sono sicura che quest'esperienza ti aiuterà anche a scrivere. Non sai quante idee ti vengono stando accanto a tutto quel dolore.

Lo scrittore rimase in silenzio. Se voleva avere una relazione seria con una donna doveva cominciare a prendere in considerazione i suoi desideri e provare a darle fiducia. E Larita era speciale, aveva una forza che non avrebbe mai immaginato, era un tifone che spazza tutto ciò che gli si para davanti e nello stesso tempo aveva qualcosa di vulnerabile e ingenuo che ti metteva completamente in discussione.

– Sí, – disse Fabrizio. – Va bene, vengo. Mi porto il computer e cosí la sera, dopo i vaccini, scrivo.

Larita gli strinse forte la mano e con voce emozionata disse: – Dài, usciamo da questo posto. Il mondo vero ci aspetta.

57.

Per fortuna quel trabiccolo era lento.

Mantos, senza piú fiato, allungò una mano, si aggrappò al portellone posteriore e con un salto maldestro ci montò sopra. L'autista non si era accorto di nulla.

Nel cassettone erano stipate delle grandi pentole da cui usciva un intenso odore di curry.

Ora doveva mettere fuori gioco il guidatore. Tirò su il cappuccio, si contrasse come un gatto e cacciando un ruggito alla Sandokan si lanciò sull'uomo, che sentendo quell'urlo bestiale e credendo fosse la tigre, inchiodò d'istinto.

Il leader delle Belve di Abaddon, spada nella mano, proseguí invece il volo, planò oltre il cofano della macchina e si schiantò a pelle di leone in mezzo alla strada. La Durlindana gli volò via. Il paraurti si fermò a venti centimetri dai suoi piedi.

Mbuma Bowanda, originario del Burkina Faso, dove aveva fatto per anni il pastore, aveva visto una strana creatura librarsi sopra la sua testa, superarlo e scomparire davanti al muso della macchina.

Nel suo piccolo villaggio vicino Ouagadougou, la capitale del Burkina Faso, c'era l'antica credenza che nelle nottate di luna piena dal fango dei fiumi si formassero dei demoni alati, neri come la pece, che si rubavano le pecore e le vacche. Li chiamavano Bonindà. Lui non credeva a queste favole folcloristiche, eppure quell'essere era proprio tale e quale ai mostri di cui gli parlava sua nonna quando da bambino lo addormentava.

Si sollevò tremante sul sedile. Il demone era ancora steso davanti alla macchina. Sembrava morto.

Ora gli passo sopra...

Ma non lo fece. Intanto non era sicuro che i demoni si potessero uccidere cosí, e comunque le ruote della sua automobile erano troppo piccole per potergli passare sopra.

Ingranò la retromarcia quando il demone nero si sollevò da terra, a testa bassa, poggiò le mani sul cofano e cacciò un urlò terrificante.

A Mbuma avevano raccontato che la gente si piscia addosso per la paura, ma gli era sempre sembrata un'esagerazione. Si dovette ricredere. Se l'era appena fatta nelle mutande.

Con un salto uscí dalla macchina e a gambe larghe cominciò a correre verso la villa.

Nonostante le mani e i gomiti grattugiati dal brecciolino, il leader delle Belve di Abaddon ebbe una sorta di orgasmo vedendo quel poveraccio correre via terrorizzato.

L'urlo alla Sandokan faceva veramente paura. Aveva scoperto di avere un talento naturale per gli urli. A saperlo lo avrebbe usato contro Serena per spaventarla a morte quando le si era presentato in camera nudo e armato di spada.

Zoppicando raccolse la Durlindana che era finita nel prato e salí sulla macchinetta. Stava per partire quando si accorse che qualcuno gli urlava di fermarsi. Non riusciva a vederli, ma non dovevano essere lontani.

Paura, eh?

Mantos si fece una bella risata e decise di andare a recuperare Zombie. In due sarebbe stato sicuramente piú facile rapire Larita, e gli avrebbe evitato tutta la camminata fino a Forte Antenne.

Ritorno a Villa Reale

58.

Quando erano apparsi i fari Fabrizio Ciba e Larita avevano preso a urlare e ad agitare le braccia. Ma la macchina si era fermata a un centinaio di metri e dopo qualche minuto aveva fatto manovra ed era tornata indietro.

Lo scrittore scuoteva la testa. – Ma guarda tu…

Larita era davanti a lui. – Dài, non importa, siamo quasi arrivati. Mi sembra di vedere delle luci.

Fabrizio si accorse che in fondo al vallone le tenebre si stemperavano in un bagliore rossastro. – È vero! L'accampamento non è lontano. Muoviamoci.

Ripresero a camminare con piú lena, la ghiaia scricchiolava sotto i loro passi. Il bagliore, in fondo al canyon, era abbastanza forte da tingere la strada di rosso. Un nuvolone scarlatto si sollevava dal lago sovrastando le cime degli alberi.

– Ma che stanno facendo? – si domandò Larita.

– Avranno acceso dei fuochi per grigliare la carne –. Fabrizio accelerò il passo. – Mi sta venendo una fame.

– Io sono vegetariana. Ma stasera forse una bistecchina…

Fatti altri cinquanta metri un odore soffocante di legno bruciato cominciò a irritargli la gola. Al centro del nuvolone di fumo ora si scorgevano lunghe lingue di fuoco che si riflettevano nelle acque nere del lago.

Larita teneva una mano sulla bocca. – Non è un po' troppo fumo per una brace?

Finalmente il canyon si aprí su una grande pianura e sul lago artificiale. Proprio al centro del bacino una casa galleggiante era avvolta dalle fiamme. La poppa era già scomparsa nell'acqua e la prua si sollevava in alto, come una pira.

Larita afferrò la mano di Fabrizio. – Ma che sta succedendo?

– Non lo so. Sarà uno spettacolo. Chiatti per stupire i suoi ospiti ucciderebbe pure la madre.

Avanzarono un altro po'. Larita gli indicò una macchina elettrica ribaltata contro un pino. Pentole d'acciaio erano rovesciate a terra e il riso basmati era sparso ovunque. Si guardarono senza dire una parola, poi Fabrizio le prese la mano. – Stammi vicino.

Costeggiarono il lago per raggiungere le altre chiatte, ormeggiate di fronte a un pontile protetto da un lungo gazebo. Nell'acqua, lí dove non arrivavano i bagliori del rogo, si sentivano strani movimenti e schizzi e sbattere di pinne. Come se degli enormi pesci si stessero azzuffando per il cibo.

Avvicinandosi al pontile trovarono buttati a terra le stufe a forma di fungo e i tavoli del buffet. Bottiglie rotte. Lanterne di carta carbonizzate. E in mezzo a quel disastro un branco di facoceri e di avvoltoi razzolava fra i resti della cena indiana. Sembrava che fosse appena passata un'orda di barbari.

Una vocina ragionevole nella mente di Fabrizio gli suggerí che era meglio allontanarsi al piú presto.

Forse un branco di leoni ha attaccato il bivacco.

Eppure non sembrava opera di animali, piuttosto di esseri umani. Le tende erano state tutte strappate e appallottolate.

Larita si guardava intorno smarrita. – Dove sono tutti?

Anche i camerieri, i cuochi, il personale erano spariti.

La ragazza si diresse verso il molo. Fabrizio, suo malgrado, la seguí.

Nelle barche ormeggiate la situazione non era differente. Il buffet era stato depredato. I resti della cena indiana sparsi tra i fiori, le statue delle divinità indú spaccate, un palco abbandonato con un sitar distrutto. Appollaiato su un tavolo un grosso corvo nero beccava pezzi di pollo tandoori.

Fabrizio si avvicinò a Larita. – Io me ne andrei da qua il piú velocemente possibile. Tutta 'sta storia non mi piace per niente.

Larita sollevò una scarpa argentata da terra. – Non capisco…

– Non importa… Andiamo via.

Una voce femminile alle loro spalle li interruppe. – Mio marito…

Una donna stava sulla porta con uno sguardo catatonico. Le braccia le pendevano lungo i fianchi e si reggeva in piedi a malapena. Il sari che aveva addosso era strappato e le pendeva tra le gambe come se si fosse coperta con uno straccio. Il reggiseno aveva una spallina rotta e il petto era segnato da lunghi graffi rossi. Le mancava una scarpa. I capelli biondi, che doveva aver tenuto insieme con uno chignon, ora erano un groviglio impastato di sangue. Un rivolo secco le colava accanto all'orecchio.

Sulle prime Fabrizio non la riconobbe, ma osservandola meglio ricordò. Era Mara Baglione Montuori, moglie di un gallerista di Milano specializzato in arte contemporanea. La conosceva perché era la direttrice di una rivista di moda e una volta, tanto tempo fa, gli aveva fatto un'intervista. Ora era lo spettro di quella signora elegante e snob che aveva incontrato da *Rosati* a piazza del Popolo. Aveva la stessa espressione distante e traumatizzata di una donna appena stuprata. Come se qualcosa, qualcuno, le avesse fulminato il cervello.

Fabrizio le si avvicinò e si accorse che puzzava. Aveva un odore acre di sudore.

– Mara, che le è successo? Dove sono gli altri? – Fabrizio si accorse di avere le viscere rattrappite.

La donna evitò i suoi occhi, ma si guardò intorno lentamente. – Mio marito...

Larita raccolse una sedia da terra e ci fece sedere la donna. – Dov'è?

Mara Baglione Montuori si tolse l'altra scarpa e se la tenne in mano come la volesse coccolare. – Mio marito...

La cantante cominciò a girare per la barca alla ricerca del marito.

Intanto Fabrizio prese i polsi di Mara provando a intercettare il suo sguardo. – Mi ascolti, si ricorda di me? Sono Fabrizio Ciba, noi ci conosciamo.

La donna lo guardò in faccia e sorrise come se un pensiero divertente le avesse attraversato la mente. – Martedí dobbiamo andare a Portofino, c'è il matrimonio di Agnese.

Fabrizio non aveva mai avuto molta pazienza con le persone traumatizzate o ammalate, figuriamoci ora, in quella situazione. – Ho capito che è sconvolta, mi dispiace tantissimo... Ora però mi deve spiegare che diavolo è successo qui!

Ma quella stava da un'altra parte. Probabilmente a Portofino. – Mio marito odia il marito di Agnese, io non capisco perché fa cosí. È un bravo ragazzo. Si farà strada... Piero alla sua età non è che...

Lui la scosse. – Dove sta ora tuo marito? Era con te?

Lei s'infastidí, come se Fabrizio la importunasse, e gli diede le spalle. A terra c'era un vassoio d'argento e ci si vide riflessa.

– Oddio come sono ridotta... Il trucco... I capelli...

Non mi si può vedere –. Dal tavolo prese una forchetta. – Da piccole io e le mie sorelle a Punta Ala usavamo queste per pettinare le bambole –. E cominciò a passarsela tra i capelli incrostati di sangue.

Ciba buttò la testa indietro per la frustrazione. – No. Questa sta cotta.

– Oddio che impressione... Vieni qui! Di corsa –. Larita era accanto a una finestra e guardava qualcosa tenendosi una mano sulla bocca.

Fabrizio la raggiunse, prese coraggio e guardò fuori anche lui.

Ciba aveva sempre amato il canale satellitare Animal Planet con i suoi documentari sulla natura. Spesso mentre scriveva il romanzo gli capitava di tenere lo schermo acceso su quel canale. Quando c'erano le sequenze dove il predatore scaricando tutta l'energia dei suoi muscoli balzava sulla preda con la forza e la brutalità della fame, Fabrizio si alzava come incantato e andava a sedersi sul divano per vederle meglio. Gli piaceva l'occhio sgranato dello gnu, la zampata del leone, la nuvola di polvere in cui si mescolavano felino ed erbivoro e la testa della vittima che si sollevava per l'ultima volta.

In quegli scontri riconosceva la ferocia della vita naturale. La stessa che governava le cose degli uomini.

Ma ora che osservava dal vivo, a un paio di metri di distanza, una scena simile, non la trovò altrettanto eccitante. Spostò lo sguardo sull'acqua che ribolliva, in modo da vedere solo con la coda dell'occhio. Ma il trucco non funzionò. Non riusciva a non guardare. E una volta cominciato era difficile smettere.

I resti di Piero Baglione Montuori galleggiavano in acqua contesi da tre enormi coccodrilli. Sfilze di denti strappavano bocconi di adipe dal tronco del famoso gallerista

milanese, noto per avere scoperto Andrew Dog, lo sculto-
re giamaicano. I rettili, quando non riuscivano a staccare la
carne, cominciavano ad avvitarsi in un tripudio di schizzi
sanguinolenti. La testa del poveretto sbatteva contro le pareti della zattera con il rumore sordo di una noce di cocco.

59.

Il leader delle Belve di Abaddon inchiodò con una
sgommata davanti alla centrale elettrica.

Sulla strada non aveva incontrato Zombie, in compenso aveva incrociato gruppi di invitati allo sbando. Quando lo avevano visto passare si erano sbracciati urlandogli
di fermarsi. E piú di uno si era piazzato in mezzo alla strada per tentare di bloccarlo. Mantos non aveva nemmeno
rallentato nonostante i mortacci che gli avevano tirato dietro. Era andato tutto esattamente come lui aveva predet-
to. Appena era calato il buio le insulse creature della luce
erano entrate nel panico e la Villa si era trasformata nel
parco degli orrori. A lui, che era una creatura delle tenebre, il buio lo aveva reso invece piú determinato e feroce.
Durlindana in mano, scese dalla macchinetta, accese la torcia e si guardò intorno.

Dove cavolo era finito Zombie?

*Probabilmente avrà deciso di tagliare attraverso i prati e il
bosco fottendosene degli animali selvatici.*

Era una Belva di Abaddon e non aveva paura di niente e nessuno.

Prima di andarsene Mantos diede, per scrupolo, un'occhiata alla centrale elettrica.

Avvicinandosi all'edificio, si accorse di uno strano
odore.

Sembra carne arrostita.

Il cancello era spalancato. A terra c'era la catena con il lucchetto e il trinciapollo rotto.

Mantos sorrise e puntò la luce verso la cabina. Il muro tutto intorno agli stipiti e il legno della porta aperta erano anneriti come se all'interno fosse divampato un incendio. Quel pazzo di Zombie aveva dato fuoco a tutto.

Il leader delle Belve abbassò la torcia: – Ottimo lavoro, mio prode –. Il fascio di luce tagliò il pavimento e illuminò una roba nera al centro della stanza. Mantos fece due passi in avanti per capire meglio cosa fosse.

Un pezzo di pneumatico abbrustolito? No... Una scarpa.

Fece un altro passo in avanti. Sembrava proprio una scarpa. Una scarpa carbonizzata. Sulla suola si riconoscevano ancora i tacchetti fusi.

Mantos deglutí piú volte. Trattene il respiro e fece ancora un passo in avanti, non avendo il coraggio di puntare la torcia oltre. Invece la sollevò.

Vide, attaccata alla scarpa, una gamba e poi i resti carbonizzati di un corpo umano. I vestiti dovevano essersi completamente bruciati e la pelle nera e rinsecchita era incollata come pece alle ossa. Del busto rimaneva solo una massa informe, da cui spuntava la gabbia toracica. Le braccia erano sollevate e le dita delle mani ritorte come se fossero state piegate dal calore. Il fuoco si era letteralmente mangiato la testa. Ne restava una sfera annerita e senza tratti da cui spuntava una chiostra di denti lunghi e bianchi.

Ridotto in quello stato, nemmeno la madre lo avrebbe riconosciuto. Mantos però sapeva che era lui. La forma della fronte, l'altezza, le scarpe, i denti.

Oh... Gesú. Zombie era bruciato come un fiammifero.

La Durlindana gli cadde a terra. Lo stomaco gli andò

sottosopra. Si coprí la bocca con una mano e dovette farsi forza per non vomitare. Le gambe gli si piegarono, allora si accoccolò accanto alla porta, incapace di credere a quello che vedeva.

Deve essersi bruciato cercando di togliere la corrente.

Saverio allungò una mano. – Zombie come ti sei ridotto... Come... Amico mio –. E avrebbe voluto urlare, cacciare fuori tutta la rabbia, ma spalancò la bocca e si strinse la testa tra le mani.

Perché? Perché cosí? Non doveva essere cosí. Non in questo modo. Dovevano suicidarsi insieme, uniti, dopo aver sacrificato la cantante a Satana. Questo era il patto.

Perché hai rotto il patto?

Il dolore travolse Mantos come un'onda, lo sommerse con la forza di un cavallone oceanico. E fu abbagliato dalla spietata luce della verità.

È morto per colpa mia. Che ho combinato?

Se non ci fossi stato tu... Gli sembrò quasi di vedere quel manichino carbonizzato sollevarsi da terra e puntargli contro le dita contorte. *Se non ci fossi stato tu... Io adesso starei a Oriolo Romano. Con mia madre. Con Murder e Silvietta. Con tutta la vita davanti. Ma chi ti credi di essere per farmi morire in questo modo?*

Mantos, accucciato accanto alla porta, si osservò. Osservò la tunica nera che aveva cucito con le vecchie tende dismesse del cinema Flamingo. Osservò la Durlindana comprata su eBay. E si accorse di quanto era patetico.

– Ma che sto facendo? – sussurrò, sperando che il manichino carbonizzato gli desse una risposta.

Un grumo di dolore gli esplose come una bolla nella trachea. Cominciò a sbattere gli occhi, mentre le lacrime gli velavano la vista. Il teatrino dove Saverio Moneta, impiegato del Mobilificio dei Mastri d'Ascia Tirolesi, sognava di essere cattivo e spietato come Charles Manson, gli era crollato addosso. Satana, il grande Mantos, le Belve di Abaddon, il sacrificio di Larita, erano tutte stronzate inventate da un patetico omino che era riuscito a far ammazzare un ragazzo con una grave depressione.

Carponi, singhiozzando come un bambino, si avvicinò ai resti del suo adepto. – Perdonami Edo... – Gli afferrò il polso, che gli si sbriciolò in mano. – Che devo fare? Ditemi che devo fare.

Ma nessuno poteva dirglielo. Era solo. Solo e disperato come nessuno al mondo. Zombie non c'era piú. Serena e il vecchio bastardo lo volevano vedere morto. Murder e Silvietta li aveva persi.

Si sedette tirando su con il naso e ripulendosi il moccio dalla faccia.

Doveva prendere quei resti e seppellirli. O gettarli nelle acque del lago di Bracciano.

Si asciugò gli occhi. – Non ti lascio qua... Non ti preoccupare. Ti riporto a casa. A Oriolo. Basta con tutte 'ste stronzate.

Si mise in piedi e con la torcia si guardò attorno. Doveva trovare uno scatolone. Il massimo sarebbe stato una di quelle bustone blu di Ikea.

Si accorse che su un pannello c'era attaccato un foglio ripiegato in quattro. Si avvicinò e vide che sopra c'era scritto: «A Silvietta». Lo prese e stava per aprirlo quando sentí alle sue spalle una voce maschile che urlava: – Ragazzi! Sentite che odorino buono! La grigliata! Ecco la grigliata! Evviva. Ce l'abbiamo fatta. Comunque, ammazza che inculata 'sta festa. Chiatti è un pezzente, non ha nemmeno pagato la bolletta della luce.

Amatricianata di mezzanotte

60.

Fabrizio prese da parte Larita e le disse sottovoce: – Adesso io e te, belli come il sole, ce ne andiamo via da questo posto. E anche di corsa. Ho un brutto presentimento.

– E quella povera donna? – La cantante indicò Mara Baglione Montuori, che continuava a sbrogliarsi i capelli con la forchetta. – Che facciamo?

– Non possiamo portarcela dietro, ci rallenterebbe. Appena troviamo qualcuno gli diciamo di andare a prenderla.

Larita era incerta. – Non so... Lasciarla qui da sola non mi sembra giusto.

– È giusto, dài retta a me –. Fabrizio le prese una mano e la tirò sul pontile. – Mi pare di ricordare che vicino al lago c'è un ingresso alla Villa –. Strappò da terra una lunga canna di bambú su cui bruciava una lampada a petrolio. – Muoviamoci.

Si incamminarono lungo un viale costeggiato da grandi platani, lasciandosi alle spalle il lago.

Un sacco di domande giravano in testa allo scrittore. Continuava a vedere i coccodrilli che strappavano pezzi di carne dal corpo dilaniato del gallerista.

Larita gli camminava accanto a testa bassa e non parlava.

Stava per dirle di spicciarsi quando avvertí, o gli parve di avvertire, dei movimenti nel buio. Fece segno a Larita di fermarsi e rimase in ascolto. Nulla. Si sentiva soltanto, in lontananza, il rumore delle automobili sulla Salaria.

Devo essermi sbagliato.

Guardò Larita. Aveva gli occhi lucidi e tremava.

Fabrizio si accorse che il cuore gli andava a mille. Le prese la mano. – Dovremmo essere quasi arrivati.

Ripresero la marcia.

– Cosa c'è lí? – strillò Larita facendo un salto indietro.

Fabrizio si immobilizzò. – Dove?

– Quell'albero.

Fabrizio, con le gambe molli come tentacoli, alzò la lampada verso il punto che gli aveva indicato Larita. Non vedeva nulla. Fece un passo in avanti agitando la lampada intorno a sé. I rami degli alberi si protendevano sulla stradina. Non c'era nulla, ma che cazzo, si stava cagando sotto. Il panico gli afferrò la gola... quella cos'era?

Una sagoma nera era appesa a un ramo.

Una scimmia?

Non poteva essere una scimmia. Troppo grande.

Un gorilla?

Troppo grasso. Per un attimo pensò che fosse una scultura, un manichino appeso.

Si tirò indietro e la flebile luce della lampada rischiarò il resto della chioma dell'albero. Appesi c'erano altri due...

Uomini.

Dei ciccioni che si dondolano.

Si girò su se stesso e urlò a Larita: – Scappa! Veloce!

Sentí alle sue spalle un rumore attutito e un rantolo. Uno di quei mostri doveva essersi buttato giú.

Cominciò a correre a perdifiato. La lanterna gli si spense in mano e l'unica luce rimase quella lontana del bivacco.

Galoppava disperato come mai aveva fatto in vita sua, sentendo il brecciolino che strideva sotto le suole delle scarpe e l'aria che gli turbinava giú per la trachea.

Sperava che Larita gli fosse accanto.

E se è rimasta indietro?

Girati! Fermati! Chiamala!, gli urlava la testa.

Avrebbe voluto farlo, ma riusciva solo a correre e a pregare che lei stesse facendo altrettanto.

Ma dopo poche decine di metri la sentí gridare.

L'hanno presa! Porca troia bastarda, l'hanno presa!

Mentre correva girò la testa. Tutto era immerso nel nero e in quel nero sentí i suoi lamenti e i versi gutturali dei mostri. – Fabrizio! Aiutami! Fabrizio!

Si fermò, piegato in due dal fiatone e sospirò: – Sono troppo vecchio per questa merda –. Poi con un coraggio inaspettato urlò: – Lasciatela bastardi! – E tornò indietro, a pugni chiusi, a occhi chiusi, mulinellando le braccia, sperando di spaventarli, di cacciarli, di annientarli.

Ma inciampò, cadde a terra e sbatté la mandibola contro la ghiaia. Nonostante il dolore si rialzò, il sangue tra i denti, e nel momento in cui si rialzava, un pugno, un bastone, qualcosa di pesante, si abbatté con una violenza inaudita sulla sua spalla destra e lui si ritrovò ancora a terra e urlando fino a farsi scoppiare le tempie provò di nuovo, caparbio, a rialzarsi, ma un altro pugno gli affondò nello stomaco.

Fabrizio Ciba si afflosciò come un pallone squarciato e mille lucine arancioni gli esplosero davanti agli occhi. Cacciò fuori tutta l'aria che aveva in corpo e mentre era lí che agonizzava sentí delle mani enormi che lo afferravano e lo sollevavano con la stessa facilità con cui un essere umano solleva una busta della spesa.

Era in apnea, adagiato sopra la spalla dell'essere che camminava. Schiuse gli occhi. Il cielo rosato era sopra di lui, poteva toccarlo con una mano e sentiva il rantolo dei suoi polmoni strizzati che, come sacchetti sotto vuoto, risucchiavano l'aria.

E mentre si diceva che ce la poteva fare a respirare di nuovo e a non morire, si rese conto che l'oscurità era qualcosa di piú che la semplice assenza di luce. Era la sostanza nella quale sarebbe affogato.

Un colpo alla nuca gli strappò via quell'ultimo pensiero.

61.

– Che stai mangiando? E dacci qualcosa. Non fare l'infame.

Saverio Moneta vide tre tizi che si affacciavano alla porta. Quello piú alto con il frangettone e gli occhiali senza montatura l'aveva visto sicuramente in tv, doveva essere un presentatore. L'altro, piú tracagnotto e con la fronte alta due dita, doveva essere un politico. E il terzo, boh… Non lo conosceva.

Con le loro divise da cacciatori marchiate Ralph Lauren, con i loro capelli pieni di gel, con le bottiglie di Champagne in mano si sentivano dei Padreterni, ma erano solo tre pezzi di merda ubriachi.

Saverio se ne intendeva di pezzi di merda. Aveva avuto a che fare con quel tipo di persone precocemente, negli anni della scuola. Di solito si aggiravano in gruppo per potersi fare forza l'uno con l'altro. E se ti inquadravano, se capivano che volevi essere lasciato in pace, ti giravano intorno come iene affamate.

Se ti diceva bene ti aspettavano fuori da scuola e con un'occasione qualsiasi attaccavano briga, ti picchiavano e lí finiva. Altre volte invece si mascheravano da amici, erano simpatici e cordiali e ti facevano credere che potevi essere uno di loro e a quel punto, come uno scemo, abbassavi le difese e quelli ti spezzavano il cuore prendendoti per il culo. Poi ti buttavano via come un giocattolo rotto. La domenica però andavano a messa con le famiglie e pren-

devano la comunione. Dopo le superiori, sponsorizzati dal
capitale familiare, partivano per studiare all'estero. Lí si
ripulivano e quando tornavano a Oriolo erano avvocati,
commercialisti, dentisti. Sembravano persone perbene, ma
sotto erano ancora dei pezzi di merda. Spesso finivano in
politica e parlavano di Dio, di valori familiari e patria.
Questi erano i nuovi cavalieri della cultura cattolica.

Saverio si cacciò in fretta in fondo alla tasca dei pantaloni il biglietto di Zombie. Strizzò gli occhi e le labbra gli
si stirarono in un ghigno sardonico. – Vuoi vedere che sto
mangiando?

Il tipo con il pizzetto gongolò. – Io e te ci capiamo, fratello. Mostra i tesori che nascondi.

E il politico aggiunse. – Condividilo con i tuoi amici.

Saverio si girò con gli occhi spiritati. Raccolse il corpo
di Zombie da terra. Si stupí di come pesasse poco. – Cosa preferite, una coscia o un braccio? – E gli mostrò i resti carbonizzati.

I tre sulle prime non capirono che roba fosse. Il tipo
con il pizzetto fece un passo in avanti e poi uno indietro
in una specie di maldestra tarantella. – Oddio...

– Ma che cazzo è? – Il politico afferrò il braccio al presentatore.

– Pare un morto abbrustolito. Ammazza che schifo, –
concluse il terzo facendo cadere la bottiglia di Champagne,
che si disintegrò in mille schegge.

Saverio poggiò a terra Zombie, afferrò la Durlindana
con due mani e la sollevò oltre la spalla. – Allora cosa vi
taglio? Un braccio o una coscia?

I tre disgraziati si voltarono e scapparono, spintonan-
dosi per passare per primi attraverso il piccolo cancello. Il
politico cacciò un urlo disperato e sprofondò fino al busto
nella terra, che si aprí come una bocca per inghiottirlo. Il

poveretto cominciò a sbracciarsi ma qualcosa, da sotto, lo
tirava giú. Allargò le braccia cercando di opporsi ma un
attimo dopo era sparito nel buco nero.

Gli altri due rimasero lí, in piedi sul bordo, imbambo-
lati, senza sapere che fare. Poi il presentatore prese coraggio e si sporse un attimo sul buco, ma un attimo fu sufficiente perché un enorme braccio schizzasse fuori e lo af-
ferrasse per la barbetta. L'uomo, di testa, fu trascinato
dentro la buca e venne risucchiato anche lui nelle viscere
della terra.

Il terzo stava per fuggire quando una mano spuntò fuori e gli afferrò la caviglia per tirarlo dentro. L'uomo finí a
terra e prese a scalciare per liberarsi dalla morsa. Con l'altro piede colpiva la manona avvinghiata alla sua gamba.
Ma non le faceva nulla. Quelle dita grosse come sigari e
con le unghie nere erano insensibili al dolore. Cercava di
opporsi puntando le mani contro il terreno e implorava:
– Aiutatemi! Vi prego! Aiutatemi! – Riuscí ad aggrapparsi a un palo del cancello. Un'altra mano gli prese la gamba libera e a quel punto non ci fu nulla da fare, anche lui
sparí nel buco.

Saverio Moneta, impietrito sulla porta della cabina,
aveva visto la scena. Era durata nemmeno tre minuti.

Cazzo... Cazzo... Cazzo... Era l'unica parola che il suo
cervello riusciva a concepire mentre vedeva che dal buco,
lentamente, ma senza troppi sforzi, uscivano due braccia
grosse come prosciutti, seguite da una testa piccola e calva incassata tra due scapole spioventi e poi dal resto di un
essere enorme avvolto da copertoni di ciccia. Sembrava in-
dossasse una tuta da ginnastica verde di Sergio Tacchini.

Peserà almeno duecento chili.

Saverio aveva letto diversi trattati sull'uso delle armi
bianche nel Giappone feudale e sapeva che esisteva un mi-

tico colpo mortale che il maestro del sedicesimo secolo Hiroyuki Utatane aveva chiamato Il Vento tra i Loti. Richiedeva molto equilibrio, ma se ben effettuato era capace di staccare di netto la testa all'avversario.

Cacciò un urlo, sollevò un piede, saltò in aria e nello stesso tempo compí una piroetta di centottanta gradi tenendo la Durlindana dritta davanti a sé.

La spada tagliò l'aria mentre l'essere, con la rapidità e la grazia di una ballerina obesa, fece un passo indietro, allungò una mano e afferrò la lama.

Saverio, per il contraccolpo, volò indietro e finí contro il muro della casetta. Aveva ancora il manico tra le mani. Ma il resto della spada era stretta nel pugno dell'essere, che la gettò a terra come spazzatura.

La solita monnezza di eBay... Saverio buttò via ciò che restava della sua spada sacrificale. *Non credo che potrò dare un feedback negativo a quei bastardi di* The Art of War *di Caserta*.

Il bestione gli si avvicinò a meno di un metro. Gli incombeva addosso con tutta la sua stazza.

Il leader delle Belve di Abaddon alzò la testa per guardarlo. Uno smunto raggio di luna brillava negli occhietti rossi e inespressivi del mostro, che scosse la testa e sorrise mostrando una sfilza di denti storti e cariati. Saverio si sentí afferrare per le braccia e sollevare in alto. Chiuse gli occhi cercando di risucchiare nei polmoni tutto il dolore.

Sentiva il respiro putrido del mostro. Avrebbe voluto sputargli in faccia, ma in bocca non aveva piú saliva.

Non importa. Era pronto a morire. Non avrebbe pregato, non avrebbe implorato. Sarebbe morto come Mantos, il dio etrusco della Morte.

Il mostro lo lanciò contro un albero e l'ultima cosa che Saverio vide prima di schiantarsi contro il tronco fu la luna, tonda e immensa, che era riuscita a trovare un varco tra i veli lattiginosi delle nuvole.

Era cosí vicina.

Parte terza

Katakumba

But I'm a creep,
I'm weirdo.
What the hell am I doing here?
I'dont belong here.

RADIOHEAD, *Creep*.

Il barone Pierre de Coubertin, nato a Parigi nel 1863, è ricordato per aver coniato l'odiosa frase: «L'importante non è vincere, ma partecipare» (che tra l'altro non è sua, ma di un vescovo della Pennsylvania). Oltre a questo, de Coubertin è noto per aver riformato il sistema educativo francese e per aver riportato in vita nel mondo moderno gli antichi giochi olimpici greci. Grande sostenitore dello sport e dell'attività fisica nella formazione del carattere della gioventú, il barone fu incaricato dal governo francese di formare una società sportiva internazionale. Dopo aver consultato quattordici nazioni, fondò il Comitato olimpico internazionale che organizzò nel 1896 le prime Olimpiadi moderne ad Atene. Fu un enorme successo, replicato quattro anni dopo a Parigi. La terza Olimpiade si tenne nel 1904 a Saint Louis, negli Stati Uniti. Per la quarta edizione il barone sperava di portare i giochi olimpici a Roma, volendo ricreare la mitica rivalità tra Roma e Atene, le due potenze del mondo antico. Ma l'Italia in quel periodo, tanto per cambiare, aveva problemi economici e declinò l'offerta.

Il 16 giugno del 1955, il sogno del barone de Coubertin diventò finalmente realtà: la città di Roma, dopo un avvincente testa a testa con Losanna, conquistò il diritto di ospitare i Giochi della diciassettesima Olimpiade previsti per il 1960.

Il governo italiano investí circa cento miliardi di lire per mostrare a tutto il mondo che anche l'Italia faceva parte dell'esclusivo club dei Paesi ricchi.

La Città Eterna si trasformò in un cantiere per prepararsi all'evento. Furono costruite nuove strade e fu edificato, tra Villa Glori e la sponda del Tevere, un villaggio olimpico per ospitare gli atleti provenienti da tutto il mondo. Un grande comprensorio di moderne palazzine immerse nel verde a pochi chilometri dal centro storico. Vennero eretti due palazzetti dello sport. Lo stadio Olimpico fu ristrutturato per contenere fino a sessantacinquemila spettatori. E poi nuove piscine, velodromi, campi da hockey. E, per la prima volta nella storia delle Olimpiadi, le immagini delle gare vennero trasmesse in tutta Europa dalla Rai.

Roma si fece notare nel mondo per la bellezza dei campi di gara: le Terme di Caracalla ospitavano la ginnastica, la basilica di Massenzio la lotta, mentre la maratona partiva dal Campidoglio e seguendo l'Appia Antica si chiudeva sotto l'Arco di Costantino. Proprio nella maratona avvenne qualcosa di straordinario. Abebe Bikila, un piccolo atleta della Guardia imperiale etiope, vinse la gara correndo a piedi nudi. Tagliò il traguardo con il nuovo record del mondo.

Con la bellezza di 36 medaglie l'Italia si collocò al terzo posto del medagliere, dietro i sovietici e gli americani.

Tutto ciò è risaputo. Quello che invece pochissimi sanno è cosa successe a un piccolo gruppo di atleti sovietici durante la notte della chiusura dei giochi.

L'Urss partecipava ai giochi olimpici solo da due edizioni. Nel 1952 a Helsinki c'era stata la prima apparizione di atleti sovietici. Prima di allora i dirigenti del Partito comunista consideravano i giochi «un mezzo per distogliere i lavoratori dalla lotta di classe e offrire loro l'addestramento per nuove guerre imperialistiche». In realtà, l'atteggiamento diffidente del Cremlino celava l'intenzione di presentarsi alla ribalta olimpica solo quando l'Unione Sovietica avesse avuto la possibilità di recitarvi un ruolo da protagonista. Dal 1952 in poi le due superpotenze, congelate dalla guerra fredda, trovarono nelle Olimpiadi un perfetto campo di battaglia per dimostrare tutta la propria forza. Da una parte l'Unione Sovietica, con una ferrea organizzazione paramilitare che studi scientifici incrementavano incessantemente, sollevando sospetti e insinuazioni sull'uso di medicinali per potenziare i loro atleti. Dall'altra gli Stati Uniti, protagonisti di tutte le edizioni dei Giochi dal 1896 in poi, sorretti dalla possibilità di selezionare i migliori tra le migliaia di sportivi dei college e delle università.

Umiliata nelle Olimpiadi di Helsinki, e vincitrice di misura a Melbourne, l'Unione Sovietica era arrivata a Roma con l'intenzione di mostrare la superiorità del regime comunista.

La rappresentanza sovietica era separata da tutte le altre e occupava delle palazzine riservate. Gli atleti non dovevano aver alcun contatto con quelli delle nazioni che erano il simbolo del capitalismo occidentale corrotto. Erano costantemente tenuti sotto controllo da addetti del Partito.

Fra gli atleti c'erano Arkadij e Ljudmila Brusilov. Lui lanciatore di giavellotto, lei ginnasta artistica. Si erano sposati nel 1958 a Kutuko, un paese vicino Mosca. Entrambi avevano nel cuore un sogno: abbandonare l'Urss e andare a vivere in Occidente. Detestavano il regime autoritario comunista e volevano dare alla luce i loro figli nel mondo libero. Ma questo era solo un sogno, nessuno poteva lasciare il Paese. E ciò valeva ancor di più per degli atleti considerati rappresentanti ufficiali dell'ideologia e della forza sovietica in tutto il mondo.

Durante i giochi, i due cominciarono a organizzare un piano per scappare e rifugiarsi in Occidente. Il giorno dopo aver vinto la medaglia d'argento, Ljudmila si fece sfuggire con Irina Kalina, una saltatrice con l'asta che divideva con lei l'al-

loggio, i progetti di fuga. Irina li pregò di portarla con loro. Le spiegarono che era pericoloso e che quella scelta avrebbe condizionato il resto della sua esistenza. Il Kgb non avrebbe dato loro tregua. Dovevano rifugiarsi in un luogo segreto e vivere in completa clandestinità.

– Non importa... Sono disposta a tutto, – fece Irina, il cui nonno era finito in un gulag in Siberia.

Lentamente il segreto cominciò a girare tra gli atleti. E alla fine si ritrovarono in ventidue, fra uomini e donne, a organizzare l'evasione.

Visto come progredivano le gare, era evidente che sarebbero stati i sovietici a conquistare il palmarès. E dopo la chiusura dei Giochi si sarebbe sicuramente brindato per aver battuto, per la seconda volta e in modo ancora più cocente, gli imperialisti americani.

E cosí fu. I dirigenti organizzarono una cena per tutta la delegazione con portate di insalata russa, carpa bollita, patate al cartoccio e stufato di cipolle, il tutto innaffiato da litri di vodka. Già alle nove di sera organizzatori, allenatori, atleti e addetti di partito erano ubriachi. C'era chi cantava, chi intonava vecchie poesie, chi suonava ballate al pianoforte. L'atmosfera era all'apparenza gioiosa, ma il tutto era velato da una terribile nostalgia.

I ventidue dissidenti avevano riempito d'acqua le loro bottiglie di vodka. A un cenno prestabilito di Arkadij tutto il gruppo si ritrovò nel giardino del padiglione. Le due guardie giacevano addormentate su una panchina. Fu facile scavalcare il recinto e fuggire, protetti dalla notte romana.

Corsero veloci lungo il Tevere fino ai campi sportivi dell'Acqua Acetosa, da lí risalirono senza mai fermarsi verso i Parioli e si ritrovarono di fronte a una grande collina coperta di boschi. Non lo sapevano, ma quello era Forte Antenne, la punta estrema di un immenso parco chiamato Villa Ada.

Ci entrarono, e di loro non si seppe piú nulla.

Ovviamente le autorità sovietiche negarono la cosa. Non potevano ammettere al mondo che alcuni dei loro piú gloriosi atleti erano fuggiti, ripudiando il comunismo e il proprio Paese. Sguinzagliarono i servizi segreti per rintracciarli e fargliela pagare. Per anni gli agenti li cercarono in ogni parte del mondo. Nulla. Un buco nell'acqua. Sembravano essersi dissolti, come se qualche Paese occidentale li avesse aiutati a far perdere le loro tracce.

Come abbiamo detto, il sottosuolo di Villa Ada è attraversato dalle antiche catacombe di Priscilla. Oltre quattordici chilometri di gallerie e cubicoli scavati nel tufo, divisi in tre piani stipati dei resti degli antichi cristiani. Il nome della necropoli sotterranea si deve alla romana Priscilla, nata nella seconda metà del secondo secolo d.C. Sembra che la donna abbia regalato il terreno ai cristiani, che vi scavarono il loro cimitero.

Lí dentro si nascosero Arkadij e la compagnia dei dissidenti. Dopo aver perlustrato la necropoli dall'alto in basso, organizzarono le loro dimore nella galleria del piano piú profondo, a oltre cinquanta metri dalla superficie terrestre. Questa zona, fresca d'estate e calda d'inverno, era stata esplorata, mappata e infine chiusa al pubblico e dimenticata. I turisti visitavano solo parte del primo piano, nella zona antistante il monastero delle monache benedettine.

I russi, solo di notte, quando il parco era chiuso, risalivano le gallerie e uscivano fuori per cercare cibo. La loro alimentazione si basava principalmente su ciò che i romani abbandonavano durante il giorno: resti di panini, frittate, patatine e Cipster, merendine, snack, il fondo delle lattine di Coca-Cola. La loro era un'economia sostanzialmente incentrata sulla raccolta dei rifiuti. Simile, per certi versi, a quella *delle popolazioni raccoglitrici del paleolitico. Si vestivano con tute, felpe e berretti che la gente distratta dimenticava sui prati o perdeva nei percorsi sportivi attrezzati. Gli etologi potrebbero paragonare la relazione che si era instaurata tra gli atleti sovietici e i romani alla simbiosi tra gli ippopotami e gli aironi. Questi splendidi uccelli vivono sul dorso dei grossi mammiferi nutrendosi dei parassiti della pelle. Nello stesso modo i romani si ritrovavano la Villa sempre pulita, e i russi cibo e vestiti.*

Nelle gallerie delle catacombe la piccola comunità cominciò a riprodursi e lentamente si ingrandí. Ovviamente, essendo una piccola popolazione, gli incroci tra consanguinei avvenivano di frequente, generando una deriva genetica incontrollata e accelerata. Anche la vita ipogea, nel buio dei cunicoli, e una dieta ricca di carboidrati e grassi contribuí a trasformarli morfologicamente. Le nuove generazioni erano obese, con gravi problemi dentari, e assai pallide. In compenso avevano una vista adattata al buio e, discendendo in linea diretta da atleti, erano molto agili e forti.

Sembra incredibile, ma in quasi cinquant'anni nessuno notò la loro presenza. Solo tra gli spazzini e gli addetti alla manutenzione di Villa Ada girava la leggenda degli uomini talpa. Si raccontava che di notte uscissero dai fori di areazione delle catacombe e ripulissero tutta l'immondizia del parco, levandogli il grosso del lavoro. C'era chi invece giurava di averli visti saltare da un albero all'altro, compiendo acrobazie incredibili. Ma sembrava solo un'altra leggenda metropolitana.

L'acquisto della Villa da parte di Chiatti ruppe il delicato rapporto tra il parco e i suoi ospiti sotterranei.

Da un giorno all'altro i russi non trovarono piú i cestini che rigurgitavano resti di cibo. E lentamente il parco si era popolato di bestie feroci. Non essendo cacciatori ma raccoglito-

ri, e con un metabolismo che richiedeva costantemente glu-
cosio e colesterolo, gli abitanti delle catacombe cominciarono a stare male e ad ammalarsi nutrendosi di topi, insetti e altri piccoli animaletti.

Rompendo l'antica e assoluta regola che si erano imposti
quando erano entrati nelle catacombe, e che vietava di uscire
all'aperto durante il giorno, il vecchio re Arkadij inviò in superficie un piccolo drappello di esploratori muniti di occhiali da sole, capitanato da suo figlio Ossacatogna, per capire che
diavolo stesse succedendo nella Villa.

Quando gli esploratori tornarono, raccontarono che il parco era stato chiuso ed era diventato una specie di zoo privato
di un uomo molto potente, che stava organizzando una grande festa.

Fu convocato immediatamente il consiglio dei vecchi atleti, al quale sovrintese anche il re, oramai del tutto cieco e devastato dalla psoriasi. Lui sapeva cosa stava succedendo. Quello che aveva sempre temuto in cinquant'anni di vita sotterranea. L'impero sovietico alla fine aveva trionfato, con i suoi
eserciti aveva invaso l'Italia e ora il comunismo regnava in-
contrastato sul pianeta intero.

Sicuramente quel parco era diventato la residenza di un
burocrate, un pezzo grosso del Partito, e la festa era una celebrazione della vittoria sovietica.

– E che cosa dobbiamo fare, padre? – domandò Ossacatogna.

Il re si prese un paio di minuti prima di rispondere. – Durante la notte della celebrazione usciremo allo scoperto e at-
taccheremo i sovietici, e ci prenderemo quello di cui abbiamo bisogno per sopravvivere.

Concerto di Larita live in Villa Ada

62.

Sasà Chiatti, in vestaglia di raso, boxer a righe e occhialoni infrarossi, era in piedi al centro della terrazza della Villa Reale. Col braccio destro stringeva un fucile d'assalto TAR-21 placcato in oro, il calcio tempestato di diamanti Swarovski, e col sinistro un lanciagranate M79 con il calcio in alabastro e canna placcata in argento. Tra i denti stringeva un sigaro Cohiba Behike, rollato dalle abili mani della torcedora cubana Norma Fernández.

Si avvicinò alla grande scalinata che portava al giardino e allargò le armi in un gesto di saluto. – Benvenuti al party.

Mai poteva immaginare che avrebbero avuto il coraggio di presentarsi il giorno della sua incoronazione. Era stato ingenuo a non pensarci. Era ovvio. Cosí, di fronte a tutti, la sua disfatta sarebbe stata totale e assoluta. Un monito a quelli che provavano a fare di testa loro.

Scese un paio di gradini, fece fuoco sul tavolo dei superalcolici e lo disgregò. – Io sto qui. Forza, fatevi sotto, – urlò nella notte verde del suo visore.

Gli veniva da ridere. Venivano a punirlo perché aveva osato elevarsi, perché aveva mostrato a tutti che anche un ragazzo povero, figlio di un modesto carrozziere di Mondragone, era diventato, grazie alla sua intraprendenza, uno degli uomini piú ricchi d'Europa. Perché aveva dato lavoro ai disoccupati e speranza a un sacco di morti di fame. Perché aveva rimesso in moto l'economia di questo Paese del cazzo.

Quella santa donna di sua madre, non aveva studiato

ma aveva il cervello che funzionava, lo aveva avvertito. «Salvato' prima o poi troveranno il modo di fotterti. Si metteranno insieme e ti affogheranno nella merda».

Da anni Sasà Chiatti dormiva con l'ansia aspettando quel momento. Aveva ingaggiato truppe di avvocati, commercialisti, economisti. Aveva fatto costruire una muraglia intorno alla sua Villa per difendersi, aveva fatto scavare un bunker sotterraneo dove nascondersi, assoldato guardie del corpo israeliane e blindato le sue automobili.

Non era servito a un cazzo. Erano arrivati lo stesso. Gli avevano sabotato la centrale elettrica, gli avevano rovinato la festa e ora volevano farlo fuori.

Attraverso il visore notturno ne vide un paio, belli grossi, che correvano tra i resti del buffet con delle buste piene di cibo. – Pezzenti. Sapete una bella cosa? Sono contento, cosí la finiamo 'sta storia –. Caricò il lanciagranate. – E la volete sapere un'altra bella cosa? La festa, gli invitati, i vip possono andarsene tutti a fare in culo, uccideteli tutti. E pure di questa Villa di merda non me ne frega un cazzo. Distruggetela. Volete la guerra? E guerra avrete –. Fece esplodere la grande fontana. Schegge di marmo, acqua e ninfee si sparsero per decine di metri.

Scese altri tre gradini. – Volete sapere chi cazzo sono io? Volete sapere come cazzo si permette un mariuolo di Mondragone a comprarsi Villa Ada? Adesso ve lo spiego. Ora vi faccio vedere un po' chi è Sasà Chiatti quando si fa girare il cazzo –. Cominciò a spazzolare con il mitra i tavoli del buffet. I piatti di tartine al tartufo, i vassoi di crocchette di pollo e le brocche con il Bellini si disintegravano sotto i proiettili. I tavoli si disfacevano a terra crivellati dai colpi.

Era una bella sensazione. Il mitragliatore si era scaldato e gli bruciava la mano. Mentre tirava fuori dalla tasca della vestaglia un caricatore e lo sostituiva, ripensò al libro che aveva letto sugli eroi greci.

Ce n'era uno che stimava parecchio, Agamennone. Nel film *Troy* lo faceva un attore bravissimo, di cui in quel momento gli sfuggiva il nome. L'eroe greco aveva vinto i troiani e si era tenuto come bottino di guerra Criseide, una bella figa. Un dio, uno importante, un aiutante di Zeus, gli aveva offerto in cambio della ragazza un botto di soldi, ma Agamennone non aveva accettato. Agamennone non aveva paura degli dèi. E gli dèi si erano vendicati e avevano scagliato contro il suo accampamento una terribile pestilenza.

– Questa è la vostra vendetta... – Guardò in alto il cielo verdastro. – Solo che gli dèi greci erano grandi e potenti. Quelli italiani sono miserabili. Avete mandato 'sti ciccioni ad ammazzarmi –. Prese di mira una specie di molosso che si trascinava un bustone pieno di bibite e lo fece stramazzare al suolo.

Arrivò in fondo alle scale. – Non dovrebbe essere l'obbiettivo della democrazia? A tutti un'opportunità! – Chiatti, con uno scatto del braccio, ricaricò il lanciagranate. – Beccatevi questa opportunità di andare a fanculo –. E fece esplodere un ciccione con un'intera porchetta sulle spalle.

– Schifosi morti di fame... Evviva l'Italia –. Sputò via il sigaro e cominciò a correre e a sparare all'impazzata falciando i sicari obesi. – Fratelli d'Italia, l'Italia s'è desta... – cantava, mentre i bossoli del TAR-21 schizzavano da tutte le parti. – Dell'elmo di Scipio si è cinta la testa... – Ne colpí uno, il cranio si aprí come un'anguria matura.

– Imbecilli, non vi siete neanche armati! Chi cazzo vi credete di essere per venire qui cosí? Non siete immortali. Dite a quelli che vi hanno mandato che ci vuole altro per fare fuori Sasà Chiatti –. Si fermò col fiatone, poi scoppiò a ridere. – Mi sa che non potrete dirgli un bel niente, sarete tutti schiattati –. Infilò un'altra granata e colpí l'Apecar dei gelati Algida. Ci fu un'esplosione che per un istante illuminò a giorno il giardino all'italiana, il labirinto di bosso, il gazebo delle informazioni e le tende della caccia. La ruota anteriore del triciclo schizzò fuori dalla palla di fuoco, superò i tavoli degli aperitivi, i resti della fontana, le aiuole di ortensie e colpí l'immobiliarista in fronte.

Sasà Chiatti con i suoi novanta chili ondeggiò e parve resistere all'impatto, ma poi come un grattacielo a cui hanno minato le fondamenta cadde giú. Mentre il mondo intorno a lui si ribaltava, con l'indice tirò il grilletto del mitragliatore e si portò via la punta della pantofola in velluto blu, su cui erano cucite le sue iniziali in oro. Dentro c'erano quattro dita e una bella porzione di piede.

Finí a terra e con la testa batté contro lo spigolo di un tavolino di cristallo. Una lunga scheggia triangolare gli si piantò proprio sopra la nuca, attraversò la scatola cranica, la dura madre, l'aracnoide, la pia madre e s'infilò nel tessuto molle del cervello come una lama affilata in una Danette alla vaniglia.

– Ahhhh… Ahhhh… Che dolore… Mi avete colpito, – riuscí a mugugnare, prima di vomitarsi addosso i resti semidigeriti dei rigatoni all'amatriciana e delle polpette con i pinoli e l'uva passa.

Con il visore notturno tutto storto osservò quello che restava dell'estremità del suo arto sinistro. Il moncherino, un ammasso di carne viva e spunzoni di osso, perdeva come un rubinetto spanato un liquido verde scuro. L'immobiliarista allungò una mano, afferrò una tovaglia da un tavolino rovesciato e ci si fasciò alla bell'e meglio la ferita.

Poi prese una bottiglia di amaro Averna e se ne scolò un quarto.

– Bastardi. Pensate di avermi fatto male? Vi sbagliate. Forza, stupitemi, fatemi vedere che cosa sapete fare. Sono qua, – fece segno con le dita di farsi avanti. Afferrò il mitragliatore e continuò a sparare in giro finché non ci fu piú niente a cui sparare. Rimase per un attimo in silenzio e si accorse che aveva il collo e le spalle zuppe di sangue. Si toccò la nuca. Tra i capelli gli spuntava un pezzo di vetro. L'afferrò con il pollice e l'indice e provò a estrarlo, ma gli scivolava tra i polpastrelli. Boccheggiando ci riprovò, e appena lo mosse un flash rosa gli accecò l'occhio sinistro.

Decise di lasciarlo lí e si accasciò contro i resti della scultura in ghiaccio di un angelo e con le poche forze che gli restavano si tracannò il resto dell'amaro, sentendo il sapore dolceamaro dell'Averna mischiarsi con quello salato del sangue. – Non mi avete fatto un cazzo... Non mi avete... Complotto di merdosi –. Dalla testa dell'angelo e dagli abbozzi consumati delle ali cadeva una pioggia gelata che gli scivolava sul cranio liscio e sulla maschera a infrarossi, gli colava sulle guance paffute e gocciolava sulla pancia dilatata, sulla vestaglia, e annacquava la pozza di sangue in cui era sprofondato.

La morte era fredda. E un polipo di ghiaccio gli avvolgeva i tentacoli gelati lungo la spina dorsale.

Ripensò a sua madre. Avrebbe voluto dirle che il suo chiappariello le voleva bene, e che era stato bravo. Ma non aveva piú fiato nei polmoni. Fortuna che l'aveva nascosta al sicuro nel bunker.

Porca puttana..., si disse stirando un sorriso. Era bello andarsene cosí. Come un eroe. Come un eroe greco in battaglia. Come il grande Agamennone, il re dei greci.

Aveva sonno e si sentiva affaticato. Che strano, il piede non gli faceva piú male. E anche la testa non gli pulsava piú, era leggera. Gli sembrò di essere uscito dal suo corpo e di vedersi.

Lí, accasciato sotto un angelo che si scioglie.

La testa gli ricadde sul petto. La bottiglia gli scivolò fra le gambe. Si guardò le mani. Le aprí e le chiuse.

Le mie mani. Queste sono le mie mani.

Alla fine avevano vinto loro.

Ma loro chi?

Salvatore Chiatti si addormentò con una domanda da portarsi nell'aldilà.

63.

Fabrizio Ciba riprese i sensi come se riemergesse da un pozzo senza fondo. Ad occhi chiusi spalancò la bocca e rimase accucciato in posizione fetale, a ingoiare e sputare fuori aria. Ricordò il buio e i grappoli di ciccioni appesi agli alberi.

Mi hanno rapito.

Rimase fermo, senza aprire gli occhi, fino a che il cuore cominciò a rallentare. Era indolenzito dalle dita dei piedi fino alla cima dei capelli. Appena si muoveva un dolore atroce gli scorreva su per le spalle…

Lí dove mi ha colpito.

(Non pensarci).

… e attraverso i muscoli del collo si irraggiava come una scossa elettrica dietro le orecchie fino alle tempie. La lingua era cosí gonfia che faceva fatica a stargli in bocca.

Sono caduti dagli alberi.

(Non pensarci).

Giusto, non doveva pensarci. Doveva solo stare fermo e aspettare che il dolore passasse.

Devo pensare a qualcosa di bello.

Ecco, era a Nairobi, steso in un letto. Le tende di lino mosse da un vento caldo. Accanto aveva Larita, nuda, che vaccinava i bambini keniani.

Dov'è Larita?

(Non pensarci).

Tra poco si sarebbe alzato e avrebbe preso un Aulin e si sarebbe preparato una bella spremuta di pompelmo.

Non funziona.

Era steso su un terreno troppo duro e freddo per poter fantasticare.

Poggiò una mano a terra. Il pavimento era bagnato e sembrava fatto di terra battuta.

Non aprire gli occhi.

Tanto prima o poi gli sarebbe toccato aprirli e scoprire dove il mostro lo aveva portato. Per il momento era meglio di no, stava troppo di merda e non voleva altre brutte sorprese. Preferiva starsene lí, buono, a immaginarsi l'Africa.

Ma c'era un odore strano, di umido, che gli dava la nausea. Gli ricordava l'odore che si sentiva nella cantina scavata nel tufo della villa di suo zio a Pitigliano. E faceva freddo, proprio come lí.

Sono sottoterra. Erano almeno cinque su quell'albero. Mi hanno rapito. Era un complotto per rapirmi.

Un gruppo di terroristi obesi erano calati dagli alberi e lo avevano rapito.

Prima lentamente, poi sempre piú velocemente, il suo cervello prese a rielaborare quell'idea balorda, a impastarla e farla crescere come fosse un panetto per la pizza. E ci poteva mettere una mano sul fuoco che il rapimento era stato coordinato da quel figlio di puttana di Sasà Chiatti, un vero mafioso colluso con il potere. La festa, i safari, tutto un paravento per nascondere un piano globale per togliere di mezzo un intellettuale scomodo, che puntava il dito contro il degrado morale della società.

È ovvio, me la vogliono far pagare.

Durante tutta la sua carriera si era esposto, incurante delle conseguenze, contro i poteri occulti. Lo considerava dovere civile di uno scrittore. Aveva scritto un articolo infuocato contro le lobby dei boscaioli finlandesi che abbattevano le foreste millenarie. Quei bestioni che lo avevano rapito potevano essere benissimo una falange estremista finlandese.

Un'altra volta aveva apertamente dichiarato sul «Corriere della Sera» che la cucina cinese era una cagata. E si sa che i cinesi sono una mafia e non lasciano impunito chi ha il coraggio di attaccarli pubblicamente.

Certo quei colossi erano un po' troppo pingui per essere cinesi...

E se si fossero coalizzati con i boscaioli finlandesi?

Gli venne in mente il grande Salman Rushdie e la fatwa islamica.

E ora mi giustizieranno.

Be', se finiva cosí, sarebbe almeno morto con la sicurezza di essere ricordato come un martire della verità.

Tipo Giordano Bruno.

Tutto preso a districarsi nel groviglio della sua mente, lo scrittore non si accorse di non essere solo fino a quando non sentí una voce.

– Ciba? Mi senti? Sei ancora vivo?

Era una voce bassa, quasi un sussurro. Alle sue spalle. Una voce con una erre moscia fastidiosa. Una voce che gli stava parecchio sui coglioni.

Fabrizio aprí gli occhi e cacciò una bestemmia.

Era quel rompiballe di Matteo Saporelli.

64.

Il giorno in cui era stato chiamato a organizzare il catering della festa, l'imprevedibile chef bulgaro Zóltan Patrovič aveva adocchiato nello studio di Chiatti un dipinto ad olio di Giorgio Morandi che raffigurava un paio di bottiglioni su un tavolo.

Quell'opera del pittore bolognese avrebbe dato prestigio alla sala Emilia-Romagna del suo ristorante *Le regioni*.

Il locale, sito in via Casilina angolo via Torre Gaia, era da anni al vertice delle guide gastronomiche europee. Lo aveva disegnato nel 1990 l'architetto giapponese Hiro Itoki, come un'Italia in miniatura. Guardandolo dall'alto, il lungo edificio aveva stessa forma e proporzioni della penisola italica, con tanto di isole maggiori. Era suddiviso in venti sale che corrispondevano per forma e specialità culinarie alle regioni italiane. I tavoli avevano i nomi dei capoluoghi.

Il quadro di Morandi sarebbe stato perfetto sopra il frigocantinetta dove custodiva il Lambrusco.

Il bulgaro aveva deciso che dopo la festa se lo sarebbe fatto regalare da Salvatore Chiatti. E se, come immaginava, l'immobiliarista avesse opposto resistenza, lo avrebbe convinto a donarglielo spingendogli nella testa un po' di confusione.

Ora che il party era andato in vacca, gli invitati erano dispersi nel parco e aveva visto il corpo senza vita dell'imprenditore in una pozza di sangue, non c'era alcuna ragione per non farsi ripagare il suo lavoro con quell'opera d'arte.

Nel buio, con una candela in mano, si avviò silenzioso come un gatto nero per le grandi scale che portavano al primo piano della villa, abbandonata dai camerieri e dallo staff.

I gradini erano coperti di pezzi di mobilio, vestiti, piatti, statue spezzate.

I ciccioni avevano messo la residenza a ferro e fuoco. Allo chef non interessava chi fossero e cosa volessero. Lui li stimava. Avevano apprezzato la sua cucina. Li aveva visti avventarsi sul buffet con una foga e una violenza primordiale. In quegli occhi incolori aveva scorto l'estasi ancestrale della fame.

Da qualche tempo gli capitava di tornare dal suo ristorante stanco e frustrato. Detestava come la gente usava la forchetta per indagare nel piatto, come interrompeva le chiacchiere con i bocconi, organizzava pranzi di lavoro a base di inutili antipasti. Per ritrovare la pace interiore era costretto a vedersi i documentari sulla fame nel terzo mondo.

Sí, l'imprevedibile chef bulgaro adorava la fame e odiava l'appetito. L'appetito era l'espressione di un mondo satollo e soddisfatto, pronto alla resa. Un popolo che assapora invece di mangiare, che stuzzica invece di sfamarsi, è già morto e non lo sa. La fame è sinonimo di vita. Senza fame l'essere umano è solo una parvenza di se stesso e di conseguenza si annoia e comincia a filosofeggiare. E Zóltan Patrovič odiava la filosofia. Soprattutto quella applicata alla cucina. Rimpiangeva la guerra, le carestie, la povertà. Presto avrebbe venduto baracca e burattini e si sarebbe trasferito in Etiopia.

L'imprevedibile chef bulgaro arrivò al piano di sopra. L'aria era satura di fumo e, dovunque posava la luce traballante della candela, c'era distruzione. Dalla stanza da letto arrivavano mormorii e bagliori di un fuoco.

A lui non interessava cosa stesse succedendo là dentro, doveva andare nello studio, ma la curiosità lo vinse. Spense la candela e si avvicinò alla porta. Un grande arazzo e le tende di broccato bruciavano, e le fiamme rischiaravano la stanza. Sul letto a baldacchino era stesa Ecaterina Danielsson, completamente nuda. I capelli, come una nuvola rossa, le incorniciavano il volto spigoloso. Intorno alla donna una decina di ciccioni mormoravano in ginocchio una strana cantilena e allungavano le mani e le sfioravano i minuscoli seni bianchi con i capezzoli color prugna, il ventre piatto con l'ombelico fatto a coppa, il pube coperto da una strisciolina di pelliccia color carota e le gambe lunghissime.

La modella, la schiena arcuata come un felino, muoveva pigramente la testa, gli occhi socchiusi in un'espressione estatica, la bocca larga e umida, spalancata. Ansimava, poggiando le mani sulle teste dei ciccioni prostrati intorno al letto come schiavi che adorano una dea pagana.

Zóltan si allontanò, riaccese la candela, seguí il lungo corridoio ed entrò nello studio di Chiatti. Alzò la fiamma. Il suo quadro era ancora lí. Nessuno lo aveva toccato.

Qualcosa che assomigliava a un sorriso fece per un istante capolino sul volto dello chef. – Non lo desidero, ma devo possederlo –. Fece un passo verso il dipinto, ma sentí dei rumori nel buio della stanza. Si appiattí dietro una libreria.

Piú che rumori erano versi disgustosi.

Zóltan spostò la candela e vide, tra due librerie, in un angolo, un uomo in ginocchio. Era ridotto a uno scheletro. La piccola testa calva, piegata verso il pavimento, era nascosta dietro le scapole esili e si vedeva solo la schiena con le vertebre che si sollevavano come una catena montuosa. La pelle, sottile come carta velina, era ricoperta da una rete di rughe e pendeva floscia dalle braccia gracili come ramoscelli. Strappava qualcosa e se lo cacciava in bocca, producendo versi gutturali e gorgoglii.

Incuriosito il cuoco fece un passo in avanti. Il parquet gli scricchiolò sotto i piedi.

L'uomo a terra si girò di scatto e digrignò i pochi denti marci che ancora aveva in bocca. I piccoli occhi brillavano come quelli di un lemure. Il viso rinsecchito era imbrattato di un liquido scuro e oleoso. Si tirò indietro, ringhiando, spalle al muro. Tra le gambe aveva i resti di una grande teglia di parmigiana di melanzane.

Lo chef sorrise. – È buona, vero? L'ho fatta io. Dentro c'è la passata di pomodori. E le melanzane sono fritte in un olio leggero –. Si avvicinò al quadro.

Il vecchio allungò la testa senza perderlo di vista.

– Mangia con comodo. Io mi prendo questo e me ne vado, – disse lo chef con una voce bassa e rassicurante, ma quello miagolando afferrò da terra la teglia e gli si avventò contro. Zóltan allungò la mano destra e gli strinse la calotta cranica.

Aleksej Jusupov, famoso maratoneta, si immobilizzò all'istante. Gli occhi gli si spensero e le braccia gli ricaddero sui fianchi. Dalla teglia che teneva ancora stretta nella mano colarono a terra i resti della parmigiana.

Che strano, improvvisamente non aveva piú paura di quell'uomo nero, anzi si accorse di volergli bene. Gli ricordava il vecchio monaco del suo villaggio. E la mano sulla fronte irraggiava un tepore benefico lungo il suo scheletro vecchio e artritico. Gli pareva di avvertire un'energia curativa che circondava le ossa e ammorbidiva le articolazioni irrigidite dal tempo e dall'umidità della vita sotter-

ranea. Si sentiva forte e in forma proprio come quando era
un ragazzino.

Da tanti anni non pensava piú a quel periodo della sua
vita.

Correva per chilometri e chilometri lungo la costa gelata del lago Bajkal senza stancarsi mai. E suo padre, intabarrato nel cappotto, gli controllava i tempi. Per festeggiare, se aveva migliorato il suo record, andavano a pescare su un lungo pontile da cui si vedevano le montagne del
Barguzin coperte di neve. D'inverno era ancora piú bello,
aprivano un buco nel ghiaccio e calavano le esche. E se
erano fortunati tiravano su delle grandi carpe marroni.
Animali vigorosi, che combattevano fieramente prima di
cedere.

Com'era buona quella carne grassa, bollita con le patate, il cavolo nero e il rafano. Cosa avrebbe dato per provare ancora la sensazione di quei filetti che gli si scioglievano in bocca e del rafano che gli pizzicava il naso.

Aleksej si ritrovò nel capanno da pesca illuminato solo
da una lampada a cherosene e dai bagliori della stufa a legna. *Papa* che gli faceva bere un bicchiere di vodka e gli
diceva che era benzina per il corpo di un corridore e si mettevano a letto, sotto strati di coperte ruvide che sapevano
di canfora. Uno accanto all'altro. E poi *papa* lo stringeva
forte e gli diceva in un orecchio con il fiato che puzzava
di alcol che lui era un bravo ragazzo, che correva come il
vento e che non doveva aver paura... Che era un segreto
tra loro. Che non faceva male, anzi...

No. Non voglio. Ti prego... Papa *non farmi questo.*

Qualcosa si ruppe nella mente di Aleksej Jusupov.

Il tepore benefico sparí dalle sue membra e il terrore
lo avvolse come una doccia fredda. Strizzò gli occhi pie-

ni di lacrime e davanti a sé vide suo padre vestito da monaco.

– Пошёл вон! Я тебя ненавижу[1], – fece Aleksej e met-
tendoci tutta la forza che aveva colpí l'autore dei suoi giorni con la teglia dal doppio fondo in acciaio.

L'imprevedibile chef bulgaro, incredulo, cadde a terra
e l'atleta russo lo finí a colpi di teglia.

*Spettacolo pirotecnico by Xi-Jiao Ming
and the Magic Flying Chinese Orchestra*

65.

L'ex leader delle Belve di Abaddon si risvegliò nel buio
pesto, sballottato come un sacco di patate.

Ci mise poco a capire che era in spalla al mostro che lo
aveva scagliato addosso a un albero. Scalciò cercando di
liberarsi, ma un braccio lo strinse cosí forte da fargli intendere che era meglio stare buono, se non voleva soffo-
care. Il ciccione marciava veloce senza stancarsi e sembrava vederci perfettamente nelle tenebre, girava a destra e
a sinistra come se in quel labirinto ci fosse nato. Ogni tanto una bava di luna riusciva a infilarsi attraverso delle aper-
ture sopra la volta e dalle tenebre apparivano piccoli sche-
letri adagiati nei loculi di una lunga galleria sotterranea.

Sono nelle catacombe.

L'ex leader delle Belve conosceva le catacombe di Priscilla. Alle medie ci era andato in gita di classe. A quel
tempo era innamorato di Raffaella De Angelis. Una ragazzina magra come una sardina, con dei lunghi capelli mori

[1] Vai via! Ti odio.

e un apparecchio d'argento ancorato ai denti. Gli piaceva perché il padre aveva una Lancia Delta blu con le poltrone di alcantara azzurre.

Per fare il simpatico, mentre avanzavano nella catacomba, Saverio le era andato dietro senza farsi vedere e le aveva dato un pizzicotto su un polpaccio sussurrandole: «L'etrusco uccide ancora». E Raffaella aveva lanciato un urlo, sgomitando terrorizzata. Saverio era stato colpito sul naso ed era svenuto.

Se lo ricordava come fosse ieri, il risveglio nel cubicolo della Velata. Tutti i suoi compagni di classe che formavano un capannello intorno a lui, la professoressa Fortini che scuoteva la testa, la vecchia suora del convento che si faceva il segno della croce e Raffaella che gli diceva che era un imbecille. Nonostante il dolore al naso si era reso conto di essere per la prima volta in vita sua al centro dell'attenzione. E aveva capito che era necessario fare cose straordinarie (non necessariamente intelligenti) per farsi notare.

Il padre di Raffaella lo aveva riaccompagnato a casa sulla Lancia Delta, che aveva l'odore buono delle macchine nuove.

Chissà che fine aveva fatto quella ragazza cosí carina?

Se non le avesse fatto quello scherzo idiota, se fosse stato gentile con lei, se fosse stato piú sicuro di se stesso, se... forse...

SE e FORSE erano le due parole che avrebbero dovuto scolpire sulla sua tomba.

Saverio Moneta buttò indietro la testa e si abbandonò sulle spalle del suo rapitore.

66.

Fabrizio Ciba osservava la volta di una grotta rischiarata dai bagliori rossastri di un fuoco. Il soffitto aveva una rozza forma geometrica. Come una cripta scavata nella roccia. Appesa al muro bruciava una fiaccola, i fumi neri e densi salivano in alto e s'incanalavano dentro fori che fungevano da canne fumarie. Nelle pareti erano scavati decine di piccoli loculi in cui erano raccolti mucchietti di ossa.

Matteo Saporelli continuava a rompere i coglioni. – Allora... Come stai? Riesci ad alzarti?

Fabrizio proseguí la sua ispezione, ignorandolo.

Radunate contro le pareti, tutte accucciate a terra, vedeva le sagome di un sacco di persone. Osservando meglio si accorse che erano invitati della festa, camerieri e qualche uomo della sicurezza. Riconobbe un paio di attori, il comico Sartoretti, un sottosegretario ai Beni culturali, una velina. E, cosa strana, nessuno parlava, come se gli fosse stato impedito.

Matteo Saporelli invece lo tormentava sottovoce. – Allora? Che mi dici?

Esausto per quelle continue domande Fabrizio si girò e vide il giovane scrittore. Era ridotto male. Con un occhio tumefatto e quel taglio sulla fronte sembrava la brutta copia di Rupert Everett pestato da uno piú grosso e cattivo di lui.

Fabrizio Ciba si massaggiò il collo dolorante. – Che ti è successo?

– Dei ciccioni mi hanno rapito.

– Anche a te?

Saporelli si tastò l'occhio gonfio. – A me mi hanno picchiato quando ho provato a scappare.

– Pure a me. Mi fa male tutto.

Saporelli abbassò la testa, come se dovesse ammettere una terribile colpa. – Senti... Non volevo... Mi dispiace tantissimo...

– Di cosa?

– Di questo casino. Siete tutti coinvolti per colpa mia.

Fabrizio si piegò per guardarlo meglio. – In che senso? Non capisco.

– Esattamente un anno fa ho scritto un agile saggio sulla corruzione in Albania per un piccolo editore foggiano. E adesso la mafia albanese me la fa pagare –. Saporelli si sfiorò la ferita con la punta delle dita. – Comunque sono disposto a morire. Implorerò di risparmiarvi, non è giusto che se la piglino con voi. Non c'entrate niente.

– Mi dispiace dovertelo dire, ma credo che tu ti stia sbagliando –. Fabrizio si batté sul petto. – È tutta colpa mia. È un gruppo eversivo di boscaioli finlandesi che ci ha sequestrati. Io ho smascherato lo scempio che fanno nelle foreste millenarie del Nord Europa.

Saporelli scoppiò a ridere. – Ma figurati... Li ho sentiti parlare, parlano albanese.

Fabrizio lo guardò perplesso. – Sí, e adesso tu sai l'albanese?

– No, non lo so. Ma sembrerebbe proprio albanese. Usano certe consonanti tipiche degli idiomi balcanici, – continuava ossessivamente a tastarsi l'ematoma. – Senti, dimmi la verità, ma come sono ridotto? Ho il volto sfigurato, vero?

Fabrizio lo osservò per qualche secondo. Non era conciato malissimo, ma fece un lento sí con il capo.

– Ma tornerò normale?

Ciba gli diede la brutta notizia. – Non credo. È una bella botta... Speriamo almeno che l'occhio sia ancora funzionante.

Saporelli si accasciò a terra. – Ho un cerchio terribile alla testa. Non è che hai un Saridon? Un Moment?

Stava per dirgli di no, poi si ricordò della pillola magica che gli aveva dato Bocchi. – Sei il solito fortunato. Ho questa pasticca. Vedrai come stai sereno dopo.

Con l'occhio sano il giovane autore la esaminò. – Che roba è?

– Tu non ti preoccupare. Butta giú.

Il premio Strega, dopo un attimo di incertezza, la ingoiò.

In quel momento dal buio di un cunicolo si sentí un ritmo lento di percussioni. Assomigliava a un battito cardiaco.

– Oddio, stanno arrivando. Moriremo tutti! – urlò Alighiero Pollini, il sottosegretario ai Beni culturali, e si abbracciò Mago Daniel, il famoso prestigiatore di Canale 26. La velina cominciò a frignare, ma nessuno si prese pena di confortarla. Il battito era diventato piú forte e rimbombava nella cripta.

Fabrizio, obnubilato dalla strizza al punto che gli dolevano persino le otturazioni, disse: – Saporelli io... io... Ti stimo.

– E io ti considero il mio padre letterario. Un modello da imitare, – rispose il giovane in un impeto di sincerità.

I due si abbracciarono e fissarono l'ingresso del cunicolo. Era cosí nero che il buio sembrava palpabile. Come se milioni di litri di inchiostro dovessero traboccare, da un secondo all'altro, all'interno della cripta.

Il ritmo tribale, nascosto dalle tenebre, sembrava composto da percussioni, tamburi, ma anche da battiti di mani.

Lentamente, come se si liberassero dal buio che le imprigionava, apparvero delle figure.

Tutti smisero di frignare e di lamentarsi e rimasero in silenzio a guardare la processione.

Erano enormi. Bianchi come gesso e con le teste piccole incassate nelle spalle cadenti. Rotoli di ciccia gli nascondevano la vita, e le braccia somigliavano a prosciutti. Alcuni avevano dei bonghi che tenevano sotto l'ascella e gli altri si colpivano il petto producendo il ritmo ancestrale. C'erano anche delle femmine, piú basse e con le tette piatte e larghe come scamorze, e dei bambini, chiattoni pure loro, che stringevano impauriti le mani delle madri.

Lentamente il branco timido e impacciato si fece avanti. Erano vestiti con pezzi di tute sportive, felpe slabbrate, resti di uniformi da giardiniere. Ai piedi avevano scarpe da ginnastica sformate e ricucite con pezzi di spago e filo di ferro. Intorno ai bicipiti lardosi, collari da cane. Alcuni indossavano cuffiette rotte alle quali avevano appeso ciondoli, medagliette con nomi e numeri di telefono, tappi di bottiglia. Altri avevano copertoni di bicicletta intorno al petto.

La pelle era priva di pigmenti e gli occhietti, rossi e all'infuori, sembravano infastiditi dalla luce. I capelli, senza colore, erano intrecciati con i nastri di plastica bianchi e rossi che servono a delimitare i lavori in corso.

A un tratto, tutti insieme, smisero di battere e rimasero in silenzio di fronte agli invitati. Poi si allargarono in due ali per far passare qualcuno.

Un gruppo di vecchi cosí rachitici che sembravano usciti da un campo di concentramento si fece spazio tra i ciccioni. Erano bianchissimi, ma non erano albini. Alcuni avevano i capelli scuri.

I ciccioni si inginocchiarono. Poi furono deposti al centro della stanza un uomo e una donna seduti sopra delle sedie di plastica bianca.

Il vecchio aveva sulla testa un copricapo ornamentale, che assomigliava lontanamente a quello degli indiani d'America, composto di penne Bic, bottigliette di Campari Soda e palette di plastica colorate. Grandi occhiali da sole Vogue gli coprivano quasi tutta la faccia. Sul busto portava un'armatura composta da frisbee di plastica colorata.

La donna portava sul capo un secchiello blu e ai lati le cadevano cordoni di capelli bianchi intrecciati con strisce di camere d'aria e penne di piccione. Era avvolta in un piumino North Face lercio da cui spuntavano due gambette esili e varicose.

Il re e la regina, si disse Fabrizio.

67.

Quei due sono il re e la regina, si disse Saverio, che si trovava dall'altra parte della grande cripta.

Il ciccione lo aveva depositato lí, in mezzo agli altri invitati. Accanto aveva due signore di una certa età vestite da cavallerizze. Stavano in silenzio e scuotevano la testa in sincrono, come i pupazzi dietro i lunotti delle macchine. In un angolo c'era Larita, accucciata a terra, e non sembrava che stesse tanto bene. Continuava a pulirsi ossessivamente la faccia e il collo come se fossero ricoperti di insetti.

Saverio si sentiva stranamente tranquillo. Gli era calata addosso una terribile stanchezza. Aver raccattato da terra il cadavere carbonizzato di Zombie lo aveva reso insensibile. Come un Buddha sedeva immobile, il volto disteso, accanto alle facce contratte dalla paura, stravolte dalle lacrime, degli altri invitati.

Forse questo è lo spirito del samurai di cui parla Mishima.

C'era una differenza sostanziale tra lui e quella gente. Al contrario di loro, lui alla vita non teneva piú. E per certi versi si sentiva piú simile a quei mostri, sbucati come un incubo dalle viscere della terra. Solo che quelli erano stati capaci di fare ciò che a lui e alle Belve non era riuscito. Portare il terrore alla festa.

Un ciccione che impugnava una ruota di bicicletta come fosse uno scudo batté un bastone a terra e disse in una lingua sconosciuta: – Тише[2]!

Il vecchio re, seduto sul suo trono di plastica, osservò i prigionieri e poi con un filo di voce mormorò: – Вы советские[3]?

Saverio avrebbe voluto essere uno di loro, avrebbe sostenuto ogni sorta di iniziazione, si sarebbe fatto appendere con degli uncini nella carne per dimostrargli di essere un elemento valido, un guerriero. Un membro del popolo del buio.

Gli invitati si guardavano, sperando che qualcuno conoscesse il curioso idioma.

Un tipo frangettato con un occhio tumefatto e uno sbrego sulla fronte si alzò e chiese silenzio. – Amici, tranquilli, sono albanesi. Ce l'hanno con me. Vi farò liberare tutti. Qualcuno di voi che conosce l'albanese, mi può fare da traduttore?

Nessuno gli rispose, poi Milo Serinov, il portiere della Roma, disse: – Я русский[4].

Il vecchio gli fece segno di sollevarsi in piedi.

Il calciatore ubbidí e i due cominciarono a discutere nello stupore generale. Poi finalmente Serinov si rivolse ai rapiti. – Sono russi.

– Che vogliono da noi? – Che gli abbiamo fatto di ma-

[2] Fate silenzio!
[3] Siete sovietici?
[4] Io sono russo.

le? – Perché non ci liberano? – Gli hai detto chi siamo? – Tutti facevano domande, volevano sapere.

Serinov, con il suo italiano zoppicante, spiegò che quelli erano atleti russi dissidenti scappati durante le Olimpiadi di Roma e che vivevano nelle catacombe per paura di essere uccisi dal regime sovietico.

– E noi che c'entriamo?

Il calciatore sorrise divertito. – Pensavano... Ecco... Pensavano che fossimo comunisti.

Una fragorosa e spontanea risata si sollevò tra gli invitati. – Ahahah. Noi? Ma non ci hanno visto? Noi li odiamo i comunisti, – fece Riccardo Forte, imprenditore emergente nel ramo dei laminati d'alluminio. – Gli hai spiegato che il comunismo è morto e defunto? Che i comunisti sono piú rari dei... – Non gli veniva il paragone.

– Dei paninari, – aggiunse Federica Santucci, la dj di Radio 109.

– Certo che gliel'ho detto e gli ho raccontato che il regime sovietico non esiste piú e che i russi ora sono molto piú ricchi degli italiani. Gli ho detto che anche io sono russo e che faccio il calciatore e che faccio quello che mi pare visto che guadagno un botto di soldi.

Tra gli invitati, improvvisamente, si respirava un'aria leggera e frizzantina. Tutti erano contenti e si davano delle pacche di solidarietà.

Il vecchio re si rivolse di nuovo al calciatore, che tradusse: – Il vecchio qui ha detto che ci libererà se promettiamo di non dire niente della loro esistenza. Non sono preparati ad abbandonare le catacombe.

– Ma figurati. E a chi dobbiamo dirlo? – fece uno.

– Che problema c'è? Io me lo sono già dimenticato, – disse un altro.

Una ragazza dai lunghi capelli rossi si guardava intorno. – Che fenomeno singolare! Non li vedo neanche piú.

Si sollevò in piedi Michele Morin, il regista della serie Tv *La dottoressa Cri*. – Ragazzi. Per favore! Sul serio! Un attimo di attenzione. Facciamo giurin giurello? Cosí li facciamo stare tranquilli. Se lo meritano.

– Certo qualche foto però potremmo fargliela. Sono cosí folcloristici. Io lavoro per «Vanity Fair».

– Comunque, mi sono divertito un casino. Non vedo l'ora di raccontarlo a Filippo…

Tutti si erano messi in piedi e si aggiravano nella cripta, guardando interessati il popolo sotterraneo. Finalmente cominciavano a divertirsi. Altro che le cacce organizzate da Chiatti. Questa era la vera sorpresa.

– Adorabili ciccioni.

– Guardate i bambini. Che teneri.

68.

Durante la gestione del Comune di Roma la vecchia saracinesca che controllava il flusso dell'acqua nel grande bacino artificiale di Villa Ada aveva dato parecchi problemi agli addetti alla manutenzione. Negli ultimi dieci anni si era rotta almeno sei volte e ogni volta era stata riparata. Passava qualche tempo e la grossa valvola arrugginita ricominciava a perdere e il lago si ritirava, lasciando dietro di sé un tappeto di melma scura e nauseabonda.

Quando Villa Ada era stata acquistata da Sasà Chiatti la rete idrica era stata sostituita con una nuova e piú sofisticata. Per progettare il complesso schema idraulico che avrebbe alimentato rivoli e fiumiciattoli, i due laghi artificiali, gli abbeveratoi per gli animali, le fontane e la piscina a sfioro, era volato direttamente da Austin il giovane e geniale ingegnere idraulico texano Nick Roach, diventato famoso per aver supervisionato la costruzione della diga Stanley di Albuquerque e dell'AquaPark di Taos.

Il tecnico aveva disseminato nei bacini di Villa Ada dei sensori che avrebbero inviato continuamente ai computer della sala di controllo informazioni sul livello dell'acqua, la temperatura, la durezza carbonatica e il pH. Un programma elaborato da Roach con l'aiuto della software-house Douphine Inc. controllava, attraverso delle pompe, tutti i flussi nei bacini, ricreando le condizioni naturali del lago Vittoria, del bacino dell'Orinoco e del delta del Mekong.

Mentre era lí che dirigeva la realizzazione della rete idrica l'ingegnere si era imbattuto nella vecchia saracinesca del grande lago meridionale. La valvola era un pezzo di archeologia industriale, enorme, ricoperta di muschio e con il volante in ghisa. Sopra era impresso il marchio di fabbrica: «Fonderie Trebbiani. Pescara. 1846». Roach era rimasto a osservarla senza parole, poi si era inginocchiato a terra e aveva cominciato a singhiozzare.

Sua madre si chiamava Jennifer Trebbiani ed era di origini abruzzesi.

Negli ultimi giorni di vita, quando oramai il cancro le aveva mangiato l'intestino, la donna farfugliava al figlio che il suo bisnonno era partito da Pescara per le Americhe lasciando in mano al fratello la fonderia di famiglia.

Quindi, a rigor di logica, quella valvola era stata prodotta dalla fonderia dei suoi avi.

In un impeto di nostalgia Nick Roach aveva deciso di lasciare la saracinesca al suo posto nella nuova rete idrica. Sapeva che non era corretto dal punto di vista progettuale e che probabilmente, in caso di blackout, avrebbe espo-

sto la valvola a pressioni superiori alle sue capacità, ma lo
fece lo stesso, in onore di sua madre e dei suoi antenati pe-
scaresi.

Quando, la notte della festa, era venuta improvvisamente a mancare l'energia elettrica, tutti i computer che
regolavano i flussi e le pompe che mantenevano costante
il livello del bacino si erano spenti e il lago si era cominciato a riempire d'acqua, sottoponendo le tubature e le sa-
racinesche a una pressione eccezionale.

Alle quattro e ventisette tutte le giunzioni della condotta spruzzavano acqua come innaffiatoi, ma la vecchia
valvola pareva tenere. Poi ci fu un suono sinistro, uno stril-
lo metallico, e il volante in ghisa saltò in aria come un tap-
po di Champagne. La condotta esplose e due milioni di litri d'acqua contenuti nel bacino furono risucchiati nella
bocca d'aspirazione al centro del lago formando in pochi
minuti un Maelström che si tirò giú i coccodrilli, le tartarughe anfibie, gli storioni, le ninfee e i loti.

Tutta quell'acqua aprí una voragine nella terra e sfondò
la volta di tufo di una galleria della catacomba che passava
proprio sotto il lago, e cominciò a riempirla come fosse
un'enorme tubazione. Ci mise meno di tre minuti a sommergere il primo piano dell'antico cimitero cristiano e tra-
scinando tutto quello che trovava, ossa e pietre, ragni e topi, si lanciò, tra spruzzi e gorghi, nelle ripide scalette, sca-
vate faticosamente dai rudimentali scalpelli dei cristiani,
che portavano al piano inferiore. Lí l'acqua, ostacolata dal
piccolo diametro delle scale, sembrò perdere di forza, ma
poi un enorme costone di tufo si disgregò come un castello di sabbia sotto un'onda e l'acqua si aprí una nuova via
che le permise di esprimere tutta la sua incontenibile rabbia e di sommergere tutto quello che incontrava. Gli anti-

chissimi affreschi che rappresentavano due colombi in amore, che stavano lí da duemila anni, furono strappati via dalle pareti della tomba di un ricco commerciante di tessuti.

A quel punto lo spaventoso fronte delle acque, rombando come un reattore, proseguí nel buio verso la grande cripta dove si trovavano gli invitati e il popolo che vive sottoterra.

Danze new and revival by dj Sandro

69.

Gli invitati chiacchieravano, esprimevano giudizi, si accalcavano nella cripta intorno ai russi come fossero a un vernissage. Federico Gianni, l'amministratore delegato della Martinelli, con addosso brandelli dell'uniforme da caccia al leone, stava parlando con Ciba. – Senti, ma questa è una storia pazzesca... gli atleti sovietici che vivono per cinquant'anni nel sottosuolo di Roma. Ci viene fuori un romanzo incredibile. Una roba genere *Il nome della rosa*, per intenderci.

Fabrizio se ne stava sulle sue. Quello era un falsone traditore. – Dici? Non mi sembra cosí eccezionale. Sono cose che succedono abbastanza frequentemente.

– Ma scherzi? Ne potrebbe venire fuori un grande libro. Questa storia, mandata nelle librerie con il giusto lancio, spacca tutto.

Lo scrittore si carezzò il mento. – Non lo so... Non mi convince.

– E la devi scrivere tu. Senza alcun dubbio.

Fabrizio non si trattenne. – Perché non la fai scrivere a Saporelli?

– Saporelli è troppo giovane. Qui ci vuole una penna matura, del tuo calibro. Uno che ha dato una svolta alla letteratura italiana.

Quegli elogi cominciavano a fare breccia nella corazza dell'autore della *Fossa dei leoni*.

In effetti il bastardo non si sbagliava, quella storia era molto meglio della grande saga sarda, ma non doveva calare subito le braghe. – Ci devo pensare…

Il lungagnone però non era intenzionato a mollare. Gli brillavano gli occhi. – Tu sei l'unico che può fare una cosa del genere. Ci potremmo accludere anche un dvd.

L'idea cominciava a solleticarlo. – Un dvd? Dici? Funzionerebbe?

– Hai voglia. Molti contenuti. Che ne so, la storia delle catacombe… E un sacco di altra roba. Decidi tutto tu. Ti do carta bianca –. Gianni gli mise un braccio sulle spalle. – Ascolta, Fabrizio. In questo ultimo periodo non ci siamo parlati un granché. Questo è il guaio di dover tenere in piedi la baracca. Perché non ci facciamo un pranzo di lavoro nei prossimi giorni? Tu meriti di piú –. Fece una pausa tecnica. – In tutti i sensi.

Un peso terribile scomparve, il diaframma contratto si rilassò di colpo e Fabrizio si accorse che dalla presentazione dell'indiano aveva continuato a vivere in uno stato di malessere fisico. Sorrise. – Va bene, Federico. Ci sentiamo domani e ci mettiamo d'accordo.

– Ottimo, Fabri.

Da quanto non lo chiamava Fabri? Risentirlo fu miele per le sue orecchie.

– Senti ti ho visto con quella cantante… Come si chiama?

Cazzo, Larita! Se l'era completamente dimenticata.

Gli occhi di Gianni si intenerirono al pensiero della ragazza. – Bella fighetta. Te la sei scopata?

Mentre Fabrizio si girava a vedere dove fosse finita, un fragore rimbombò all'interno dell'antica necropoli.

Sulle prime lo scrittore pensò a un'esplosione in superficie, poi si accorse che il fragore continuava, anzi diventava sempre piú forte, e la terra tremava sotto i piedi.

– E ora che succede? Non se ne può piú... – sbuffò annoiato Mago Daniel.

– Saranno i fuochi artificiali... Corriamo... Ci siamo persi l'amatricianata di mezzanotte e non mi voglio perdere per nessuna ragione la cornettata... – gli rispose tutto eccitato il fidanzato, l'attore teatrale Roberto De Veridis.

No. Questi non sono fuochi artificiali, si disse Fabrizio. Sembrava piú un terremoto.

L'infallibile istinto animale che di solito lo informava se valeva la pena di andare o no a una festa, che gli faceva intuire se fare o no un'intervista e gli suggeriva il momento piú opportuno per apparire e scomparire dalla ribalta, questa volta lo informò che doveva immediatamente abbandonare quel posto.

– Scusami un attimo... – disse a Gianni.

Si mise a cercare Larita, ma non la vide da nessuna parte. In compenso trovò Matteo Saporelli che in un angolo si era spogliato e si stava cospargendo il corpo di terra canticchiando *Livin' la vida loca*.

Si avvicinò al collega. – Saporelli. Andiamo. Presto. Usciamo da 'sto posto –. Gli tese la mano.

Il giovane scrittore lo guardò con due occhi a palla in cui le pupille erano ridotte a puntini e prese a spalmarsi la terra sotto le ascelle. – No grazie, frittatina... Credo che questo sia un posto magico. E credo pure che forse dovremmo cercare di volerci un po' piú di bene. È questo il problema di oggi. Ci siamo dimenticati che questo pianeta è la nostra casa e dovrà ospitare la nostra progenie per

altre migliaia di anni. Cosa gli vogliamo lasciare? Un pugno di mosche?

Ciba lo guardò affranto. La pillola gli era salita. Per fortuna, bene. – Hai ragione. Perché non andiamo fuori che
me lo spieghi meglio?

Saporelli lo abbracciò commosso. – Sei il migliore, Ciba. Verrei con te, ma non posso. In questo luogo erigerò
un tempio a futura memoria, quando arriveranno gli alieni e vedranno gli antichi resti di questa civiltà malata. E
ricordati che la terra non è di nessuno. Nessuno può permettersi di dire questo è mio, questo invece è tuo... La
terra è degli uomini e basta.

– D'accordo, Saporelli. Buona fortuna –. Ciba si fece
spazio tra la folla. Tutti avevano smesso di chiacchierare e
ascoltavano in silenzio quel rumore sempre piú assordante.

Ma dove cazzo è Larita? Forse non l'hanno portata qui.

Uno sbuffo d'aria calda e umida, come quello che produce il passaggio della metropolitana, gli scompigliò i capelli. Fabrizio si girò e dall'ingresso di una galleria fu espul-
sa una nuvola nera e alata che si sparse per l'antro sotterraneo.

Non ebbe il tempo di capire cosa fosse che un pipistrel-
lo grosso come un guanto gli finí in faccia. Sentí il pelo lercio dell'animale sfiorargli le labbra. Urlando di ribrezzo,
scacciò il chirottero e si abbassò, coprendosi con le braccia la testa.

Come posseduti dalla taranta gli invitati strillavano e
saltavano tra i ratti che gli schizzavano fra le gambe, agitando le braccia per allontanare i pipistrelli.

*Perché i topi fuggono? Perché abbandonano la nave che
affonda.*

Fabrizio si accorse che i russi si stavano allontanando
velocemente attraverso una galleria opposta a quella da cui

proveniva il rombo. Gli uomini si erano caricati i bambini in braccio e anche il re e la regina erano stati presi sulle spalle da due ciccioni. Doveva seguirli.

Mentre si faceva spazio a gomitate tra la gente, vide
Larita. Era a terra e centinaia di roditori le scorrazzavano
addosso. Il pavimento tremava sempre piú forte. Dai cubicoli cascavano giú tibie, crani, costole.

Fabrizio si fermò. – Lar… – Un vecchio senatore del-
l'Udc lo travolse urlando: – È la fine! – e una donna che
stringeva in mano un femore, cercando di abbattere i pipistrelli, nella foga colpí sul setto nasale lo scrittore. Ciba
si coprí il volto. – Ahhh… Porca troia bastarda! – Si girò
verso la cantante. Era ancora lí, a terra. Inerme. Sembrava svenuta.

La caverna era scossa da sciami di vibrazioni e si faceva fatica a stare in piedi.

Qui crolla tutto.

Non poteva morire. Non cosí.

Guardò Larita. Guardò la galleria.

Scelse la galleria.

70.

Nonostante i pipistrelli fossero animali sacri ai cultori
del satanismo, a Saverio Moneta facevano schifo. Per fortuna il cappuccio della tonaca lo riparava. Dal soffitto della catacomba precipitavano sassi e terra e tutto tremava.
Gli invitati sembravano impazziti, si dibattevano tra topi
e pipistrelli. Nessuno però osava addentrarsi nel buio delle gallerie. L'unica cosa che riuscivano a fare era urlare come tante scimmie chiuse in gabbia.

Intanto i russi zitti zitti se ne erano andati.

Doveva seguirli e cercare una via d'uscita. Ma in quella bolgia non riusciva ad avanzare. Si spostò verso il muro, strisciando contro la roccia.

– Maestro! Che gioia! – Un ragazzo, nudo e impiastricciato di terra, gli si avventò contro e lo afferrò per la tunica. – Maestro sei arrivato! Meno male. Sto erigendo il tempio a futura memoria.

– Cosa? – Saverio non capiva. Il ragazzo si era inginocchiato di fronte a lui. Le grida della gente, le vibrazioni del cimitero e i boati lontani lo assordavano. – Che hai detto? – Si abbassò per sentire.

– Ci siamo. L'orrore è qui.

Un grosso frammento della volta crollò in mezzo alla folla. Una nube di terra avvolse tutto. Gli invitati si scontravano fra loro come ombre nella polvere.

L'ex leader delle Belve guardò il tipo negli occhi e capí che era fuori di testa. – Scusa, devo andare –. Il ragazzo gli si appese addosso.

– L'orrore! L'orrore! La terra non è di nessuno.

Mantos cercò di liberarsi dalla stretta. – Lasciami. Fammi andare, per favore.

– Dovresti capire e non capisci. Fratello che uccide fratello. Questo è il mondo nostro.

Le macerie avevano seppellito una donna, tra i sassi spuntava la gamba. Sul polpaccio magro le saliva il lungo tatuaggio di un'edera che scompariva tra i detriti.

Saverio, disperato, si trascinò il pazzo che continuava a parlare. – Tu mi devi indicare la strada e invece ci vuoi abbandonare.

Mantos gli tirò un calcio e finalmente riuscí a scrollarselo di dosso. – Ma che vuoi da me?

Il pazzo, inginocchiato a terra, lo guardò negli occhi. – Tu lo sai che devi fare.

Mantos arretrò terrorizzato. Per un istante gli era sembrato che quello fosse Zombie.

– Ma tu chi cazzo sei? – balbettò l'ex leader delle Belve e cominciò a correre verso la galleria facendosi largo a testa bassa.

In un angolo vide Larita.

Saverio s'inchiodò.

La ragazza era rannicchiata a terra e la gente la calpestava.

Devi finire il tuo compito! Devi sacrificarla. Almeno la mia morte sarà valsa a qualcosa, gli sembrò che gli dicesse Zombie.

Urlò e combattendo contro la corrente degli invitati, facendosi spazio a pugni e gomitate, raggiunse la cantante.

La ragazza aveva la bocca spalancata, le guance infuocate, e cercava di ingoiare aria come se avesse un attacco di asma.

Saverio le fece scudo con il corpo. L'avrebbe tirata fuori da quel buco e portata sopra Forte Antenne. Lí l'avrebbe sacrificata in onore di Zombie.

Larita singhiozzava. – Ho avuto un attacco di panico. Non riuscivo a respirare. E tutti mi camminavano sopra.

– Ci sono io –. Mantos la strinse forte tra le braccia.

Lentamente la ragazza riprese a respirare. Si asciugò le lacrime e lo guardò per la prima volta. Vide la tunica nera. – Tu chi sei?

Lui rimase in silenzio, senza sapere che rispondere. Avrebbe voluto dirle la verità. Sussurrargliela in un orecchio. *Io sono il tuo assassino.* Ma le disse: – Non mi conosci.

– Sei cosí gentile.

– Ascolta, qui non possiamo restare. Tirati su. Ce la fai a camminare?

– Credo di sí.

– Allora forza, proviamoci –. La afferrò per un fianco e la mise in piedi.

Lei gli prese una mano. – Grazie.

Lui la guardò in quegli occhi color nocciola.

E chissà, forse Saverio Moneta detto Mantos glielo avrebbe detto che non doveva ringraziarlo. Forse per la prima volta in tutta la sua vita avrebbe avuto le palle di dire... Come diceva il tipo nudo?

L'orrore! Sí, l'orrore di una vita tutta sbagliata.

Chissà cosa le avrebbe detto se un'ondata d'acqua scura e schiuma non li avesse travolti e trascinati via con sé.

71.

Fabrizio Ciba avanzava per una galleria facendosi luce con l'accendino. Non si vedeva un accidente e ogni dieci passi inciampava in un mucchio di terra o in un buco.

Gli dispiaceva di avere abbandonato Larita. Ma con lei dietro non ce l'avrebbe mai fatta a salvarsi.

Solo i piú forti sopravvivono. Se non hanno una zavorra da trascinarsi.

Il rumore, alle sue spalle, era diventato assordante.

Si girò di scatto e al lume della fiammella vide un muro d'acqua che gli veniva incontro, nero e furioso.

– Che palle... – riuscí a dire prima che l'acqua lo rigirasse come un panno sporco in una lavatrice e lo prendesse con sé come fosse zavorra.

72.

Piero Ristori aveva settantasette anni e viveva a via di Trasone, a pochi passi da Villa Ada. Era andato in pensione da dieci anni. E da quando aveva smesso di lavorare faceva fatica a dormire. Alle due si svegliava e rimaneva steso nel letto aspettando la luce del giorno. Inchiodato accanto al corpo dormiente di sua moglie, ricordava. Nel silenzio scandito dal ticchettio della sveglia tornavano a galla, come gnocchi messi a bollire, immagini della sua infanzia a Trento. Ricordava l'adolescenza, il collegio, le vacanze in Liguria. Con nostalgia rivedeva sua moglie giovane, in costume, bella da togliere il fiato, sdraiata su un pattíno di Cesenatico. La prima volta avevano fatto l'amore senza nemmeno essere sposati. E poi Roma. La redazione del giornale. Migliaia di articoli scritti in fretta e furia. Il rumore delle macchine da scrivere. I portacenere ricolmi di mozziconi. I pranzi all'osteria *La gazzella* con i colleghi. E soprattutto gli tornavano in mente i viaggi. Le Olimpiadi di Helsinki. I campionati di atletica a Oslo. I mondiali di nuoto negli Stati Uniti. Una portoghese con la frangetta e le lentiggini di cui non ricordava piú il nome.

Nel buio della sua stanza da letto una struggente malinconia afferrava Piero Ristori e gli strappava dal petto il respiro. Di tutta la sua vita gli erano rimasti solo inutili e sconnessi ricordi. Sensazioni, odori e la voglia di tornare indietro.

Che vita fantastica aveva avuto. Almeno fino a quando non era andato in pensione.

Da quel momento gli era stato chiaro. Era un vecchio, e quello era il purgatorio in terra. Alle volte rimpiangeva di non essere abbastanza rincoglionito (come la gran parte dei suoi amici) da non rendersene conto. Era dolorosamente consapevole che il carattere gli era cambiato. Si irritava per ogni stronzata, detestava i giovani, la confusione, quelli che avrebbero continuato a vivere mentre lui era cibo per i vermi. Aveva collezionato tutti i difetti della vecchiaia e nemmeno un pregio.

L'unico momento che amava della giornata era quando la luce cominciava a filtrare attraverso le serrande e gli uccelli prendevano a cantare. Scattava dal letto con un senso di liberazione e usciva da quel sepolcro in cui giaceva incosciente sua moglie, si vestiva e portava Max, il piccolo Jack Russell, a fare i bisogni. La città era silenziosa e tranquilla. Comprava il latte e il pane fresco al mercato e poi i giornali. Si sedeva su una panchina di Parco Nemorense (prima andava a Villa Ada, era incredulo che il Comune avesse potuto venderla) e sfogliava i quotidiani, lasciando libero Max di correre un po'.

Quel giorno era arrivato dal giornalaio di via Salaria una decina di minuti in ritardo rispetto alla sua tabella di marcia. La sera precedente si era preso una pasticca di sonnifero per non sentire l'inferno della festa di Salvatore Chiatti. Tutto il giorno il quartiere era stato bloccato per i comodi di quel mafioso.

Piero Ristori comprò «Il Messaggero», «La Gazzetta dello Sport» e «La Settimana Enigmistica» da Eugenio, il giornalaio, che stava finendo di aprire i pacchi di quotidiani appena scaricati.

– Buongiorno dottore. Li ha sentiti ieri gli scontri tra la polizia e i manifestanti?

Max adorava, per ragioni oscure, farla davanti all'edicola. Piero Ristori tirò il guinzaglio, ma il cane oramai aveva già cominciato. – Li ho sentiti. Eccome se li ho sentiti. Devono morire tutti.

Eugenio si sgranchí la schiena dolorante. – Dice che c'e-rano Paco Jiménez de la Frontera, Milo Serinov e tutta la Magica.

Il vecchio tirò fuori dalla tasca della giacca una busti-na di plastica per raccogliere lo stronzo di Max. – E chi se ne frega. Lo sai, lo sport non mi interessa piú.

Eugenio stava per replicare, chiedendogli perché al-lora comprava ogni giorno «La Gazzetta dello Sport», ma non gli andava di mettersi a questionare con quel vecchio scorbutico. Che peccato. Era stato un grande giornalista sportivo, una persona simpatica, ma da quan-do era andato in pensione si era incarognito e odiava il mondo.

Io invece quando me ne andrò in pensione sarò una perso-na migliore, si disse il giornalaio. *Potrò finalmente andar-mene al lago di Bolsena a pescare. Devo stringere i denti per altri ventidue anni.*

Piero Ristori diede un'occhiata alla prima pagina della «Gazzetta». Si parlava dell'ingaggio milionario di un cal-ciatore francese. – Lo vedi? È solo una questione di soldi oramai. Lo sport, quello vero...

Avrebbe voluto concludere la frase dicendo ciò che ri-peteva ogni giorno a sua moglie. Lo sport, quello vero, quello delle vecchie Olimpiadi, è morto.

Ma un boato improvviso lo zittí. Si girò verso la Sala-ria, ma non vide nulla. Il rumore però continuava.

Si passò una mano sulla fronte... Gli ricordava qualco-sa. Il boato che si sentiva camminando sulla diga di Ridra-coli, in Emilia-Romagna, dove andavano a villeggiare d'e-state con i figli. Era un suono inconfondibile, simile a quel-lo di una turbina d'aereo.

Il vecchio giornalista, con lo stronzo di Max in una ma-no e i giornali sotto il braccio, strizzando gli occhi dietro le lenti da vista continuò a guardarsi intorno. Via Salaria era sgombra e tutto sembrava normale.

Anche Eugenio si guardava intorno perplesso, aggrottando le sopracciglia. Max invece sembrava impazzito, tirava il guinzaglio e mugolava come se avesse visto un gatto.

– Stai buono… Cristo di…

Per la seconda volta un rumore lo zittí. Questa volta sembrava piú un fischio acuto.

Eugenio guardava in alto. Piero Ristori spostò lo sguardo in su e vide nel cielo sgombro di nuvole un disco nero che roteava piú in alto dei palazzi, sopra la strada. Ebbe il tempo di capire che era il coperchio di un tombino e il disco di bronzo ricadde giú, dritto come un fuso, e s'incuneò nel tetto di una Passat Variant. I finestrini esplosero, le ruote si piegarono e l'allarme cominciò a suonare impazzito.

Con la coda dell'occhio il vecchio giornalista si accorse che dal marciapiedi di fronte si sollevava, come il collo di un cobra, una colonna di schiuma bianca. Il getto d'acqua s'innalzava oltre il muro di recinzione di Villa Ada.

Poi gli sembrò che il tombino sputasse in su una cosa nera.

– Ma che dia…?! – disse Eugenio.

Sulle loro teste, a una decina di metri, si sbracciava e muoveva le gambe in aria un essere umano. Ricadde giú come uno che si è tuffato da una scogliera, e precipitò sulla strada.

Piero Ristori chiuse gli occhi. Un secondo dopo, quando li riaprí, vide che l'uomo era in piedi sulla mezzeria di via Salaria. Le gambe gli tremavano per l'impatto ma, miracolosamente, era illeso.

Mentre l'acqua inondava il manto stradale, il giornalista fece due passi in avanti verso di lui.

Era un vecchio magro e coperto con i brandelli di una

tuta da ginnastica nera. La lunga barba bianca e i capelli completamente zuppi appiccicati al corpo. Rimaneva lí, come se avesse i piedi incollati all'asfalto.

Il giornalista fece altri tre passi e superò le macchine parcheggiate lungo il marciapiede.

No, non può essere...

Nonostante fosse passato mezzo secolo, nonostante l'arteriosclerosi che gli incrostava i vasi sanguigni, nonostante la lunga barba che celava il volto dell'uomo, i vecchi lobi temporali di Piero Ristori, vedendo quegli occhi freddi come le pianure siberiane, quel grande naso, ricordarono.

Fu trasportato indietro nel tempo, all'estate del 1960. Roma. Olimpiadi.

Quello lí era Sergej Pelevin, il grande saltatore con l'asta che aveva vinto l'oro. Era scomparso durante i giochi insieme a un gruppo di atleti russi e nessuno aveva piú saputo che fine avesse fatto. Piero Ristori lo aveva intervistato per il «Corriere della Sera» dopo la premiazione.

Ma che ci faceva dopo mezzo secolo al centro di via Salaria?

Il giornalista, con le mani che gli tremavano, tirandosi dietro il cane si avvicinò all'atleta, che continuava a rimanere impalato come una statua in mezzo alla strada.

– Sergej... Sergej... – balbettò. – Ma che fine avevi fatto? Dove sei stato? Perché sei scappato?

L'atleta si girò e sulle prime parve non vedere nemmeno il giornalista.

Poi chiuse e aprí gli occhi lucidi, come se quel sole all'orizzonte lo infastidisse. Mostrando le gengive sdentate disse: – Свободу... я выбрал[5]...

---

[5] La libertà... ho scelto...

Non riuscí a finire la sua frase, perché una Smart Fortwo, che arrivava dall'Olimpica a oltre centoventi all'ora, lo prese in pieno.

73.

Saverio Moneta era riuscito a non lasciarla mai, a tenerle stretta la mano mentre venivano sbattuti e rivoltati dalla corrente che li trascinava per le gallerie nere della necropoli sotterranea. Avevano ingoiato litri d'acqua e non avevano respirato per un tempo infinito e poi, senza sapere come, erano affiorati in una sacca d'aria rimasta intrappolata sotto la volta di una galleria.

Saverio aveva la punta del naso contro il soffitto e a bocca aperta inspirava e tossiva. Anche Larita, accanto a lui, non smetteva di tossire.

– Ce la fai? – ansimò la cantante.

Saverio si puntellò meglio con le mani e con i piedi contro i loculi funerari. La corrente era fortissima, se mollava un attimo lo avrebbe trascinato via. – Sí. Ci sono.

Larita con una mano si afferrò a uno spuntone di roccia. – Tutto bene?

– Bene –. E per essere piú convincente lo ripeté. – Bene.

Non era vero. Doveva essersi rotto la gamba destra. Mentre venivano trascinati dalla corrente aveva sbattuto con violenza contro una parete.

Staccò dalla roccia la mano destra e si toccò dove gli faceva male. Sentí…

Oddio.

… una lunga scheggia appuntita gli usciva dalla carne.

Un legno, qualcosa, mi si è piantato nella coscia…

Poi capí e per poco non mollò la presa.

Era il suo femore rotto che spuntava dalla gamba come un coltello. La testa prese a girargli. Le orecchie erano bollenti. L'esofago gli si strinse. Una roba acida gli risalí fino al palato.

Sto per svenire.

Non poteva. Se sveniva la corrente lo avrebbe risucchiato. Rimase fermo, attaccato alla roccia, aspettando che le vertigini passassero.

– Che facciamo? – La voce di Larita rimbombava lontana.

Saverio vomitò e chiuse gli occhi.

– Rimaniamo qua? Aspettiamo che ci vengano a salvare?

Fece un grande sforzo per risponderle. – Non lo so.

Mi sto dissanguando.

L'acqua gli impediva di vedere la ferita. E questo era un bene.

– Neppure io, – disse Larita dopo un po'. – Qui però non possiamo restare.

Ti prego aiutami, sto morendo, era l'unica cosa che avrebbe voluto dirle. Ma non poteva. Doveva essere un uomo.

Che assurdità… Meno di quarantotto ore prima era un triste impiegato di un mobilificio, uno sfigato vessato dalla famiglia, e ora si trovava in una catacomba allagata accanto alla piú grande cantante italiana, e stava morendo dissanguato.

La sorte beffarda gli stava concedendo un'opportunità. Quella lí, che non sapeva nulla di lui, della sua sfiga congenita, lo avrebbe visto e giudicato per quello che era in quel momento.

Almeno qualcuno per una volta l'avrebbe visto come un eroe. Un uomo senza paura. Un samurai.

Che diceva Yamamoto Tsunetomo nell'*Hagakure*? «La via del samurai è una smania di morte».

Sentí la forza della volontà consolidarsi come un grumo duro nelle viscere doloranti.

Faglielo vedere chi è Saverio Moneta.

Riaprí gli occhi. Era buio, ma vedeva le ossa dei morti che gli galleggiavano intorno. Da qualche parte un po' di luce doveva entrare.

Larita faceva fatica a reggersi. – Credo che l'acqua stia aumentando.

Saverio cercò di concentrarsi e di non pensare al dolore. – Ascoltami… Tra un po' l'aria finirà. E chissà quando arriveranno i soccorsi. Dobbiamo farcela da soli.

– Come? – gli rispose Larita.

– Mi pare di vedere un bagliore da quella parte. Lo vedi pure tu?

– Sí… Appena appena.

– Bene. Andiamo di là.

– Ma se mi stacco mi trascina giú.

– Ci penso io –. Mantos si diresse verso la voce della cantante affondando le dita nel tufo friabile. – Aspetta… Attaccati alle mie spalle –. Il dolore gli abbagliava la vista. Per non urlare afferrò una tibia che galleggiava e la serrò tra i denti. Poi si fece vicino alla ragazza, che si attaccò alle sue spalle e con le cosce gli strinse il busto.

74.

Matteo Saporelli era un pesce.

Anzi un tonno pinna gialla. No, anzi, un delfino. Uno splendido delfino maschio che nuotava tra le misteriose rovine di Atlantide. Le braccia attaccate al corpo, muoveva la testa su e giú in sincrono con le gambe che pinneggiavano parallele.

Sono un mammifero marino.

Esplorava i resti di una grande civiltà sprofondata negli abissi oceanici. Ora si trovava nei lunghi corridoi che portavano alle stanze reali. Con la sua vista acutissima vedeva oro, pietre preziose, antichi monili incrostati di alghe e coralli. Vedeva granchi e aragoste camminare su montagne di monete d'oro.

Si sentiva a suo agio. Era stata una lunga contro-evoluzione, durata milioni di anni, quella che aveva riportato i mammiferi in mare, ma ne era valsa veramente la pena.

La vita acquatica è superiore.

C'era un unico problema che gli rovinava quel magico stato di grazia.

L'aria. Gli mancava un po' l'aria, per essere un delfino. Questo gli dispiaceva. Si ricordava che i cetacei possono rimanere immersi un sacco di tempo, lui invece aveva disperatamente bisogno di aria.

Cercò di fottersene. C'erano troppe meraviglie là dentro, non si poteva sprecare tempo a respirare.

Oltre i gioielli e i polipi fucsia, c'erano dei coralli incredibili che avrebbe potuto passare ore ad ammirare.

Vabbe', sai che faccio? Un po' d'aria la prendo e poi torno giú.

Salí pinneggiando come l'uomo di Atlantide verso la superficie e tirò fuori il muso in una piccola sacca d'aria sotto la volta della catacomba.

75.

Mentre Saverio Moneta avanzava a fatica con Larita abbrancata al collo verso il bagliore, la testa di un uomo spuntò dall'acqua a meno di un metro.

Il leader delle Belve di Abaddon, dopo un secondo di stupore, sputò la tibia e urlò: – Aiuto!

Anche Larita cominciò a strillare. – Aiuto! Aiuto!

L'uomo gonfiò e sgonfiò le gote, li guardò un istante, emise uno strano verso gutturale, una specie di ultrasuono, e si immerse di nuovo.

Saverio non credeva ai suoi occhi. – L'hai visto anche tu?

– Sí.

– Quello è un pazzo. Prima non sai che mi ha detto. Ma chi cazzo è?

Larita ci mise qualche istante a rispondere. – Mi sembrava Matteo Saporelli.

– E chi è?

– È uno scrittore. Ha vinto il premio Strega –. La voce poi le salí di un'ottava. – Guarda! Guarda lí!

Da un foro sulla volta della catacomba cadeva un fascio di luce che si spegneva nelle acque limacciose.

Saverio, lottando con la corrente che li tirava in direzione opposta, arrivò faticosamente sotto il buco.

Era un lungo buco circolare scavato nella terra. Le pareti erano ricoperte di radici e ragnatele. In cima videro le fronde di un fico agitate dal vento e dietro il cielo pallido di un'alba romana.

Larita si staccò da Saverio e si attaccò alla roccia. – Ce la possiamo fare… – Allungò la mano, ma era troppo in alto. Allora cercò di darsi uno slancio battendo i piedi, ma nulla. – Se avessi delle pinne…

Non ce la può fare, si disse Saverio mentre lei tentava di nuovo di prendere lo slancio verso l'orlo del buco. Era a una settantina di centimetri dal pelo dell'acqua e non c'erano appigli nel tufo, liscio come una lastra di marmo. Pinneggiando con le gambe non ci sarebbe mai arrivata.

Larita aveva il fiatone. – Provaci tu. Io non ce la faccio.

Saverio si diede uno slancio di reni, ma appena mosse la gamba cacciò un urlo disperato. Una fitta di dolore tagliente come la lama di un bisturi gli attraversò la carne dell'arto ferito. Ricadde giú, senza forze, a bocca aperta. Bevve un sacco d'acqua.

Larita lo afferrò per il cappuccio della tunica prima che la corrente se lo portasse via. Lo tirò a sé. – Che hai? Che ti succede?

Saverio stringeva gli occhi e si teneva a galla con difficoltà. Con un filo di voce sussurrò: – Credo che ho una gamba spezzata. Ho perso parecchio sangue.

Lei lo abbracciò, poggiò la fronte contro la sua nuca e scoppiò a singhiozzare. – No. E adesso come facciamo?

Saverio sentiva il groppo del pianto premergli contro lo sterno. Ma aveva giurato di essere uomo. Prese tre respiri e disse: – Aspetta... Non piangere... Forse ho un'idea.

– Cosa?

– Se io mi puntello contro un loculo, tu mi sali sulle spalle e poi ti attacchi alle pareti del buco. A quel punto è facile.

– Ma come fai con la gamba?

– Userò solo la sinistra.

– Sicuro?

– Sicuro.

Saverio si attaccò alla parete di tufo. Ogni movimento gli risultava faticosissimo, era rallentato da una stanchezza che non aveva mai sentito in vita sua. Ogni cellula, tendine, neurone del suo corpo aveva esaurito le forze. Con il sangue se ne stavano andando anche le ultime energie.

Dài, ti prego, non mollare, si disse, sentendo gli occhi pieni di lacrime.

Con il piede buono tastò la parete finché non trovò un

loculo dove fare forza. Allungò un braccio e si aggrappò a una piccola escrescenza. – Veloce! Sali su di me.

Larita gli montò addosso usandolo come una scala. Gli mise i piedi sulle spalle e poi uno sulla testa.

Per non perdere la presa Saverio fu costretto ad appoggiare l'altra gamba.

Ti prego… Ti prego… Fai presto… Non ce la faccio piú, urlava nell'acqua.

Sentí che a un tratto il peso si alleggeriva. Guardò in alto. Larita era arrivata al buco e si puntellava con le gambe sui bordi. Con una mano si teneva a una radice che spuntava dalla parete.

– Ce l'ho fatta –. Larita era senza fiato. – Adesso allungami un braccio e ti tiro su.

– Non puoi…

– Come non posso?

– La radice non reggerà… Finirai in acqua.

– No. È robusta. Tranquillo. Dammi la mano.

– Vai tu. Poi chiami i soccorsi. Io ti aspetto qua. Vai, forza. Non pensare a me.

– No. Non ti lascio. Se vado, non resisterai e verrai portato giú dalla corrente.

– Ti prego, Larita… Vai… Io sto morendo… Non sento piú le gambe. Non c'è niente da fare.

Larita cominciò a piangere scossa dai singhiozzi. – Non voglio… Non è giusto… Io non ti lascio. Tu… come ti chiami, non so nemmeno il tuo nome…

Saverio aveva solo la bocca e il naso fuori dall'acqua. – Mantos. Mi chiamo Mantos.

– Mantos, tu mi hai salvato la vita e io ti lascio morire. Ti prego facciamo almeno un tentativo.

– Però se non ci riusciamo mi giuri che te ne andrai.

Larita si asciugò le lacrime e fece segno di sí.

Mantos chiuse gli occhi e con le poche forze che gli rimanevano si diede una spinta e allungò la mano verso quella di Larita. La toccò appena e ricadde giú, a braccia aperte, come se gli avessero sparato in petto. Il suo corpo affondò, ritornò a galla per qualche istante appena e poi la corrente se lo tirò giú. Lui non oppose resistenza. Fu portato verso il fondo.

All'inizio il suo corpo non voleva cedere, lottava per non farsi sopraffare. Poi, vinto, si acquietò e Saverio sentí solo l'acqua che gli rombava nelle orecchie. Era bello lasciarsi andare cosí, farsi portare giú, nel buio. L'acqua che lo stava uccidendo gli spegneva gli ultimi ardori di vita.

Che liberazione, si disse e poi non poté piú pensare.

76.

Un minuscolo puntino teneva il sole ancorato all'orizzonte, quando Fabrizio Ciba riaprí gli occhi.

Vide una volta di foglie d'oro, nubi di moscerini, farfalle. Tutto intorno riecheggiavano i richiami degli uccelli. E sentiva l'acqua che scorreva e gocciolava carezzevole come quella di una doccia. Aspirò l'odore di terra zuppa. Sulle spalle, sulla nuca e sugli stracci bagnati che aveva addosso gli arrivava il calore tiepido del sole.

Restò fermo, senza pensare a nulla. Poi lentamente i ricordi della notte passata, della catacomba, del muro d'acqua che lo aveva sepolto si coagularono in un pensiero. Un pensiero molto positivo.

Sono vivo.

Questa consapevolezza lo cullò, e cominciò a riflettere che anche questa brutta esperienza sarebbe passata. Con il tempo avrebbe perso di drammaticità e nell'arco di qualche mese l'avrebbe ricordata con un misto di divertimento e rimpianto. E avrebbe avuto un senso.

La mente umana funziona cosí.

Si sorprese di quanto era saggio.

Era arrivato il momento di scoprire dove stava. Si tirò sui gomiti e vide che era steso su un letto di fango e sabbia che si spargeva tra due collinette coperte di alberi. Al centro scorreva un rivolo d'acqua. C'erano ossa ovunque, scarpe, un cap da cavallo e un grande coccodrillo a pancia all'aria, il ventre gonfio e bianco. Le mosche già gli ronzavano intorno.

Si mise in piedi e si sgranchí, contento di non avere ferite e di sentirsi un po' acciaccato ma in forma. E si accorse di avere fame.

È un buon segno. Un segno di vita.

Si incamminò verso il sole. Superò il boschetto sbadigliando ma si dovette fermare di fronte a una visione mozzafiato.

Nella vegetazione si apriva uno spiraglio. Si vedeva in lontananza l'Olimpica intasata dal solito traffico mattutino, i campi da rugby deserti dell'Acqua Acetosa, l'ansa immobile e grigia del Tevere. Piú in fondo il viadotto di corso Francia coperto di macchine e la collina Fleming rigogliosa di vegetazione.

Roma.

La sua città. La piú bella e antica del mondo. Non l'aveva mai amata come in quel momento.

Cominciò a evocare con la mente un bar, un bar romano, uno imprecisato. Con il terziario in giacca e cravatta che si accalca contro il bancone sporco di zucchero. I cornetti alla crema. I fagottini con le mele. I tramezzini. Il rumore dei piattini e delle tazze sbattuti nel lavello. Il tintinnio dei cucchiai. Il «Corriere dello Sport».

Scese dalla collinetta quasi saltando. Se non ricordava male, l'uscita era in quella direzione. Trovò un viottolo e cominciò a scendere a due gradini per volta le scalette che, attraverso il bosco, portavano verso il lago.

C'era qualcosa, uno strano oggetto, proprio in mezzo alle scale. Rallentò. Sembrava di metallo e aveva delle ruote. Si avvicinò un altro po' fino a quando capí cos'era.

Una sedia a rotelle.

Era rovesciata su un fianco. Oltre la sedia c'era un corpo, steso sui gradini. Fabrizio, trattenendo il fiato, si avvicinò.

Sulle prime non lo riconobbe, ma vide poi la testa pelata, le orecchie a sventola. La sacca fecale di Vuitton.

Si mise una mano tra i capelli. *Oddio, è Umberto Cruciani*.

Il vecchio maestro, a terra e senza la sua sedia, sembrava un paguro Bernardo a cui hanno tolto il guscio.

Fabrizio non ebbe bisogno di toccarlo per capire che era morto. Gli occhi sbarrati sotto le sopracciglia scure e folte. La bocca senza denti spalancata. Le mani rattrappite.

Doveva essere precipitato per le scale.

Fabrizio si piegò sul cadavere del grande scrittore e gli chiuse gli occhi.

Un altro grande se n'era andato. L'autore della *Muraglia occidentale* e di *Pane e chiodi*, i capolavori della letteratura italiana degli anni Settanta, se n'era andato lasciando un mondo piú povero e triste.

Fabrizio Ciba fu scosso da un singhiozzo, da un altro e da un altro ancora. Non aveva mai pianto durante quella notte folle, ma ora scoppiò a piangere come un bambino.

Non piangeva di dolore, ma di gioia.

Si asciugò le lacrime, gli carezzò il volto scheletrico e con un colpo gli strappò la chiavetta USB da 40 gb dal collo.

Sorrise tirando su con il naso. – Grazie, maestro. Mi hai salvato.

E lo baciò sulla bocca.

77.

Larita era riuscita a emergere dal pozzo. Le radici l'avevano aiutata ad arrampicarsi fino in cima.

Ora camminava a testa bassa attraverso un pratone su cui pascolavano tranquilli gnu, bufali e canguri.

Non poteva togliersi dalla testa l'immagine della mano di Mantos che sfiorava la sua, le dava un bigliettino e spariva nell'acqua nera.

Tirò fuori dalla tasca il pezzo di carta tutto bagnato. Sopra c'era una scritta slavata, ma ancora leggibile.

«A Silvietta».

Chi era Silvietta? E soprattutto, chi era Mantos?

Un eroe apparso dal nulla che si era sacrificato per salvarla.

Forse Silvietta era la sua amata.

La cantante stava per aprire il biglietto, quando sentí le sirene della polizia.

Col pezzetto di carta in mano cominciò a correre.

Cornettata

78.

I vigili del fuoco dopo diverse ore di lavoro erano riusciti ad aprire una breccia nel muro di recinzione della Villa. Era piú facile che sfondare i cancelli d'acciaio. Avevano recintato la zona, che si era affollata di curiosi, macchine della polizia, decine di ambulanze, giornalisti e fotografi. Gli invitati arrivavano alla spicciolata. Molti si reggevano in piedi a malapena e venivano accolti da équipe mediche che li sdraiavano sulle lettighe. Corman Sullivan era stato imbustato in una camera iperbarica gonfiabile. Antonio, il cugino di Saverio, con la testa fasciata in un enorme turbante di garza, beveva un tè caldo. Paco Jiménez de la Frontera e Milo Serinov parlavano al cellulare. Cristina Lotto si abbracciava al marito. Mago Daniel era in mutande e discuteva con il vecchio Cinelli e un cinese vestito da acrobata.

Larita si fece spazio tra la gente. Il cuore le batteva forte e le tremavano le mani per l'emozione.

Una giovane infermiera le si avvicinò con una coperta. – Venga con me.

La cantante fece segno che stava bene. – Un attimo… Un attimo soltanto.

Dov'era? *E se…* Non volle finire quel pensiero troppo triste.

Non c'era da nessuna parte. Poi si accorse di un capannello di giornalisti che si accalcavano intorno a qualcuno. Fabrizio era lí che rispondeva alle domande degli intervistatori. Nonostante fosse avvolto in una coperta grigia, pareva in ottima forma.

Un peso scomparve dal cuore di Larita. Si avvicinò per guardarselo meglio.

Mamma mia quanto mi piace.

Per fortuna lui non l'aveva vista. Gli avrebbe fatto una sorpresa appena finiva con i giornalisti.

79.

– Allora, ci dica… Cos'è successo? – domandò Rita Baudo, del Tg4.

Fabrizio Ciba aveva deciso di non parlare con la stampa, di essere scorbutico e inavvicinabile come sempre, ma quando aveva visto che tutti i giornalisti erano corsi da lui, dimenticandosi degli altri vip, non era riuscito a non crogiolare l'ego. E poi nella mano che teneva in tasca stringeva la chiavetta USB di Cruciani che gli infondeva 40 gb di forza e coraggio. Con l'altra mano si toccò il lobo dell'orecchio e tirò fuori uno sguardo da sopravvissuto. – C'è poco da dire. Siamo finiti nella festa di uno psicopatico megalomane. Questa è la triste parabola di un essere umano superbo e orgoglioso che ha creduto di essere un Cesare. In un certo senso un eroe tragico, una figura d'altri tempi… – Avrebbe potuto continuare a pontificare per il resto del giorno, ma decise di concludere. – Scriverò presto la cronaca di questa notte di orrore –. Quando un fotografo lo inquadrò, si diede un colpo sul cespo di capelli ribelli che gli cadevano sugli occhi lucidi.

Rita Baudo però non era soddisfatta. – Ma come? Non ci può dire di piú?

Fabrizio salutò con la mano, come a dire che nonostante fosse emotivamente dissestato aveva avuto la clemenza di parlare con la stampa, ma ora aveva bisogno di privacy. – Perdonatemi, sono molto stanco.

In quel momento, con la delicatezza di un piantone di rugby, fece irruzione tra i giornalisti Simona Somaini.

La bionda attrice era avvolta in una microscopica coperta della croce rossa che scopriva strategicamente le strepitose tette e i capezzoli grandi come ditali velati dal reggiseno sbrindellato, la pancia piatta e il microscopico tanga sporco di fango. L'avventura nelle catacombe le aveva dato un'aria segnata, che la rendeva piú umana e nello stesso tempo ancora piú sexy.

– Fabri! Eccoti! Ho temuto... – fece lei e lo baciò in bocca.

L'occhio verde di Ciba si spalancò ed espresse per un decimo di secondo un dubbio, poi si chiuse e i due rimasero avvinghiati, in un tripudio di flash.

A Simona, a quel punto, come un sipario, cadde la coperta ai piedi mostrando i suoi 100-60-90.

Quando finirono l'ossigeno lei gli poggiò la chioma color savana sul collo e si asciugò gli occhi lucidi a favore degli obbiettivi. – In questa notte terribile, nonostante tutto, abbiamo scoperto... – Si rivolse a Fabrizio. – Glielo dici tu?

Fabrizio inarcò un sopracciglio, perplesso. – Che cosa, Simona?

L'attrice rimase interdetta, poi si riprese, piegò di lato la testa e sussurrò imbarazzata. – Dài, diciamoglielo. Per una volta non ci nascondiamo. Siamo anche noi esseri umani... Soprattutto oggi. Dopo questa terribile avventura.

– Puoi essere piú chiara? – le domandò la giornalista di *Rendez-vous*.

– Ecco, non so se posso dirlo.

L'inviato di *Festa Italiana* le puntò il microfono in faccia. – Ti prego, Simona, parla.

Fabrizio capí che la Somaini era un genio, strizzò la chiavetta USB e seppe di amarla. Quello era il colpo di scena finale, la degna conclusione che lo avrebbe reso l'uomo piú importante della festa, il piú invidiato di tutti. Prese aria e disse: – Abbiamo deciso di fidanzarci.

Scoppiò l'applauso da parte dei giornalisti, dei parame- dici e dei curiosi oltre le transenne.

Simona gli strusciò il naso sul collo come una gattina. – Sarò la sua Marilyn.

Fabrizio chiese un attimo di silenzio. – E volevo festeg- giare dandovi una notizia in anteprima. Ho finalmente fi- nito il mio romanzo –. E aggiunse: – E non lo pubblicherò con la Martinelli.

La Somaini lo abbracciò forte e sollevò il polpaccio e la deliziosa caviglia. – Tesoro, che notizia! Non vedo l'ora di leggerlo. Sarà un capolavoro.

Apparve strombazzando una grossa Porsche Cayenne nera. Dal finestrino sbucò il testone di Paolo Bocchi. Era ancora tutto congestionato. Sull'altro sedile c'era Matteo Saporelli che russava. – Che festa eccezionale! La miglio- re degli ultimi anni! Ragazzi, volete un passaggio?

Fabrizio prese per mano Simona. – Sí, per l'aeroporto.

– Che problema c'è! – disse il chirurgo estetico.

– Dove mi porti, tesoro? – chiese Simona tutta eccitata.

– A Maiorca.

80.

Larita aveva osservato la scena fino a quando i due si erano baciati.

Poi si era infilata una tuta, si era nascosta sotto il cap- puccio ed era riuscita ad allontanarsi da quella bolgia pri- ma che qualcuno la potesse riconoscere.

Era stata brava, non era scoppiata a piangere.

Con la sua solita sfiga, quella notte aveva incontrato un altro stronzo. Ma per fortuna si era dileguato dalla sua esi- stenza prima di poter fare danni.

Nel palmo aveva il bigliettino che le aveva dato Mantos. Lo aprí facendo attenzione a non stracciarlo. Sopra,
stinto ma ancora leggibile, c'era scritto:

MI SONO INNAMORATO
  SENZA CONOSCERE L'AMORE
E PERDO LA VITA
  SENZA AVERLA CONOSCIUTA,
      EDO DETTO ZOMBIE

Fine

Parte quarta

Quattro anni dopo

Chi vince a Merano
Chi cerca il petrolio
Chi dipinge ad olio
… Chi porta gli occhiali
… Chi tutto sommato…

RINO GAETANO, *Il cielo è sempre piú blu*.

Villa Ada, dopo la terribile notte del festone e la morte di Sasà Chiatti, era ritornata in mano al Comune. E i romani avevano ripreso a frequentarla come se l'epoca Chiatti non fosse mai esistita.

In effetti di quei fasti era rimasto assai poco. Una lapide all'ingresso di via Panama con i nomi dei vip morti. Le rotaie del trenino già avvolte dalle fronde dell'edera.

Qualche facocero e Gino e Nunzia, una coppia di avvoltoi grassi come tacchini, che razzolavano nei cestini della monnezza. Gli altri animali erano finiti nei bioparchi della penisola.

Per il resto era tornata a essere la solita e vecchia Villa Ada. Sterminata, intricata, sporca, spinosa, polverosa, tana di extracomunitari senza permesso di soggiorno, di cani randagi e pantegane. I pini secolari, malati fino al midollo, continuavano a cadere sui passanti. I prati erano di nuovo invasi dai roveti. I laghi verdi e fetenti, culla di zanzare tigre, nutrie e tartarughe acquatiche. Erano riapparsi i cani senza museruola, i poliziotti che flirtavano con le ragazze alla pari, i ciclisti vestiti come catarifrangenti, i suonatori di bonghi, i fumatori di canne, i vecchi seduti sulle panchine.

Ma il 29 aprile, esattamente a quattro anni dalla notte della festa, in un'assolata ma ancora fredda giornata romana, c'erano anche Murder e Silvietta.

Sdraiati su un plaid scozzese facevano un picnic a base di frittata di maccheroni, supplí e pizza ai funghi.

Da tre anni avevano deciso che quel giorno era dedicato alla memoria di Mantos e di Zombie.

Non che facessero granché per onorare i loro amici, ma a loro andava bene cosí. Si prendevano un giorno di ferie (avevano aperto un'impresa familiare di trattamento di pavimenti in cotto a Oriolo), montavano sulla Ford Ka e se ne andavano a Roma. E se c'era bel tempo, come quel giorno, facevano un picnic, leggevano e qualche volta ci scappava anche una pennichella all'aria aperta.

Cosí ricordavano i loro amici.

Quell'anno però era speciale. Avevano portato anche Bruce, il loro figlio di due anni che oramai camminava e, se non lo tenevi d'occhio, partiva spinto da quelle gambette instabili e finiva chissà dove.

Silvietta sollevò lo sguardo dal libro. – Dài vallo a riprendere… – disse a suo marito.

Murder si mise in piedi e sbadigliò. – Ti sta piacendo quel libro, eh?

– *Una luce nella nebbia* è bellissimo. Non riesco a staccarmi. Secondo me è meglio della *Fossa dei leoni*. Ciba è diventato uno scrittore maturo. E poi queste storie di contadini della Bassa padana sono cosí toccanti.

Murder addentò la pizza. – Chissà come fa a conoscere quella gente? Lui che è sempre vissuto a Roma.

– È un genio. Puro e semplice talento. Mi ricordo quando alla festa ha letto la poesia. Che persona speciale –. Silvietta si guardò intorno. – Dài muoviti. Fai il papà. Vai da Bruce.

Murder si stiracchiò. – D'accordo mia regina, ti riporto il tuo pargolo –. Le diede un bacio e si avviò verso le giostre, dove si era diretto il bambino.

Silvietta rimase un istante a fissare suo marito che si allontanava. Doveva assolutamente rifargli l'orlo dei jeans sdruciti. Poi si gettò di nuovo nel romanzo. Le mancavano meno di cinquanta pagine. Ma dopo neppure tre minuti sentí Murder che la chiamava. – Amore... Amore... Vieni subito.

Silvietta chiuse il libro e lo lasciò sul plaid. Trovò il marito e il figlio accanto a un cucciolo di pastore tedesco. Il bambino allungava la manina verso l'animale, che gli correva intorno scodinzolando.

Bruce non aveva paura, anzi. Rideva a crepapelle e cercava di prenderlo.

Silvietta si avvicinò al figlio. – Ti piace, tesoro?

Murder accarezzò il cucciolo e quello si buttò a pancia all'aria, pronto per una bella grattata. – Forse dovremmo prendergliene uno. Guarda quanto gli piace.

– E poi chi lo porta fuori?

Murder sollevò le spalle. – Io. Che problema c'è?

– Non ci credo –. Silvietta diede un pugno affettuoso sulla spalla di suo marito.

Murder prese in braccio Bruce, che cominciò a lamentarsi.

– Dài, andiamo a mangiare che sarà diventato tutto freddo.

Ma quando tornarono trovarono il picnic depredato. Qualcuno aveva preso la busta con i supplí, e anche la frittata era sparita.

Murder si mise le mani sui fianchi e allargò le gambe. – Ma guarda tu che figli di puttana! Uno non si può allontanare un attimo...

Silvietta raccattò la borsa. – I soldi non li hanno presi però.

Murder indicò un supplí spappolato sotto un cespuglio di alloro.

Marito e moglie, in silenzio, cercando di non far rumore, si avvicinarono. Sulle prime non videro niente, poi si accorsero che sotto i rami era accucciato un uomo con addosso una vecchia tuta sbrindellata e uno strano copricapo, fatto di penne di piccione e bottigliette di Coca-Cola. Si stava ingozzando con il loro picnic.

– Ehi! Tu! Ladro! – gli urlò Murder. – Ridammi la frittata!

L'uomo, colto in flagrante, fece un salto per lo spavento. Per un istante si girò e li guardò, un istante appena, poi prese la frittata da terra e zoppicando scomparve tra la vegetazione.

I due rimasero lí, impietriti.

Silvietta si mise la mano sulla bocca. – Non dirmi che era…

Murder fissava i cespugli, poi deglutí e guardò sua moglie. – No. Non te lo dico.

Ed eccoci ai ringraziamenti.

Per primo devo ringraziare Antonio Manzini. Grazie amico mio, senza il tuo funambolico cazzeggio, le tue invenzioni, le spinte, questa storia non sarebbe mai esistita. Poi ringrazio Lorenza che vede piú lontano di me e ringrazio la mia meravigliosa famiglia. Un grazie speciale va anche a Vereno, Marino, Massimo e Sauro per avermi costruito il miglior rifugio del mondo e a Marco, il direttore d'orchestra di una piccola follia. Poi ci sono Severino Cesari e Paolo Repetti, Antonio Franchini, Kylee Doust e Francesca Infascelli, per avermi sostenuto mentre pinneggiavo controcorrente.

Ah giusto, come posso dimenticarmi di Nnn… nnn… nnn… ntwinki e Nicaredda, silenziose e attente compagne di vita.

Ovviamente questo romanzo è frutto della mia fantasia e di sogni turbolenti. Se ci vedete cose e fatti che somigliano alla realtà sono affari vostri. Per la storia di Villa Ada e delle Olimpiadi invece ho saccheggiato Wikipedia e altri siti internet. Un'ultima cosa mi preme dire. Villa Ada è in una situazione di terribile degrado. Uno degli ultimi polmoni verdi di una metropoli asfissiata dallo smog e rintronata dal rumore sta per morire. Se le istituzioni non interverranno al piú presto, cercando di curare i pini malati (curare non vuole dire decapitare), di bonificare i laghetti e rimettere in piedi strutture fatiscenti, ci perderemo un altro pezzo di questa vecchia e stanca città che è Roma.

Alla prossima.

Nessun animale ha subito maltrattamenti o è stato ferito durante la stesura di questo romanzo.

Indice

Stampato per conto della Casa editrice Einaudi
Presso Mondadori Printing S.p.a., Stabilimento N.S.M., Cles (Trento)

C.L. 19101

Edizione						Anno			
8	9	10	11	12	13	2010	2011	2012	2013